ビジネス図解

最新版

個人事業主のための節税のしくみがわかる本

髙橋 智則

同文舘出版

まえがき

個人事業主として商売をしていれば、毎年の確定申告を通じて税金を意識しますから、多くの人が節税に興味・関心を持ったことがあると思います。

自分で確定申告をしている場合、本業が忙しいために毎年2月の確定申告時期になって、あわてて前年1年間の領収書や請求書をかき集めて帳簿の集計を行ない、無料の確定申告相談会場へ出向いて申告書を作成・提出して帰ってくる、という人もいることでしょう。

その場合、確定申告期限が迫ってようやく、昨年1年間の売上高や利益がどれほどあったのかを把握して、納める税金の計算ができた段階で、「これほど多くの税金を納めなければいけないのか」とため息をつくこともあるかもしれません。「こんなに税金を払うほど儲かっていないし、お金も残っていない……」という声も聞こえてきそうです。

このような経験をすると、「では、どうすれば節税できるのか」ということに強く関心を持つでしょう。しかし、普段の手続きや書類の記載方法については、わからなければ税務署に問い合わせて対応はできますが、賢い節税アイデアまで税務署に聞くことはできません。

また、税理士と顧問契約をしていなければ、容易に税金の専門家からアドバイスを受けることもできませんから、身近に節税の方法を教えてくれる人がおらず、誰にも相談できないという悩みを感じているかもしれません。

そこで本書は、そのような個人事業主の方を対象として、節税の考え方を図解でわかりやすく紹介することで、税金に対する理解を深め、読者のみなさんが自ら節税のアイデアを考えることができる手助けになるよう、税金のしくみの基礎を重視した内容となっています。

たまに個人事業主の方から、「節税に関して税理士などの専門家しか知らないような、特別な情報があるのではないか」といった質問を受けることがありますが、そのような秘匿性の高い節税ノウハウはごく稀なものです。仮にそのようなものが実際にあったとしても、それを実現するためには、高度な専門性を持った税理士等に依頼し、複雑で大掛かりなしくみを組んで、驚くほどの高額な報酬を支払うことで、ようやく達成できるものです。そのような節税ノウハウは一部の富裕層には有効であっても、一般の個人事業主の方にとっては無縁のものと言えます。こういった特殊なものを除けば、基本的に節税に関する情報は世間に広く出回っています。

つまり節税のノウハウとは、どれだけ税金についての基本をしっかり押さえているかによるものであり、節税ができている人とそうでない人の差は、単純に基本的なことを知っているか知らないかだけの違いであると言えます。

具体的には、その差は大きく次の二つに集約されると思います。

①誰でも容易に入手できる情報であるにもかかわらず、単純に**その存在を知らない**

②情報は知っていても、税金への理解が乏しいために**節税策として活用できていない**

そのため、本書の内容においては、税金についての知識があまりないという人に向けて、節税のためにしっかり理解していただきたい基礎的な項目を散りばめています。

個人事業主として事業を成功させていくには、利益を出さなければなりません。しっかり利益を出すには、売上高を増やすか、経費を減らすかのどちらかしかありません。

経営者にとっては税金も経費の一つですから、「税負担をできるだけ少なくして利益を最大化する」ために、積極的に税金対策を実施していく必要があります。

安易な方法で一足飛びに多額の節税が実現できることはありません。小手先のテクニックではなく、基本に忠実な方法を地道に積み重ねることが、もっとも確実な節税策であると私は考えています。

このたびの改訂版にあたっては、新章（第9章「資産運用で節税する方法」）を加えています。

長らく続く低金利の中、商売の儲けを預貯金で積み立てていくだけでは、なかなかお金は増えません。せっかく貯めたお金を寝かせておくのはもったいない、自分の働きに加えて、貯めたお金にもしっかり働いてもらおうと、資産運用に意欲・関心を持つ人が増えています。

投資できる商品も従来の株式や債券・投資信託に限らず、昨今においては海外も含めたさまざまな金融商品を手軽に購入できるようになりました。それに伴い、金融商品にかかる税制も改正を重ねており、複雑で理解することが難しいものになっています。

しかしながら、投資に対する税金のルールを知らないと、せっかく運用で増やした資産を税金で目減りさせてしまうことにもなります。そのため、新章では資産運用を行なううえで必ず押さえておきたい税金のルールや、節税のための大事なポイントを紹介しています。

今回このように改訂版を上梓することができたのも、ひとえに本書を手に取って下さった読者のみなさまのおかげです。本当にありがとうございます。

個人事業主の皆様にとって、本書が節税を考える際の基本書としてお役に立つことができれば幸いです。

２０２１年12月

髙橋　智則

最新版【ビジネス図解】個人事業主のための節税のしくみがわかる本●もくじ

2章

個人事業主の税金と節税のしくみ

3章

節税できる必要経費の使い方①モノに対する経費

4章 節税できる必要経費の使い方②ヒトに対する経費

5章 個人事業主のための消費税の節税法

6章

決算で節税する方法

7章

確定申告で節税する方法

8章 会社をつくって節税する方法

9章

資産運用で節税する方法

10章

税務調査に賢く備えて節税する方法

（注）本書の内容は２０２１年４月１日現在の法令に基づいています。

装　丁　春日井 恵実
ＤＴＰ　マーリンクレイン

1章

節税のやさしい考え方

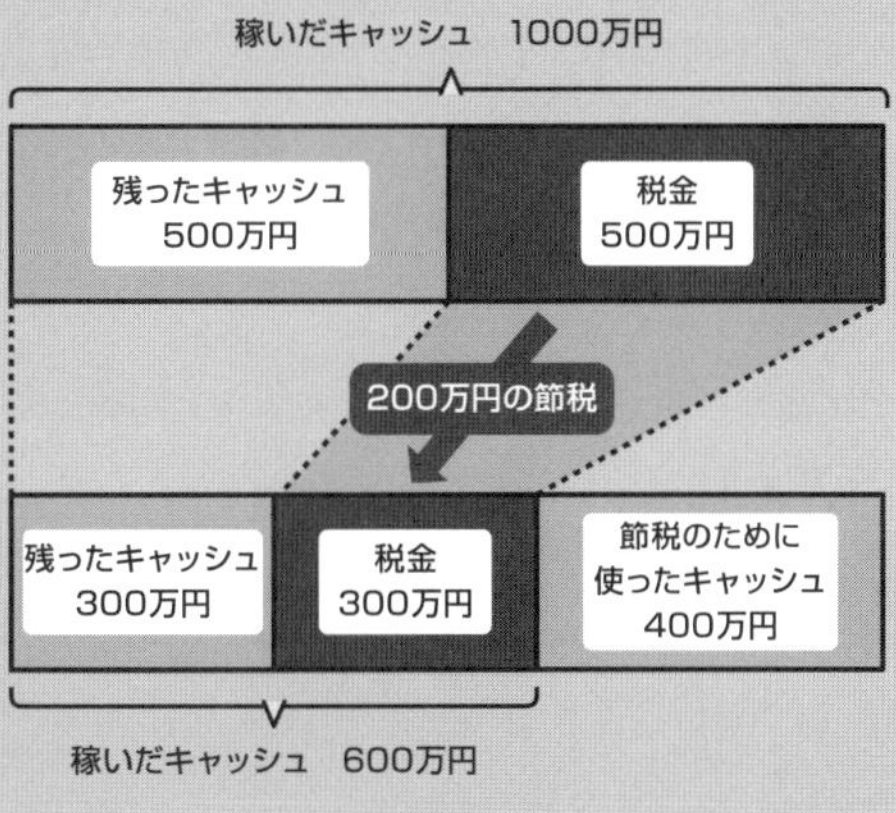

1 〝節税〟とはどういうことか？

何のために節税するのか？

「税金」と言うと、国に取られるもの、仕方なく払わされるもの、といったネガティブなイメージがつきものです。そのため、支払う税金をどうにか少なくしたい、と多くの人が一度は思ったことがあるでしょう。

「税金を少なくするためにはどうすればいいのでしょうか？」。税理士として仕事をしているので、このような質問を幾度となく受けてきました。

本書は、個人で商売をしている人、いわゆる〝個人事業主〟を対象として節税方法を紹介している本ですが、具体的に「節税」とは、どのようなことを指すのでしょうか？

「税金を安くすることに決まっているじゃないか」とお叱りの声が聞こえてきそうですが、残念ながら、それでは半分しか正解ではありません。

事業を営んでいる人がなぜ節税をしたいのかと言うと、「税金を支払う痛みを少なくしたい」という思いもあるでしょうが、本当のところは、税金を安く抑えて、自由に使えるお金を増やしたい、ということだと思います。

節税とは税引後のキャッシュを最大化すること

「事業を拡大するために設備投資にお金を使いたい」「毎日の生活を豊かにしたい」「貯蓄を多くして将来に備えたい」……このような思いを実現するためには、手許に多くのお金が入ってくる必要があります。

個人事業主であれば、事業で儲けを大きくすればいいということになりますが、一方で、儲けが大きいほどそれに比例して支払う税金も多くなります。

頑張って働いて稼いだお金なのに、こんなに税金で持っていかれるのか、とため息混じりに節税のアドバイスを求める気持ちはよくわかりますが、税金を安くすることばかりにとらわれすぎると、間違った節税方法を選択してかえって損をしてしまう可能性もあります。

賢く効果的に節税するためには、あくまでも税金を支払った後に残るお金、つまり、「税引後のキャッシュを最大化すること」という本来の目的を見誤らないことが大切です。

節税の目的は何か？

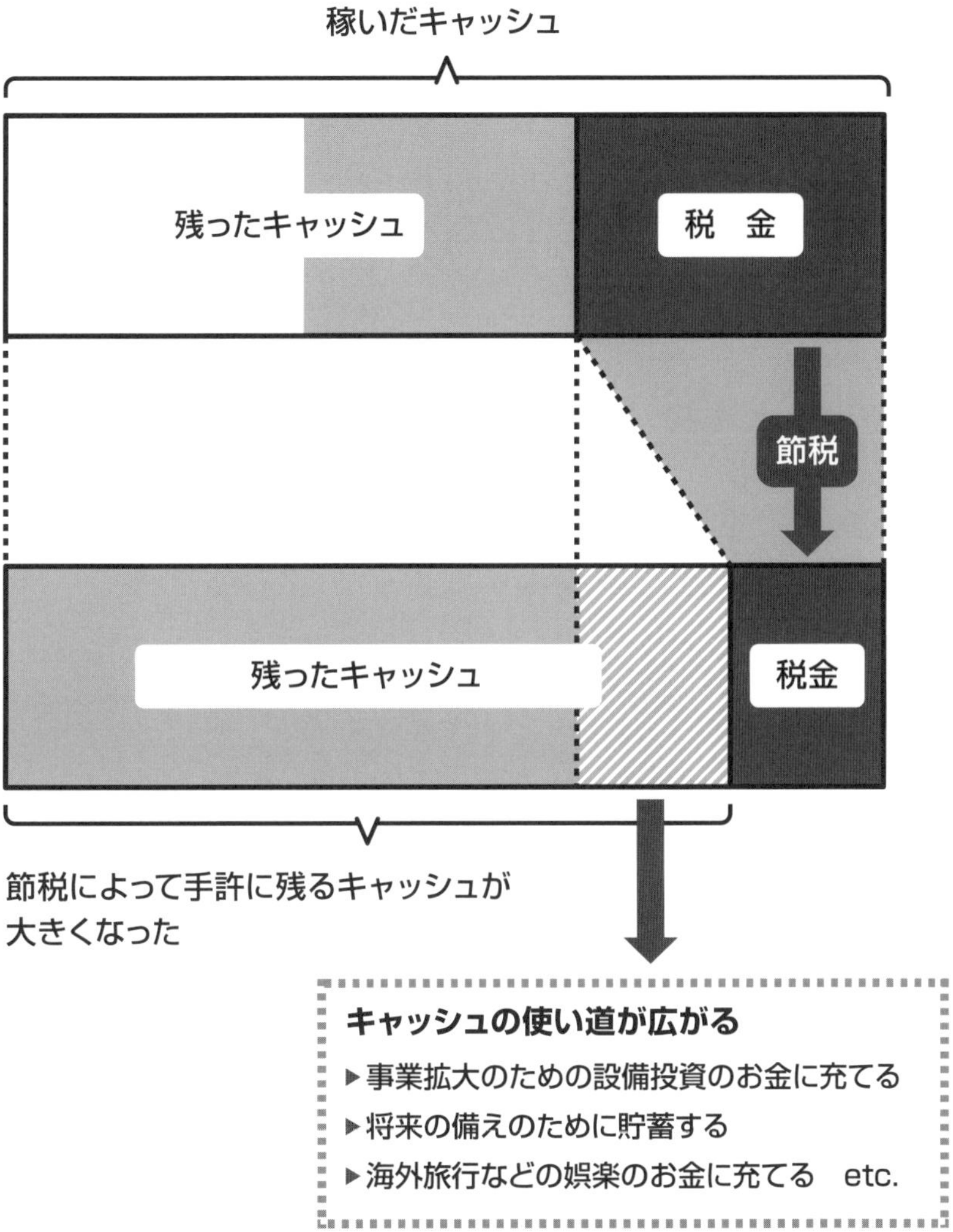

税金を支払った後のキャッシュ（税引後のキャッシュ）を最大化することが節税の目的

2 節税のパラドックス

儲けがあるから税金を支払う

税金は儲けがあるから支払います。稼いだ儲けが大きければ大きいほど、それだけたくさんの税金を支払うことになります。それなら、税金を安くしたければ儲けを少なくすればいい、と誰でも思いつきます。

たとえば、事業による儲けが１０００万円あったとします。この儲けに対する税金は、わかりやすくするために単純に50%としましょう。

この場合、１０００万円の儲けに対して支払う税金は５００万円です。この５００万円の税金を安くするために、４００万円の経費を支出し、儲けを６００万円に抑えた場合には税金は３００万円に下がります。

支払う税金がどうなったかを比較すると、５００万円から３００万円になり、２００万円も安くなったことで節税策は成功したように見えます。

しかし、税金を支払った後に手許に残ったキャッシュはどのようになったでしょうか。１０００万円の儲けに対して支払う税金は５００万円ですが、税引後のキャッシュも５００万円あります。一方で、節税で儲けを６００万円に抑えた場合には、支払う税金は３００万円と安くはなったものの、税引後のキャッシュも３００万円に下がってしまいます。

節税するにはお金が必要!?

事業で経費として出ていくお金が増えるほど、その分、利益は少なくなります。事業の利益、つまり儲けが少なくなれば、支払う税金も少なくなるのは当然です。

しかし、そもそも節税は、自分の自由になるお金を増やすことが目的のはずです。儲けが少なくなれば、それだけ入ってくるキャッシュも少なくなってしまいます。だからと言って、儲けの金額を不正に少なく申告してごまかす〝脱税行為〟は論外です。

経費を増やして儲けを少なくすれば、節税にはなるものの、その分、支払う税金以上に支出が増えるために、結局、手許に残るキャッシュが減ってしまいます。

これでは本末転倒で、こんな節税ならしないほうがずっと賢いと言えるでしょう。

手許に多くのキャッシュを残すには？

〈節税のために400万円の経費を支出した場合〉

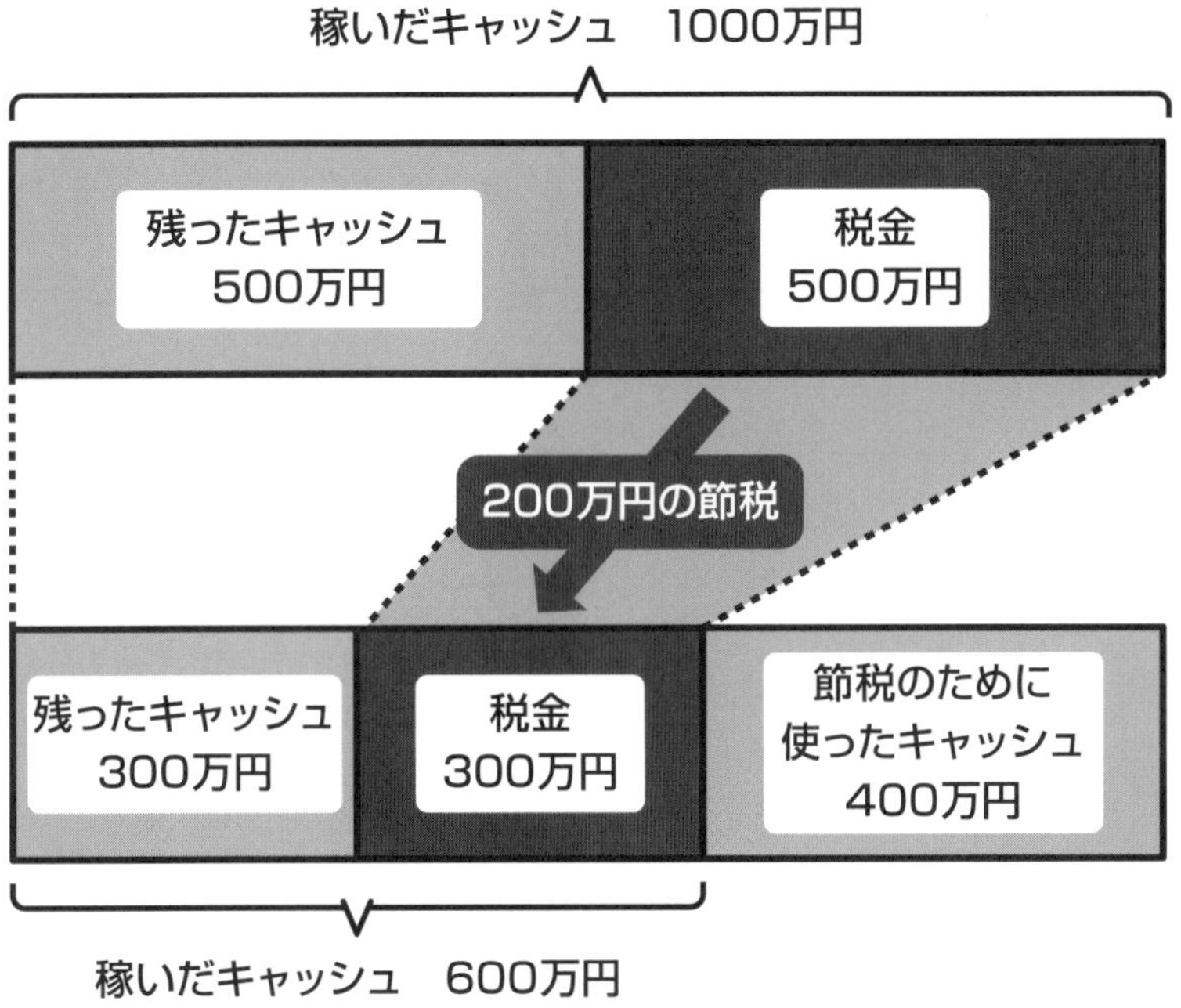

節税はできたが、手許のキャッシュも少なくなってしまった

節税のポイント

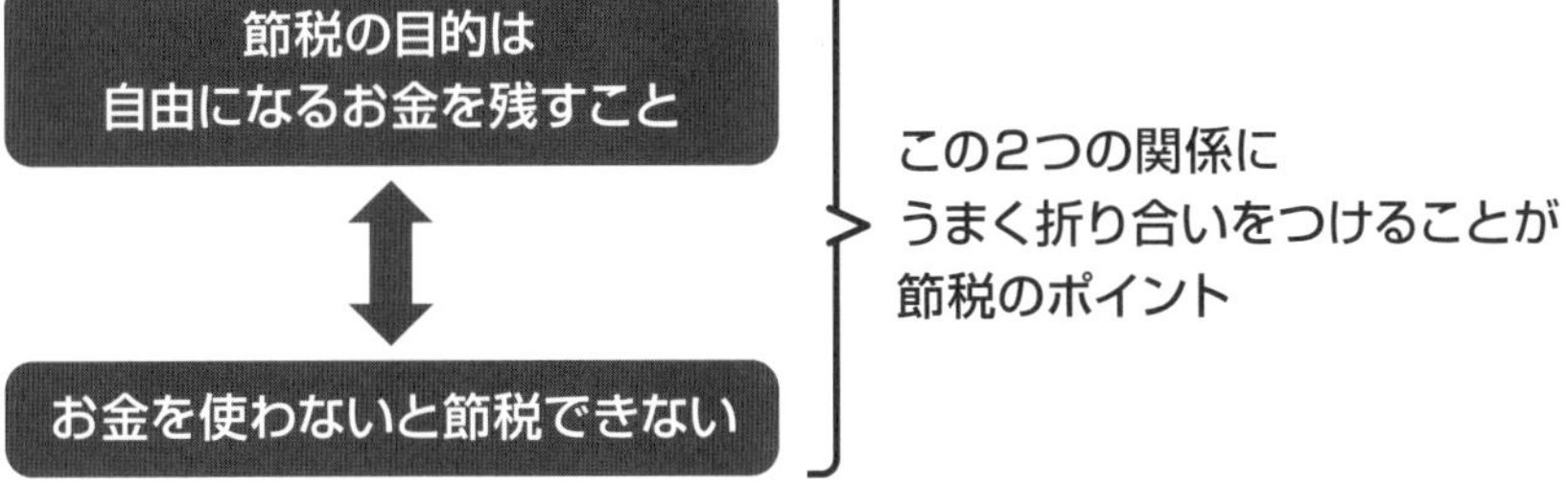

3 節税のしくみ①儲けと税金の関係を理解する

➡税金の計算はとても簡単

商売をしている人であれば、毎年3月15日までに「**確定申告**」をしていると思います。「確定申告」とは、1年間の儲けを集計し、納める税金を自ら計算して国に申告するとともに、税金を納める手続きです。

確定申告書を作成することで自分が納める税金を計算することができますが、不慣れな人は、「確定申告書の作成は厄介なもので、税金の計算もむずかしいもの」という印象を持っているかもしれません。

しかし、税金の計算はいたってシンプルなものです。簡単に言ってしまえば、儲け（＝所得）に税率を掛けて計算するだけです。その儲けは収入から必要経費を引いて計算します。つまり、売上げから経費を引いて残った儲けに税率を掛けるだけで税金は計算できます。

➡キャッシュを支出せずに儲けを少なくする

税金の計算の仕方をこのようにシンプルに理解すると、正しい節税の方法が見えてきます。

前に節税の意味を「税引後のキャッシュを最大化すること」と説明しました。税金が儲けに税率を掛けて計算するのなら、むだなキャッシュを支出せずに、儲けを少なくすることが理想的な節税策と言えます。

しかし通常、儲けを少なくするためには、お金を支出して経費を大きくする必要があります。お金を払わずに儲けを少なくすることは矛盾するようですが、税金計算のための「儲け（所得）」と、「キャッシュ残高」には微妙な違いがあることから、そのような状態が生じます。

どういうことかと言うと、税金計算のための「儲け（所得）」は、事業の売上げから必要経費を差し引いて計算しますが、一方、手許のキャッシュ残高は、収入のあったお金から支出したお金を差引して計算します。

「儲け（所得）」を計算するための「必要経費」と、「キャッシュ残高」を計算するための「お金の支出」はイコールではない、ということです。

つまり、支出したお金がそのまますべて必要経費になるわけではないため、結果として「儲け（所得）」と「キャッシュ残高」に差異が生じるわけです。

税金の計算はいたってシンプル

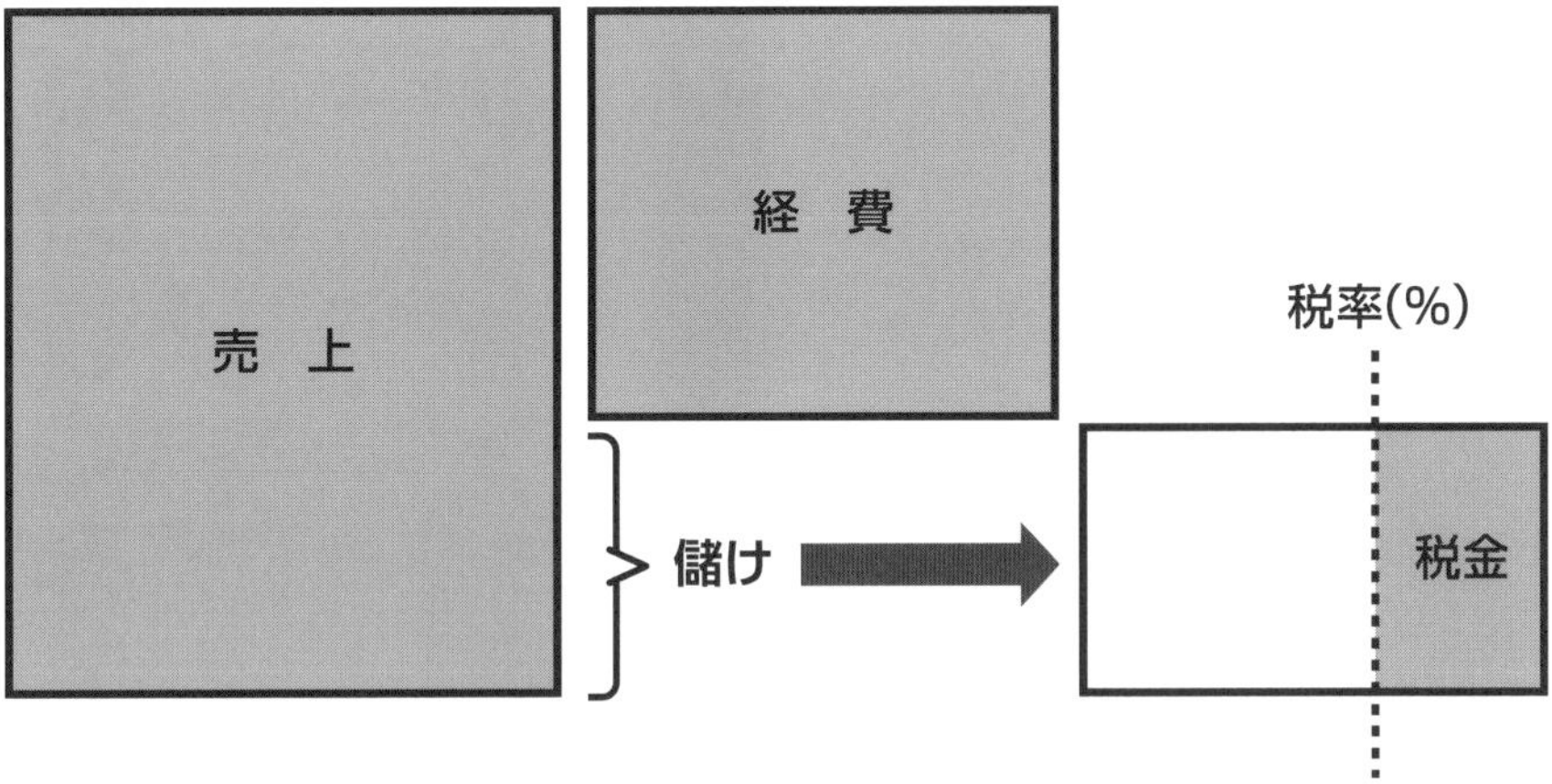

「儲けは少なく、手許のキャッシュは多く」が理想

売上 － 必要経費 ＝ 儲け

収入 － 支出 － 税金 ＝ キャッシュ残高

支出のすべてが経費になるわけではない

儲けを小さくすると税金も小さくなりキャッシュ残高が大きくなる

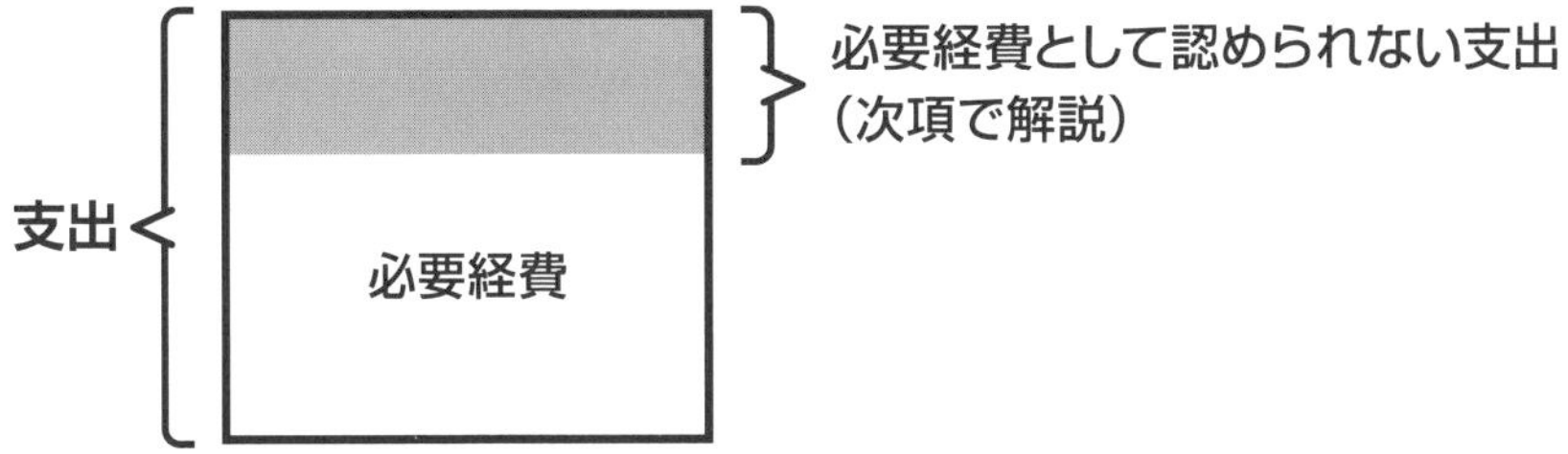

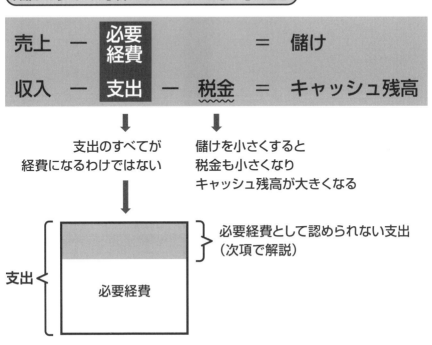

4 節税のしくみ②経費を最大化する

支出は二つに色分けされる

人は毎日の生活を送っていくうえで、一人の人間でありながら、置かれた場面によって、さまざまな立場や役割を担っています。

たとえばサラリーマンのある男性は、勤務する会社では雇用される会社員であり、部下を持つ課長ですが、家庭では愛する妻がいる夫であり、子供を持つ父親です。つまり会社と家庭という二つの立場を持っています。

これは事業を行なっている人も同様です。

大きくは、事業を行なう個人事業主という立場と、家庭の中における立場の二つに分けられ、個人事業主の人がお金を支出した場合には、それがいずれの立場で支払われたのかによって、税金計算における支出の取り扱いが異なってきます。

つまり、個人事業主の人のお金の支出は、次の二つに色分けされることになります。

「事業のためのお金の支出」

「生活のためのプライベートなお金の支出」

「儲け（所得）」の計算において、必要経費として取り扱われるのは、「事業のためのお金の支出」であることは言うまでもありません。

いわゆる「グレーゾーン」とは？

個人事業主の人が支出するお金の中には、「これは経費になるのか？」と迷うものもあると思います。個人事業主の支出は二つに色分けされると言いましたが、その二つは完全に区分できるものではありません。一人の人間が二つの立場を担う以上、その支出も当然、一部交わる部分が生じます。

この交わる部分がいわゆる「グレーゾーン」と呼ばれる支出であり、税金を計算するうえで、必要経費として扱ってよいものかどうか、判断が必要となります。

節税のコツはむだな支出をせず、経費を最大化することにあります。「経費を最大化する」とは、グレーゾーンにある支出を「事業のための支出」として、いかに線引きすることができるか、です。その判断いかんによって節税の結果も異なってくるのです。

グレーゾーンの支出とは？

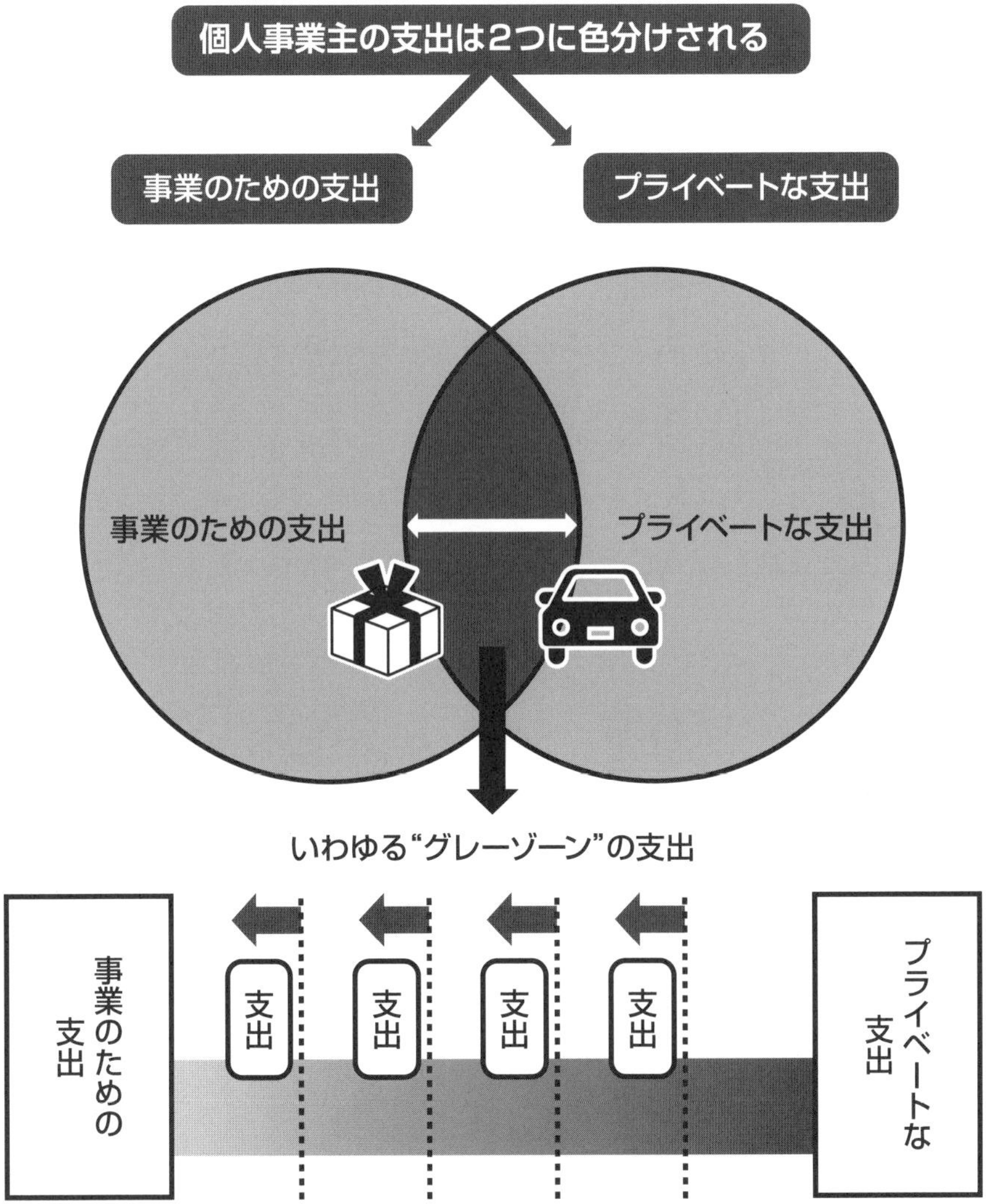

グレーゾーンにある支出を事業のための支出として
広く線引きすることが経費を最大化することにつながる

5 節税のしくみ③必要経費の意味

「必要経費」とは何か

節税のポイントは、経費を最大化して儲け（所得）を小さくすることにあります。そして「経費の最大化」のポイントは、むだにお金を支出することではなく、いわゆるグレーゾーンにある支出をいかに経費として区分することができるか、という点にあります。

では、グレーゾーンの支出を経費に区分するための判断は、どのように行なえばいいのでしょうか？

個人事業主の人から、「この領収書は経費になりますか？」という質問をよく受けますが、その判断をするためには、まず「**必要経費**とは何か」を理解する必要があります。

個人事業主の人が納める所得税の法律では、必要経費を次のように定めています。

「総収入金額に対応する売上原価その他、その総収入金額を得るために直接要した費用の額」

「その年に生じた販売費及び一般管理費その他、所得を生ずべき業務上の費用の額」

つまり、売上高を生むために直接的に必要となる支出（たとえば、販売する商品の仕入代金など）と、儲けを生むのに間接的に貢献し、その事業を営むために必要となる支出（たとえば、店舗の家賃や光熱費、従業員の給与など）の二つが必要経費になるということです。

事業との関連性があるか？

支出が必要経費として区分できるかどうかは、「事業との関連性がどのようにあるか」で判断することになります。ですから、その支出が現在の売上高や、将来の売上高を生むことにどのように貢献するのか、または儲け（所得）を生むことにどのように役立つのか、といった観点から判断する必要があります。

たとえば、デパートで茶菓子を買ったというだけでは、それが事業に役立つものか、家庭で食べるものか判断できませんが、得意先への訪問時の手土産品として使うものであれば、その支出はお客様との関係を円滑にし、売上げの拡大に貢献するものとして、事業との関連性があると判断されます。

「必要経費」の判断の仕方とは？

必要経費とは？

①売上高を生むために直接必要となる支出
　または
②儲けを生むことに間接的に貢献し、その事業を営むために必要な支出

ポイントは事業との関連性

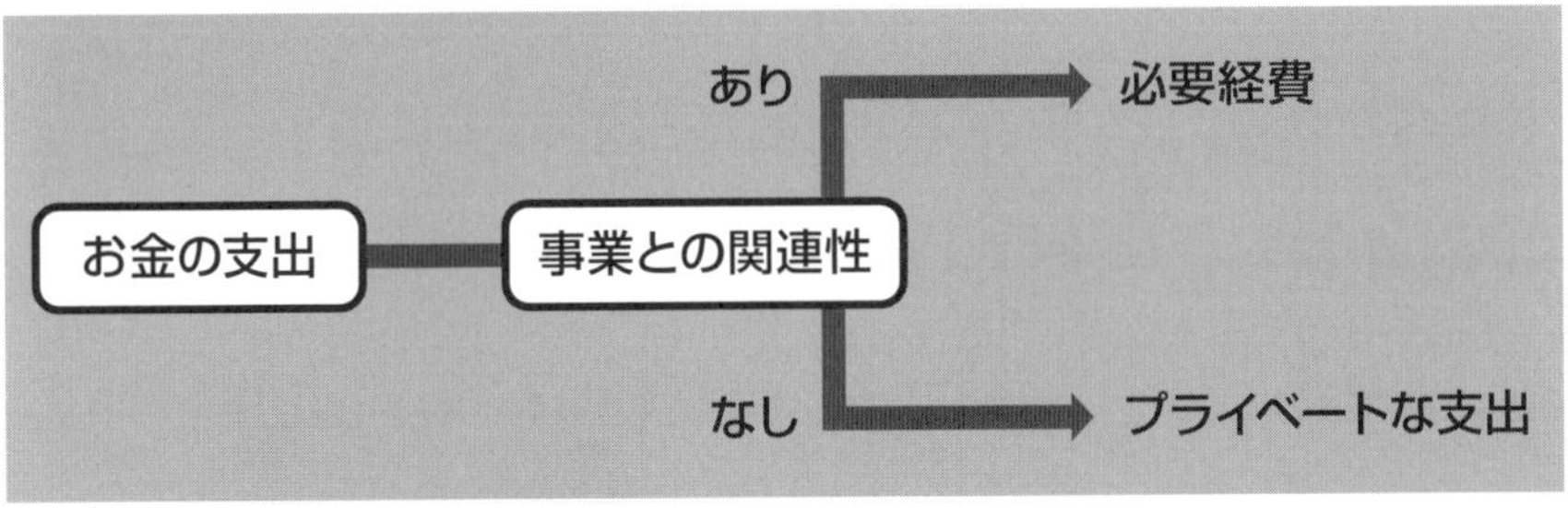

たとえば**家事関連費**

- 家賃、地代
- 水道、光熱費
- 接待費
- 交際費

…etc.

業務遂行上
直接必要だったかどうかで
判断する

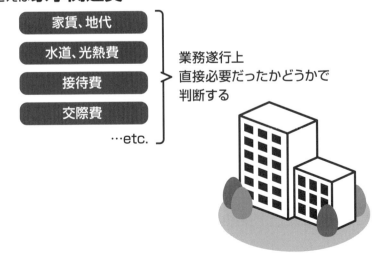

6 領収書に対する誤解

領収書さえあれば経費になるのか?

領収書とは本来、購入した商品やサービスの代金を支払ったことを証明するものであって、売手側から再び代金の支払いを求められた際に、支払い済みであることの証拠のために発行を受けるものです。

このような領収書のそもそもの目的に照らすと、その支出が必要経費であることを証明するためのものではないので、領収書があることだけでは必要経費かどうかの判断はできないことになります。

必要経費とは、その支出が現在ないし将来の売上高を生むことにどのように貢献し、または儲け（所得）を生むことにどのように役立つのか、といった観点から判断されるものです。

ですから、たとえ領収書があったとしても、その支出の内容が事業に何ら関係しないものであるならば、必要経費としては認められません。

領収書がなくても経費にできるか?

繰り返しますと、領収書はあくまで代金の支払いを証明するためのものであって、必要経費に該当するかどうかは、その支出の内容が事業に関連するか否かをもって判断するということです。

では、支出の内容は間違いなく事業に関連するものの、領収書をもらえなかった場合には、必要経費の判断はどうなるでしょうか?

結論から言うと、たとえ領収書がなくても必要経費として計上することができます。なぜならば、所得税法において必要経費の判断には、「領収書の有無は問われていない」からです。

事業に関連する支出であっても、領収書がもらえない支出は多くあります。たとえば、公共交通機関の切符代や、得意先等の冠婚葬祭時の祝い金や香典などです。

通常、これらの支出については領収書がないため、支出があったつど、伝票用紙や帳簿に、「①支払日、②相手先、③支払金額、④支払内容」の4点を記した記録書類を作成し保管しておくことで領収書の代わりとし、支出があったことを自ら証明する必要があります。

領収書がなくても「必要経費」になる？

領収書とは？

売手に対し、代金を支払ったことの証拠として発行を受けるもの

↓

領収書自体は必要経費であることの証拠ではない

領収書がない場合は、自らの支払いの記録により証明する

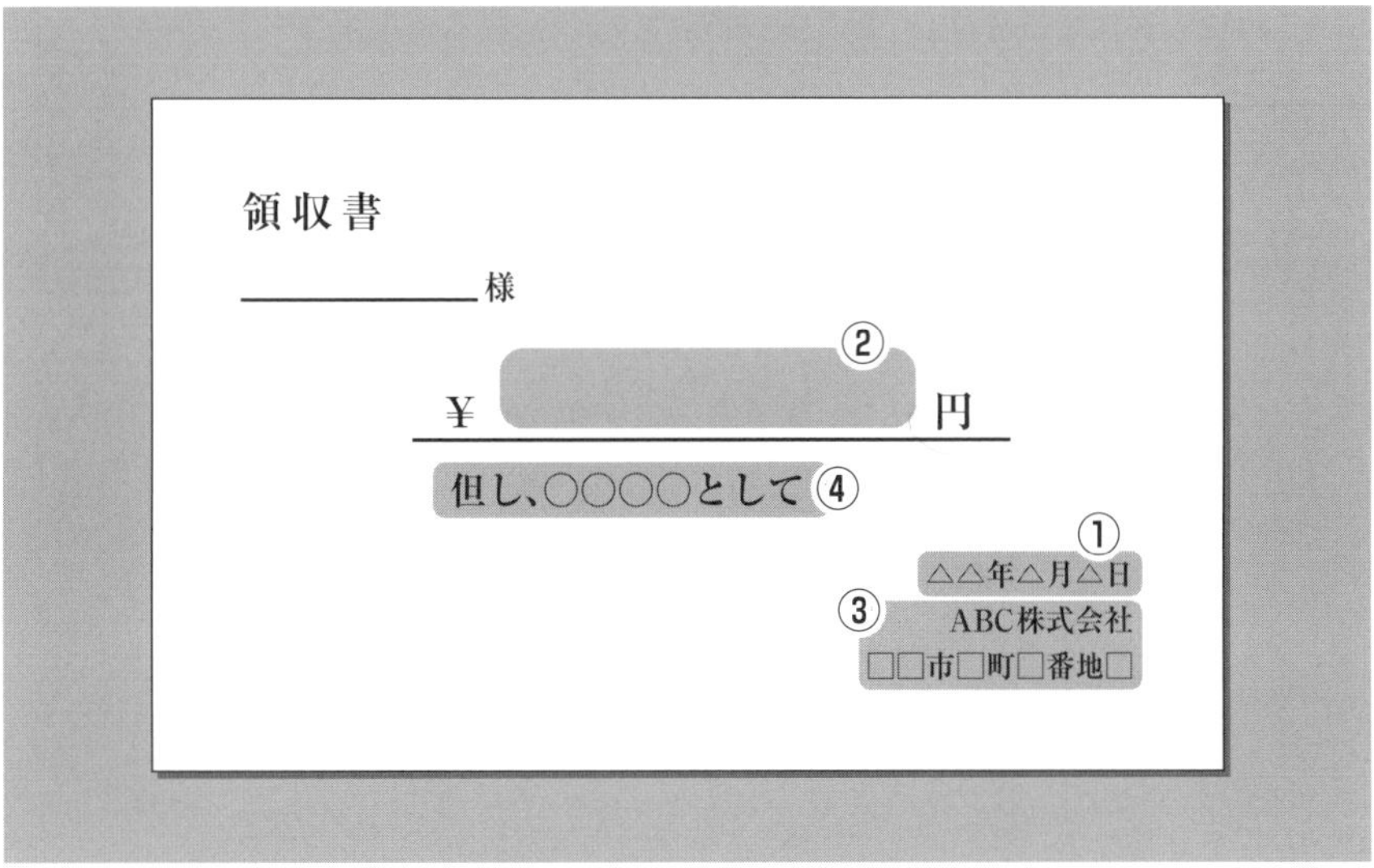

①日付
②金額
③相手先
④内容

領収書に代えてこの4点を伝票用紙や帳簿に記録しておくことで、支出があったことを証明する

7 ルールを知れば節税できる

知らない人が損をするのが税金

日本に住んでいれば、多かれ少なかれ、必ず税金を支払うことになりますが、同じ税金を負担するにしても、得をする人と損をする人に分かれてしまいます。この違いを分けるのは何なのでしょうか？

それは単に、税金のルールを知っているかどうかの違いと言えます。税金で損をする人は、税金のルールをよく理解せず、知る努力を怠ったために、あのときにきちんと調べてさえいれば……と後悔します。さらに残念なケースでは、余計に税金を支払い過ぎて損をしていることにすら気づいていないことも考えられます。

楽をして税金が安くなることはない！

支払う税金が安くなるということは、支払う人は負担が軽くなりますが、税金を受け取る国側の立場に立てば、その分、税収が少なくなり、損をすることになります。

そこで国側としても、税金を安くする以上は条件を設けて、その条件を満たす人だけを対象に税金を安くすることにしています。税金を安くしてほしいと希望する人には、事前の手続きやさまざまな必要書類の提出等を求め、条件を満たすかどうか、チェックすることになっているのです。

たとえば、上場株式の売買に関して、その年の売買結果が損失になった場合、その損失は翌年以降3年間にわたって繰り越すことができ、「翌年以降3年間のうちに株式の譲渡益が生じた場合には、その儲けから過去の損失を差し引いて税金を計算することができる」というルールがあります。

しかし、このルールの適用を受けるためには、損失が生じた年分について、損失が生じたことと、それを翌年以降に繰り越す旨を記載した「確定申告書を国に提出する」ことが要件になります。さらに翌年以降も、たとえ納める税金がなくても、連続して確定申告書を提出しなければ、儲けから損失を差し引くことは認められません。

こうしたルールを知らなかったり、または手続きの手間を惜しんだ人は、余計な税金を支払わなければならず、損をすることになってしまいます。

「税金を安くするルール」を知る

税金を安くするためには？

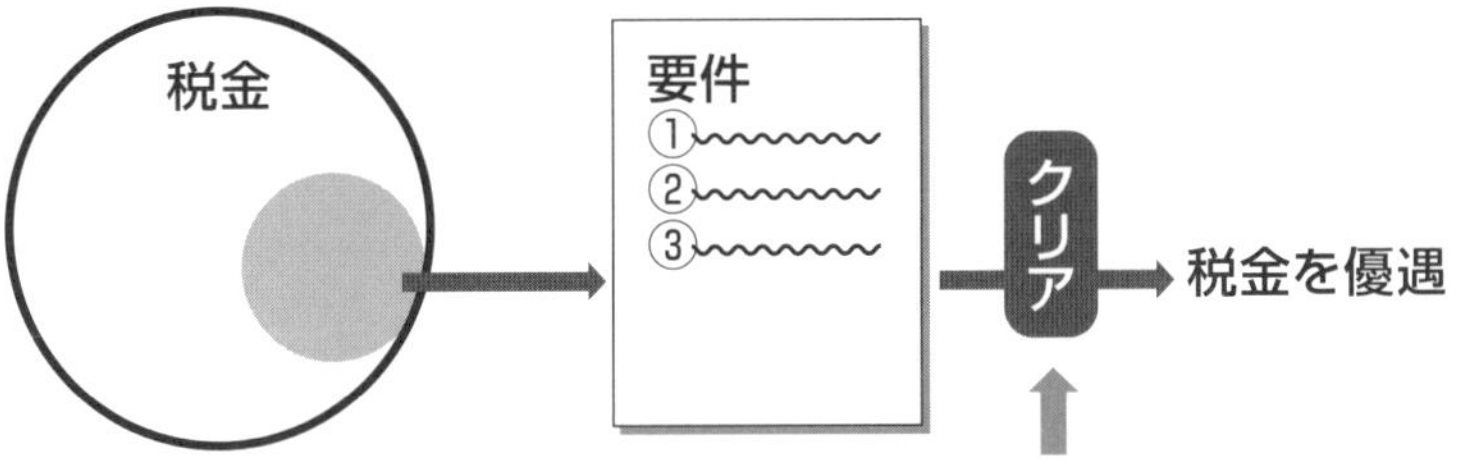

要件を満たしているかどうかを確認
- ●事前の手続き
- ●確定申告書の提出　等

- ▶納税者が手間を惜しむと税務署も確認できない
- ▶きちんと手続きをした人の公平性も必要

〈例〉上場株式の売買における節税

税金の優遇

上場株式の売買で、その年を通じて損失が生じた場合には、翌年以後3年間にわたり生じた株式の譲渡益および上場株式に係る配当所得から繰越控除することができる

優遇のための要件

- ▶譲渡損失が生じた年分の所得税につき、次の書類を添付した確定申告書を提出すること
  - ●「所得税及び復興特別所得税の確定申告書付表（上場株式等に係る譲渡損失の損益通算及び繰越控除用）」
  - ●「株式等に係る譲渡所得等の金額の計算明細書」
- ▶その後の年においても連続して、次の書類を添付した確定申告書を提出すること
  - ●「所得税及び復興特別所得税の確定申告書付表（上場株式等に係る譲渡損失の損益通算及び繰越控除用）」

➡ **この手続きを怠ると、譲渡損の繰越控除の優遇措置を受けることができない**

節税のためには

▶ルールを知る手間を惜しまない　▶面倒な手続きをサボらない

8 節税のタイムリミット

年を越したら節税はできない

納める税金を自ら計算して申告する確定申告は、年1回、2月15日から3月15日の間と、手続きの期間が定められています。そのため、2月に入ってから大あわてで昨年1年間の領収書や請求書等をかき集めて、帳簿の集計作業を始めるという人もいるかもしれません。

確定申告の期間に入ってから昨年の売上げや儲けを集計し、いざ確定申告書を作成して税金を計算したら、驚くほど多額の税金を納めなければならないことが判明した、という人も少なくないと思います。この段階では、いくら悔やんでも、もう節税するには手遅れです。

税金は、売上げから経費を引いた後に残る儲け（所得）に対し、税率を掛けて計算します。その儲けの基になる売上げと経費の金額は、1月1日から12月31日の1年間で集計されます。そのため、12月31日を過ぎて年が明けた時点でその年の売上げと経費の金額は集計を締め切られ、基本的に変わることはありません。

売上げと経費の金額が決まれば、自ずと儲け（所得）の金額も決まり、納めるべき税金の金額も確定します。

このように節税を講じるタイムリミットは、確定申告の期限である3月15日ではなく、帳簿の集計を締め切る12月31日（一般に「**決算日**」と呼ぶ）になります。

大事なのは事前に試算しておくこと

年を越してしまうと節税ができないのであれば、決算日である12月31日までに、今年の税金が一体いくらになるのかを計算して確認しておくべきです。

そのためには、これまでの領収書や請求書などを集めて帳簿を集計し、現時点までの儲けの実績を確認します。また残りの期間における売上げと経費の見通しを基に、あとどれくらいの儲けが出そうかを予測して、今年1年間における儲けの概算額を試算します。あとはその儲けの概算額をもとにして税金の額を計算するだけです。

現状で大体納めることになる税金の額を把握できれば、節税対策の必要の程度がわかり、納税資金の準備をすることもできます。そのため事前の試算は節税の要と言えます。

納税金額を試算する

儲け(所得)の金額は1/1〜12/31の期間で集計される

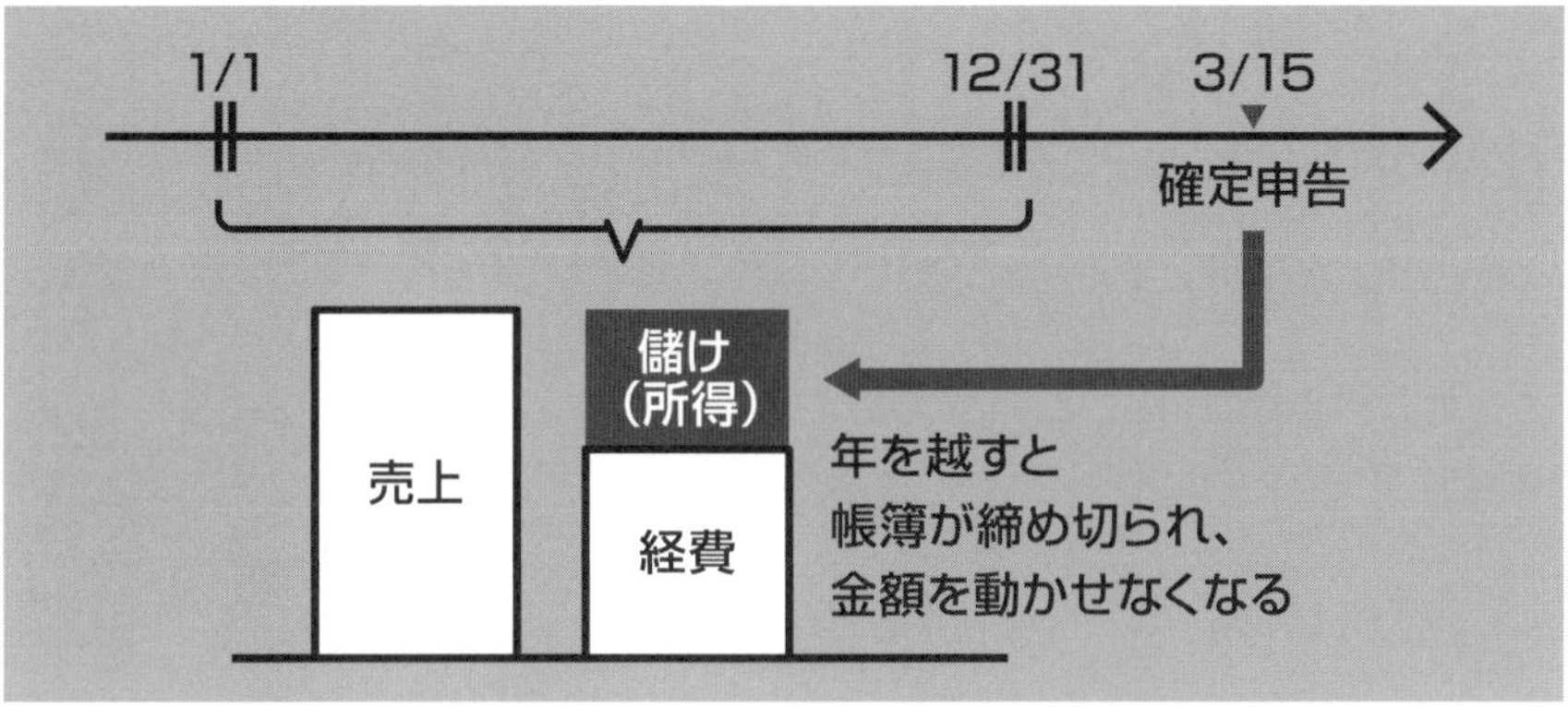

年内のうちに儲け(所得)の見込みを試算しておく

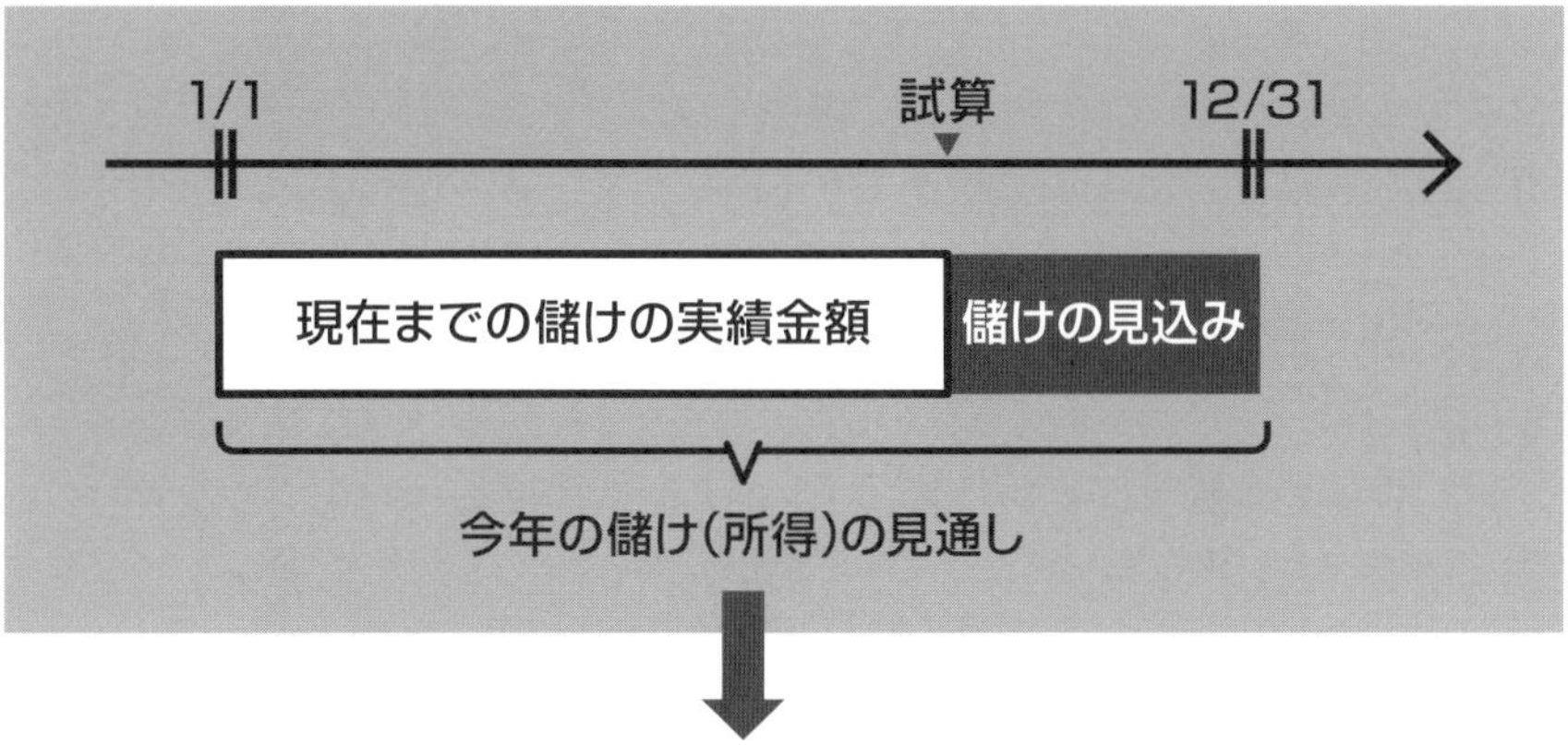

これに対する税金はいくらになりそうか?

▶間に合う節税対策を考える

▶納税資金の準備をする

9 節税は出だしが肝心

➡節税の成否はプランニングにあり

確定申告の期限間際になって、初めて納める税金がいくらになるかを知るのでは、納税のための資金準備など、資金繰りに影響が生じる可能性があります。もし、「明日までに１０００万円税金を納めてください」といきなり言われたら、普通は困ってしまいます。「先に知っていれば何かしら対処ができたはず。なぜもっと早く言ってくれなかったのか」と思うでしょう。

決算日を越えてしまうと節税は手遅れですから、事前の試算が大事であることは前項で説明しました。では、どのタイミングで試算をするべきでしょうか?

いくら事前の試算とはいえ、年末間際では節税のために対策を講じる時間も限られるため、効果が薄れてしまいます。税金の試算から節税策を講じるまで十分な時間が必要なことから、結局、早ければ早いほどいい、ということになります。税金対策としての具体的な対応としては次の二つが挙げられます。

①税額を抑えること

②納税するためのお金を準備すること

つまり、現状を把握したうえで、早期に節税のための計画を立てて、実行していくことが望ましい対応と言えるでしょう。

➡元旦から始まる節税対策

「1年の計は元旦にあり」の言葉どおりに、年初にその年1年間に実現したいことや達成したいことを考えて、手帳などに書き出す人もいることと思います。

しっかり節税対策を行ないたい場合にも、年初からスタートさせることが大切です。

たとえば、元旦にその年1年間の儲けと税金の金額がすでにわかっているなら、12月末までの12ヶ月間をかけて税金対策をしっかり実行することができます。

そうであるならば、そのような状況にできるだけ近づけるような経営管理を普段から行なうべきです。

今年1年の事業計画とそれに基づいた業績予測を立て、売上げや経費の実績管理をタイムリーに行なうことが、もっとも堅実な税金対策であると言えます。

節税の1年の計も元旦にあり

“税金対策”の目的は2つ

①税額を抑えること
②納税のためのお金を準備すること

“計画”すれば賢く節税できる

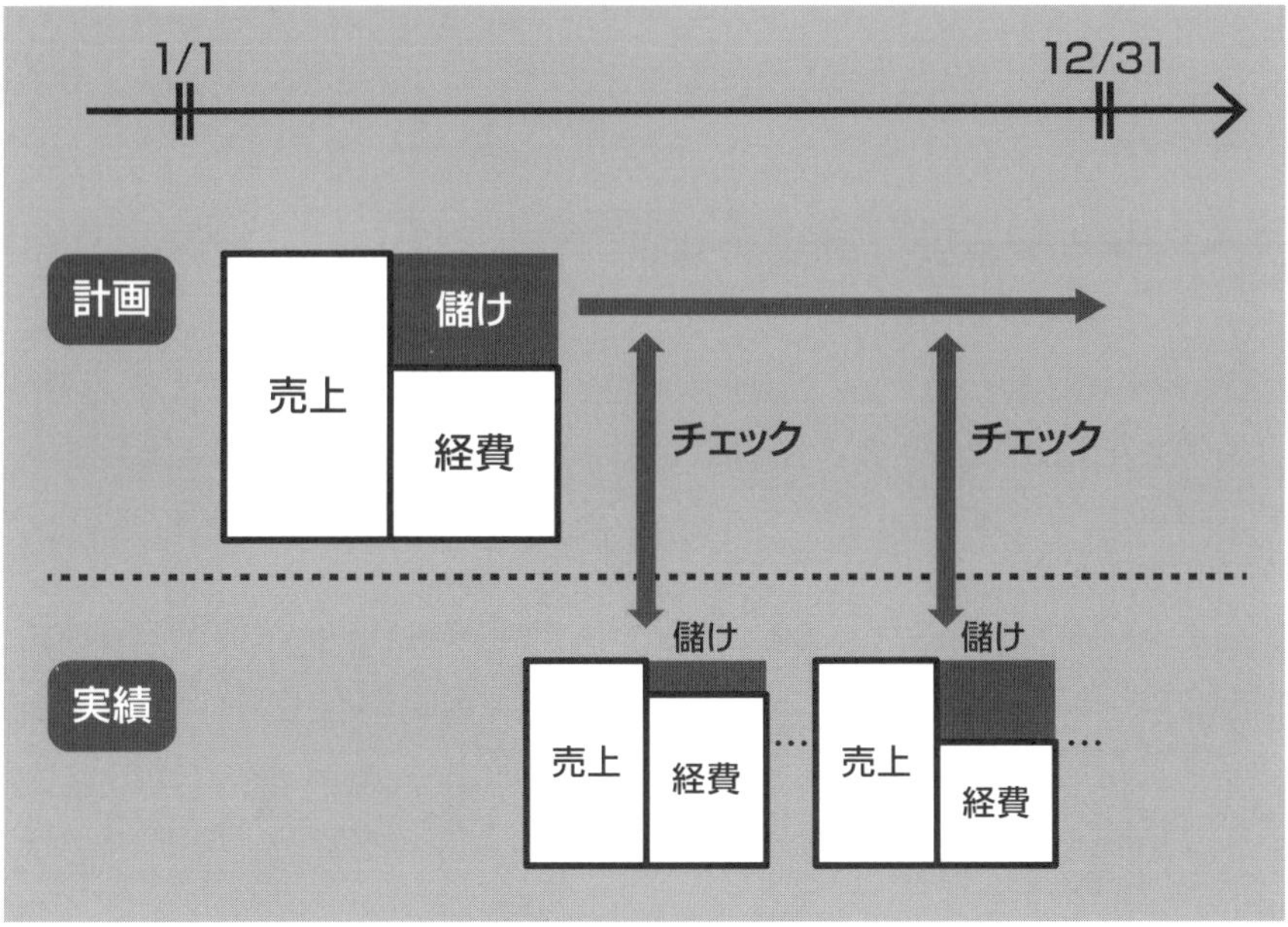

年初にその年の事業計画を立て、タイムリーに実績との比較確認を行なうことが、もっとも堅実な税金対策になる

COLUMN 1

楽するために経理を効率化する

会計帳簿をきちんとすることが節税の基本

商売を行なっていて、お金の出し入れを細かくきちんと管理していないことを、「どんぶり勘定」と言います。どんぶり勘定は楽ですが、自分が今どれだけ稼いでいるのかよくわからず、いざ確定申告をして税金を納めるにも、申告書が完成するギリギリになるまで、どれだけの金額になるのかわかりません。資金繰りに関しても、何となく回しているために、経営面において常に漠然とした不安がつきまといます。

所得税においては、確定申告書のベースになる会計帳簿をしっかりと作成することが義務づけられており、青色申告での帳簿要件を満たせば、ご褒美として65万円の「**青色申告特別控除**」を受けることもできます。そのため、経営面と節税面の両面を踏まえて、経理体制を整えてきちんとした帳簿作成を行なうことが望ましいのは言うまでもありません。

賢い会計ソフトを賢く利用する

経理をしっかり行なうには、昔であれば手書きで帳簿を作成するために一定レベルの簿記知識が必要でしたが、現在では優れた会計ソフトが多く市販されており、簿記の知識がない人でも帳簿を作成できます。また、パソコンが苦手な人でも、最近はクラウドでの会計ソフトも普及しており、スマートフォンやタブレットで経理入力ができるものもあります。

これらの会計ソフトを活用することで、誰でも容易に帳簿が作成できますから、あとは経費の領収書等が出るつど、こまめに入力することを習慣づけることで、リアルタイムに商売の業績を把握することが可能になります。

事業の現金管理については、商売用の預金口座を個人用とは別に開設して、プライベートの通帳とは明確に分けて管理するようにしましょう。とくに現金商売をしている場合には、毎日の売上げはそのまま商売用の預金口座に預け入れるようにし、仕入や経費はその口座から引き出して支払うようにすると、商売用の通帳で全体の資金管理を一元化できるようになります。

最近の会計ソフトは、インターネットバンキングから預金口座の入出金記録を自動取り込みすることができるため、経理入力の手間を省くこともできます。会計ソフトはどんどん進化しているので、積極的に活用して経理の効率化を図りましょう。

2章

個人事業主の税金と節税のしくみ

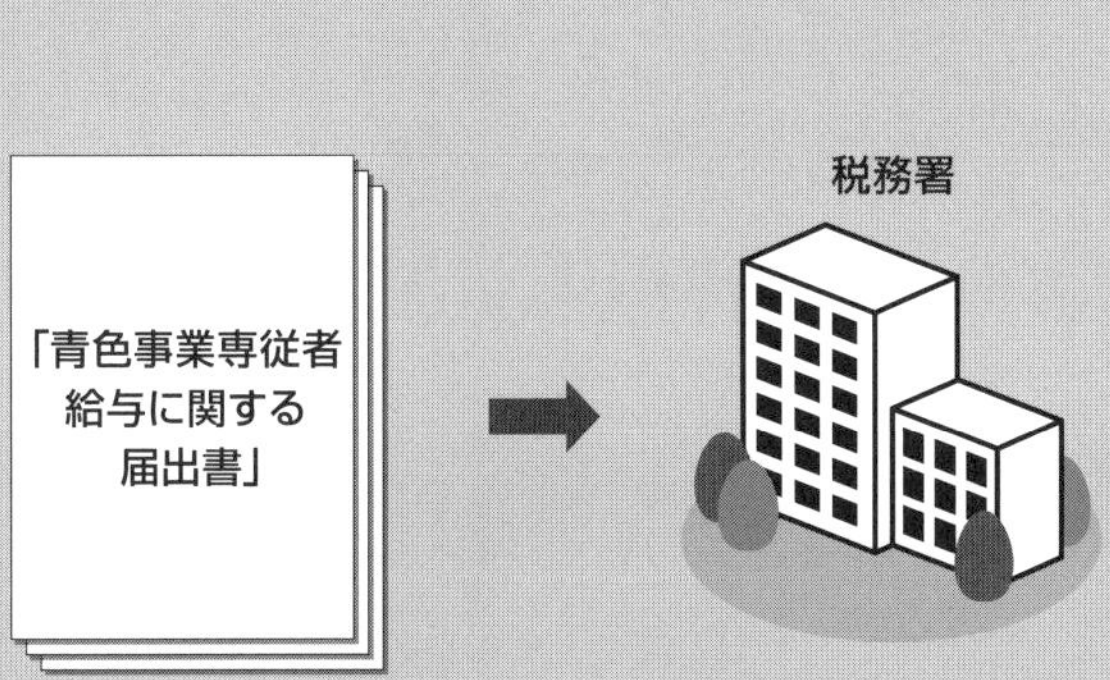

1 個人事業主が納める税金の種類

商売をしていると、どんな税金を納めるのか？

個人で事業を行なっている人と、会社勤めをして給与をもらっている人とで納める税金の内容が大きく変わることはありませんが、一部、個人事業主に対してのみ課される税金もあります。

一般に個人事業主は、1年を通じて次のような税金を納めます。

- **所得税**……個人の所得（儲け）に掛かる税金
- **住民税**……自治体の行政サービスに必要な経費を住民が分担する税金
- **個人事業税**……法律で定められた事業（**法定業種※**）を行なう場合に負担する税金
- **消費税**……モノやサービスの消費に対して課される税金。消費税を負担するのは「消費者」であり、事業者が消費者から預かった消費税を納付する
- **源泉所得税**……従業員に給与を支払う場合に、その給与に対する所得税をあらかじめ天引きし、事業主が国に納める税金
- **償却資産税**（**固定資産税**）……土地や建物以外で、事業に使用している機械や器具備品等に対して課される固定資産税

これらの他、自己の事業用として利用する自動車があれば、それに対する**自動車税**や**自動車重量税**、売上金を回収する際に領収書を発行すれば、収入印紙を貼付することによる**印紙税**といった税金も負担することになります。

節税のメインは儲けに対する税金

ここで紹介した税金のうち、確定申告によって儲けに対して課される税金は「**所得税**」「**住民税**」「**事業税**」の三つです。

それ以外の税金は、モノやサービスを消費したり、機械設備や自動車などを保有することに対して課されるため、自分でコントロールすることは困難です。

そのため、必要経費を通じてある程度管理が可能な、「儲けに対する税金である所得税・住民税・事業税の管理」が節税の基本となるということです。

個人事業主が納める税金はこれだけある

自分で申告納税する税金

- 所得税
- 住民税
- 個人事業税
- 消費税
- 源泉所得税
- 償却資産税（固定資産税）

所得税・住民税・個人事業税 ＝ 儲けに対する税金
↓
この3つの税金の管理が節税の基本

上記の他、印紙税、自動車税、自動車重量税など

※**法定業種**……法定業種は70業種（第１種・第２種・第３種事業）あり、ほとんどの事業が含まれる
第１種事業……物品販売業・運送取扱業・料理店業など37業種
第2種事業……畜産業・水産業・薪炭製造業の3業種
第3種事業……医業・弁護士業・美容業など30業種

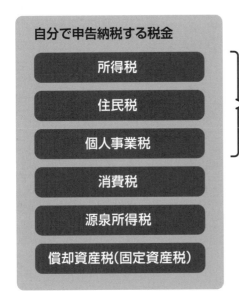

2 個人事業主における節税のしくみ

税金計算の三つのステップ

基本的に税金の計算は、売上げから経費を引いて残った儲けに対し税率を掛ける、というシンプルなものです。しかし実際の計算では、このような考え方に基づきつつ、もう少し細かな手順を踏みます。

具体的には、最終的に納める税金は、次のような三段階の差引計算を行なって求められます。

①売上げから経費を引いて、所得（儲け）を計算する
②所得（儲け）から「**所得控除**」を引いて、課税所得（税率を掛ける前の所得）を計算する
③税額（②の課税所得に税率を掛けて計算した金額）から「**税額控除**」（税金から引くことのできる金額）を差し引いて、納付する税額を計算する

この三つの計算ステップを踏んで実際に納める税金が計算されます。

引けるものは漏れなく引くこと！

儲けに対して課される税金を節税するためには、①の儲けを計算するための、売上げから差し引く「必要経費」を最大化することがポイントになりますが、最終的に納める税金を算出するには、まだ、②の「所得控除」と、③の「税額控除」の二つを差し引くプロセスがあります。

節税のためには、必要経費の最大化だけでなく、所得控除や税額控除で差し引けるものがあれば、それらを漏れなく差引計算することが大事です。

所得控除と税額控除の概要は次のとおりです（節税に関しては7章でくわしく解説します）。

・**所得控除**……税金を計算するうえで、その人の個人的な事情を加味するためのものです。

たとえば、多額の医療費の負担があることや、養っている家族の人数、障害者であること、配偶者との死別による経済的事情などが考慮されます。

・**税額控除**……税金の二重負担を解消したり、国の政策面から税金のインセンティブとして設けられているものです。たとえば、住宅ローン控除などが該当します。

こうした控除できるものをしっかり確認することが大事です。

税金計算の３つのステップ

① 売上げ　－　必要経費　＝　所得（儲け）

② 所得　－　所得控除　＝　課税所得

③ 課税所得×税率（税額）　－　税額控除　＝　納付税額

節税のためには、必要経費の最大化に加えて、
「所得控除」や「税額控除」で差し引けるものがあれば、
それらを漏れなく差引計算することが大事

〈計算例〉パン屋を営む事業主の場合

売上1200万円
〈必要経費〉　材料仕入360万円　店舗家賃120万円
その他経費70万円、アルバイト人件費100万円
〈所得控除〉
国民年金納付額36万円（本人及び妻分）　国民健康保険料納付額25万円
専業主婦の妻（配偶者控除額38万円）　19歳の子（扶養控除額63万円）
生命保険料控除額4万円　基礎控除額48万円
〈税額控除〉　住宅ローン控除額10万円

①所得（儲け）の計算（売上から「経費」を差し引いて計算）
1200万円－（360万円＋120万円＋70万円＋100万円）＝550万円
②課税所得の計算（所得から「所得控除」を差し引いて計算）
550万円－（36万円＋25万円＋38万円＋63万円＋4万円＋48万円）
＝336万円
③納付税額の計算（税額から「税額控除」を差し引いて計算）
（336万円×20%－427500円）－10万円
（所得336万円の税率は20%、控除額は427500円）
＝144500円（納付する税額）

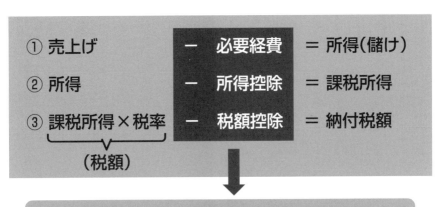

3 節税するなら青色申告が必須

青色申告とは何か

所得税の確定申告をする場合、「**青色申告**」と「**白色申告**」の二つの申告の種類があります。青色というのは、当初は確定申告書の用紙が青色だったことの名残です。

事業を行なっている人が確定申告で税金を納める場合、税金はその年に稼いだ儲けに対して計算されます。税金が正しく計算されるためには、事業の儲けが正しく計算されている必要があり、1年間の売上高や必要経費をしっかり集計することが求められます。

そこで、一定水準の帳簿作成を行ない、記帳した内容に基づいて儲けを計算し、正確な申告を行なう人に対しては、ご褒美として税金面でさまざまな特典を受けられる制度があります。これが青色申告制度と呼ばれるものです。

青色申告は節税の基本

税金面で多くの優遇を受けることができる青色申告は、節税をするうえで基本中の基本と言えます。基本的な税金の計算方法は青色と白色で変わりはなく、その年における売上高から仕入費用や必要経費を差し引いた儲け（所得）に対して税額を計算することになります。

白色申告の場合はそれだけですが、青色申告の場合には、必要経費について白色申告にはないプラスアルファの有利な取り扱いが認められています。

たとえば、実際に計算した儲け（所得）からさらに特別な控除額を引くことが認められていたり、事業を手伝っている家族に対して支払った給与を、必要経費として計上することができます。

こうした青色申告のメリットを活用すれば、同じ売上高で同じ儲けであっても、白色申告で納める税金と比べて、数十万円も節税できるケースも珍しくありません。

青色申告は申請書を提出するだけ

このような節税メリットの多い青色申告ですが、承認申請書を税務署に提出するだけで適用を受けることができます。ただし、承認申請書の提出には期限があり、青色申告の適用を受けたい年の3月15日までに提出する必要があります。

節税のためには青色申告が絶対有利

面倒でも、会計帳簿の作成を通して
売上げや必要経費をしっかり集計していれば、
そのご褒美として税金面で特典を
受けることができる

青色申告には、白色申告にはない
税金計算上の優遇制度がたくさんある

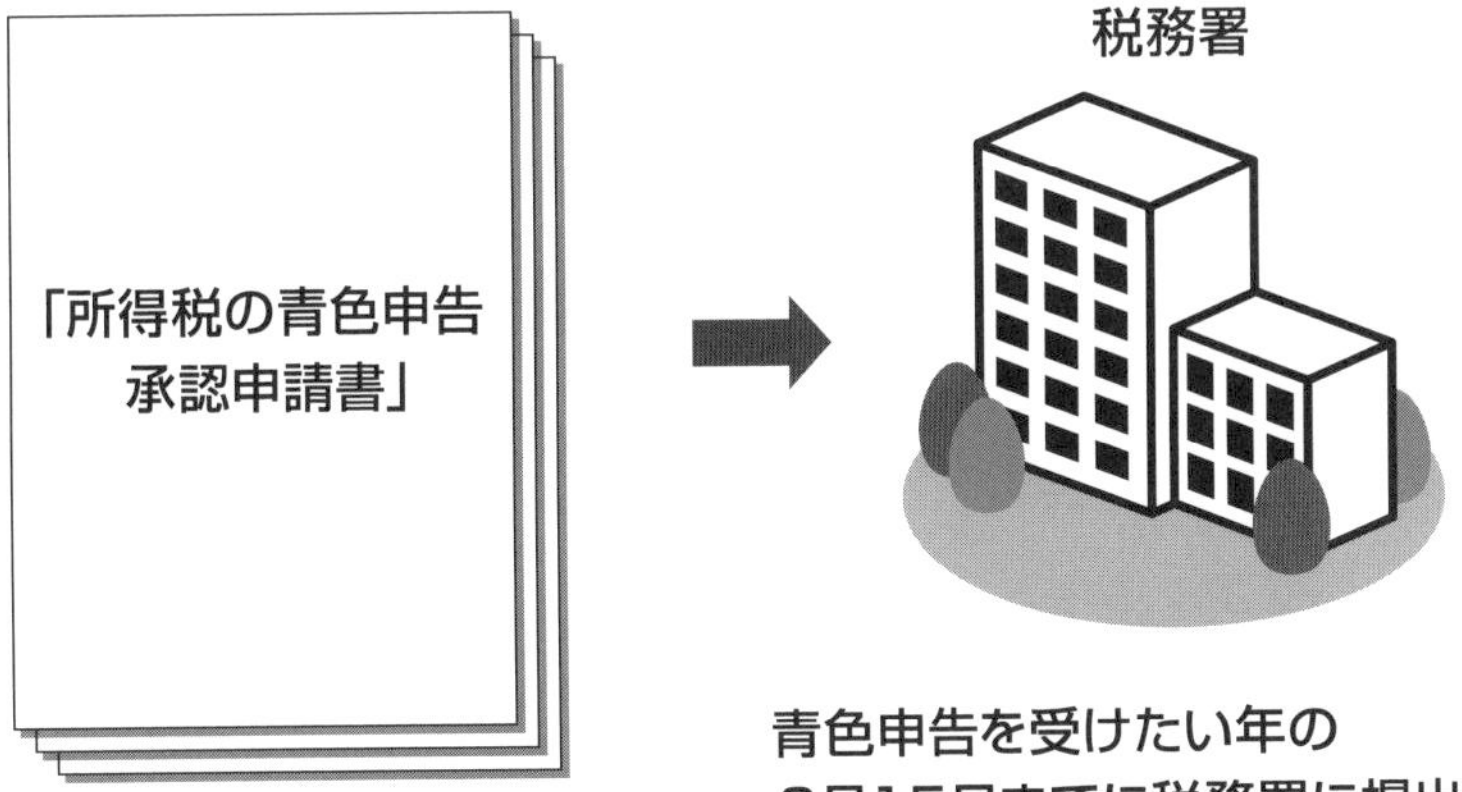

青色申告を受けたい年の
3月15日までに税務署に提出する

ただし、新規開業の場合は
開業の日から2ヶ月以内に
提出すればOK

4 こんなにある青色申告のメリット

①青色申告特別控除

儲けから最大65万円を引いてくれる

青色申告の一番のメリットとして、計算した儲け（所得）から、最大で65万円を引いたうえで税金を計算することができるというものがあります。

この65万円の控除を「青色申告特別控除」と言います。お金を支出することなく、儲けから65万円を引くことができるのはかなり大きなメリットで、この65万円の特別控除の有無だけでも税金は大きく変わります。

たとえば、儲け（所得）の金額が４００万円として、所得税の税率が10％、住民税の税率を10％とした場合、65万円の特別控除を引くだけで、所得税で6万５０００円、住民税でも6万５０００円の税金が変わり、合計で13万円もの節税ができることになります。

このように節税メリットの大きい青色申告特別控除ですが、65万円の控除を受けるためには、①複式簿記で会計帳簿を作成すること、②その帳簿を基に作成された貸借対照表（事業で使用されている預貯金や車両、機械設備などの資産と、銀行からの事業用借入金などの債務に関して、12月31日時点の残高を記載した一覧表）を確定申告書に添付すること、③確定申告書を電子申告で提出すること（又は総勘定元帳等を電子帳簿保存すること）が要件になります。もし③を満たさない場合には控除額は55万円になります。

複式簿記によらない簡易な帳簿の場合は、貸借対照表が作成できないため、特別控除額は10万円になります。

また、この特別控除を受けるためには、確定申告書を申告期限内に提出する必要があります。

もし、確定申告書の提出が申告期限である3月15日を過ぎてしまった場合には、たとえ他の要件を満たしても青色申告特別控除を受けることはできません。

会計ソフトを使えば簡単に帳簿ができる

手書きで複式簿記の帳簿を作成するには専門知識が必要ですが、市販の会計ソフトを使えば、簿記の知識が無くても簡単に帳簿が作成できます。

1万円程度のソフト代で13万円の税金が節税できるのなら、非常に割のいい投資と言えるでしょう。

青色申告特別控除で安くなる税金

白色申告の場合

売上げ － 必要経費 ＝ 所得(儲け)

青色申告の場合

売上げ － 必要経費 － 青色申告特別控除65万円 ＝ 所得(儲け

↓

たとえば、
所得税率10%、住民税率10%とした場合、
所得税6万5000円、住民税6万5000円
合計13万円もの税金が節税できる

65万円の青色申告特別控除を受けるための要件

- 申告期限内に確定申告書を提出する
- 貸借対照表を確定申告書に添付する
- 複式簿記で会計帳簿を作成する

（以上3つで）控除額55万円

- e-Tax(電子申告)により確定申告をする(又は電子帳簿保存をする)

（以上4つで）控除額65万円

市販の安価な会計ソフトを利用すれば、複式簿記による会計帳簿と貸借対照表が簡単に作成できる。また、国税庁ホームページにある「確定申告書作成コーナー」を利用すれば電子申告も簡単にできる

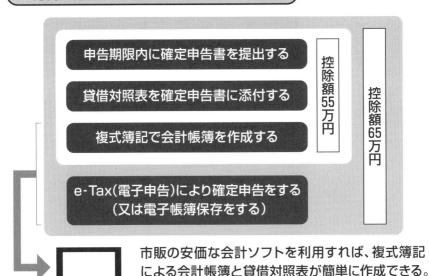

5 こんなにある青色申告のメリット
②家族への給与を経費にできる

家族への給与を経費にできる

夫が事業主として家族で店舗経営などをしている場合、店の手伝いをしている奥さんに給与を支払っても、原則としてその給与は必要経費にはなりません。

しかし、青色申告をしている人で、家族への給与支払いに関する届出書（**青色事業専従者給与に関する届出書**）を税務署に提出している場合には、家族に支払った給与が必要経費として認められます。

届出手続きの注意点

「青色事業専従者給与に関する届出書」の提出には、期限があります。もし、今年から家族への給与を必要経費にしたい場合には、原則として今年の3月15日までに届出書を提出する必要があります（ただし、新たに事業を開始した場合や新たに事業に従事する家族がいることになった場合には、その開始した日や家族が事業に従事することになった日から2ヶ月以内になる）。

届出書には、その家族が従事する仕事の内容や給与の金額、給与の支給日や支払方法などを記載します。

家族への給与は、その届出書に記載された方法で支払われ、さらに記載された金額の範囲内で支給されたものだけが必要経費として認められることになります。

実際の仕事内容に対して、過大とされる部分については必要経費にはなりません。

給与が経費に認められない家族もある

しかし、税務署に届け出たとしても、家族への給与がすべて必要経費として認められるわけではありません。

実際に働いていることは当然ですが、その働き方も、たまに手伝いをする程度では認められません。

要件の一つとして、家族が手伝う場合には、専《もっぱ》らその事業に従事することが求められます。「専ら従事する」というのは、具体的には「年を通じて6ヶ月を超える期間従事すること」と定められています。

また年齢制限もあり、その年の12月31日現在で15歳以上でなければならないほか、学生であったり、他に職業を持っている場合にも、専ら事業に従事しているものとは認められません。

青色申告で家族への給与を経費にする

**「青色事業専従者給与に関する届出書」を税務署に提出すれば
家族に支払った給与を必要経費にできる**

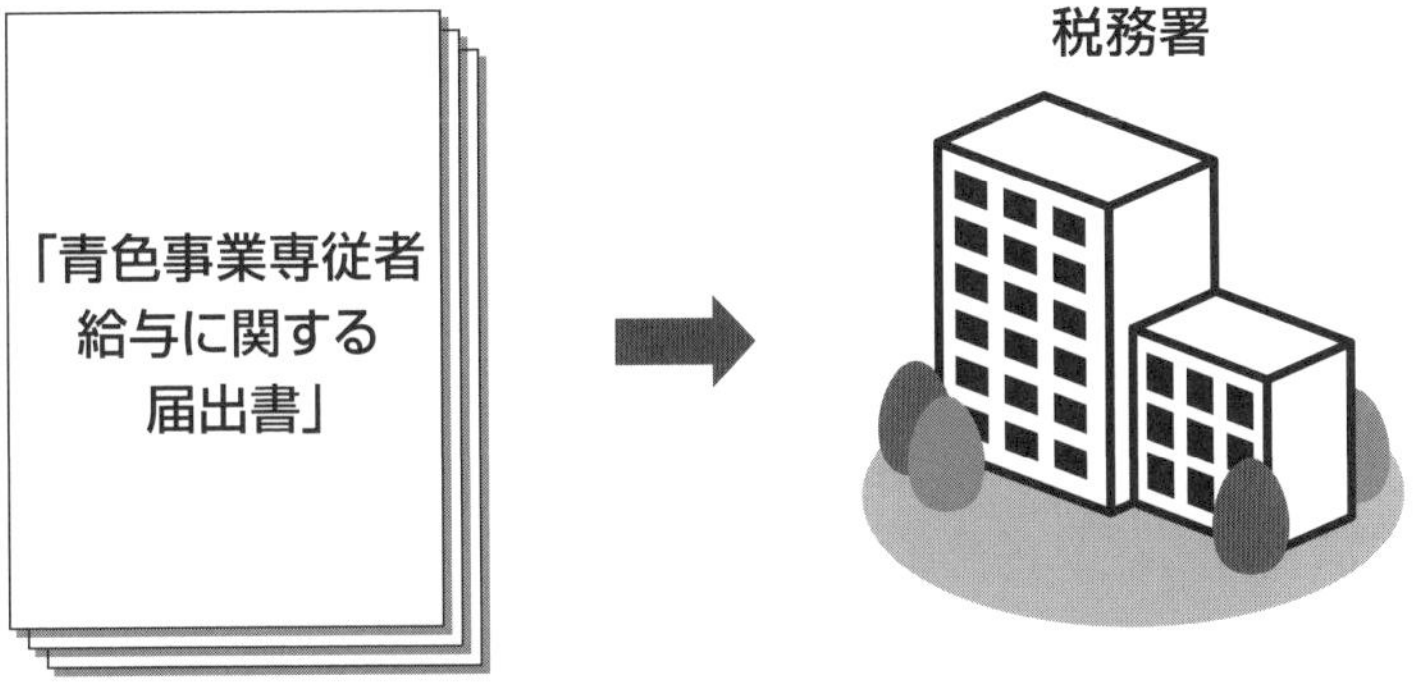

必要経費にするための要件

①家族への給与を必要経費に計上したい年の３月15日までに税務署に届出書を提出する

▶新たに開業した場合や、新たに専従者がいることになった人は、その開業の日や専従者がいることとなった日から２ヶ月以内に提出すればOK

②届出書に記載した方法で支払われ、届け出た金額の範囲で支給された給与だけが必要経費として認められる

▶実際の仕事内容に対して過大な給与部分は必要経費には認められない

③給与を支払う家族が、１年のうち６ヶ月を超える期間、事業に従事していること

④その家族の年齢が15歳以上であり、学生であったり他に職業を持っていないこと

6 こんなにある青色申告のメリット

③貸倒引当金の計上

お金を使っていない経費が計上できる

得意先への売上代金の請求を月末締めで行ない、入金を翌月末としているときは、請求から代金回収まで1ヶ月の期間があります。この月末時点における得意先に対する未回収の代金を「**売掛金**」と言います。

翌月末に無事、売掛金が回収できればいいのですが、請求後に得意先が倒産などした場合には、売掛金の回収ができなくなります。このように代金の回収ができなくなる状態が「**貸倒れ**」です。

売掛金として計上された金額は、その年の売上高として儲けの計算に含まれ、その分の税金も支払うことになります。しかし、貸倒れが生じた場合には、その売上げに対する税金を支払っているにもかかわらず、得意先から代金が入金されないために、税金の支払い分も加わって資金繰りが余計に圧迫されてしまいます。

貸倒れによるこのような税金の負担を緩和するため、その年の売上高のうち、12月末時点で未回収の売掛金については、一定の方法で計算した回収不能見込額をその年の必要経費として計上することができます。これを「**貸倒引当金**」と言います。

貸倒引当金の計算はとても簡単！

必要経費として計上する貸倒引当金の金額の計算はとてもシンプルです。その年の12月31日現在における売掛金や得意先から振り出された受取手形、貸付金の帳簿残高の合計額に対し、5・5％を乗じた金額が貸倒引当金となります。得意先の経営状況など、貸倒れリスクの度合などは一切考える必要はありません。ただ単純に年末の残高が貸倒引当金の対象となります。

なお、貸倒引当金の計上は「**洗い替え法**」によります。必要経費として計上する場合は「**貸倒引当金繰入額**」という科目に計上しますが、これは貸倒れへの備えであるため、実際には貸倒れが生じない場合があります。その場合、翌年の計算においては、前年に計上した貸倒引当金を「貸倒引当金繰戻額」として収入に計上し、改めてその年末の売上高等の残高に対する貸倒引当金繰入額を計上することになります。これが洗い替え法です。

未回収の代金を経費にする方法

貸倒引当金とは？

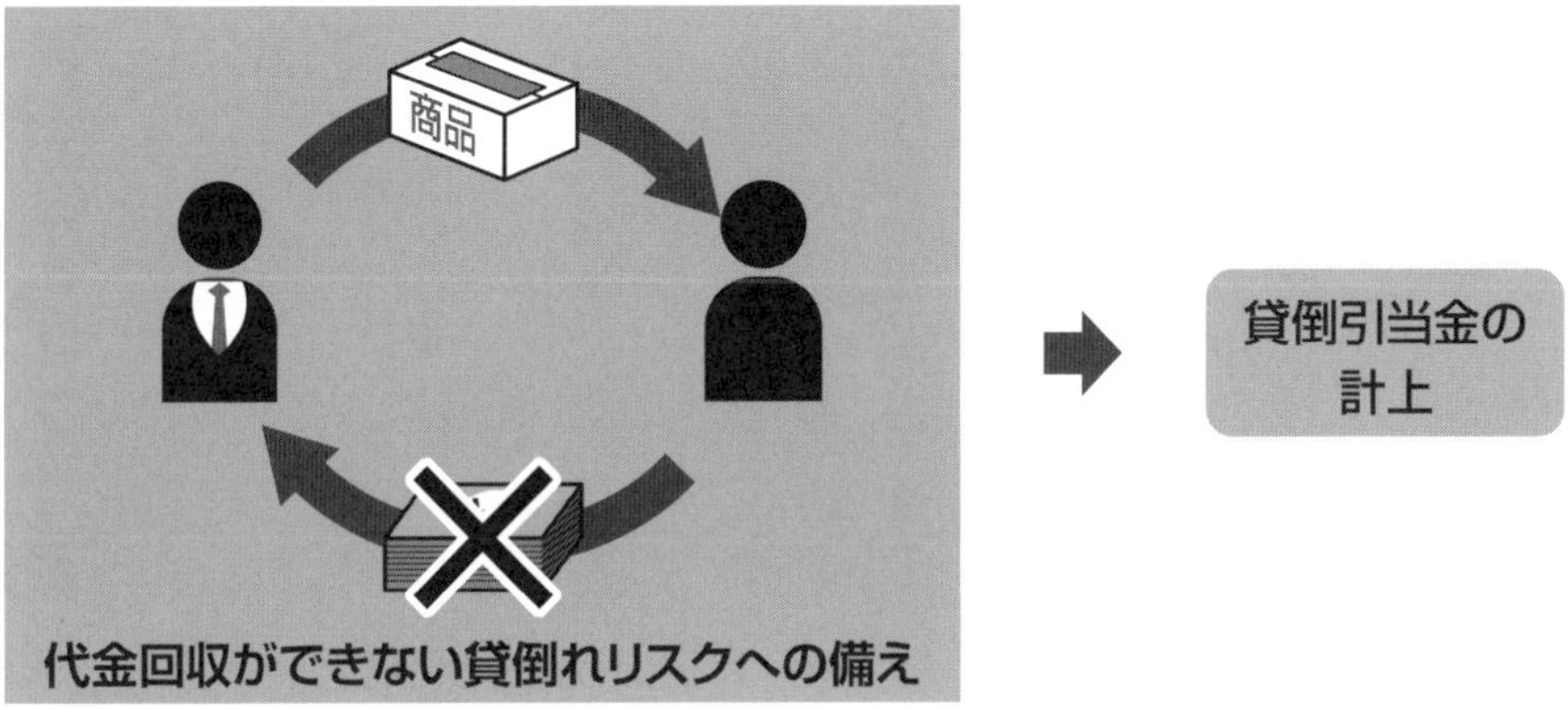

貸倒引当金の計算方法

- 売掛金
- 受取手形
- 貸付金

の12月31日現在の残高合計
×5.5%=貸倒引当金繰入額

洗い替え法

〈例〉前年に計上した貸倒引当金100、今年計上する貸倒引当金120の場合

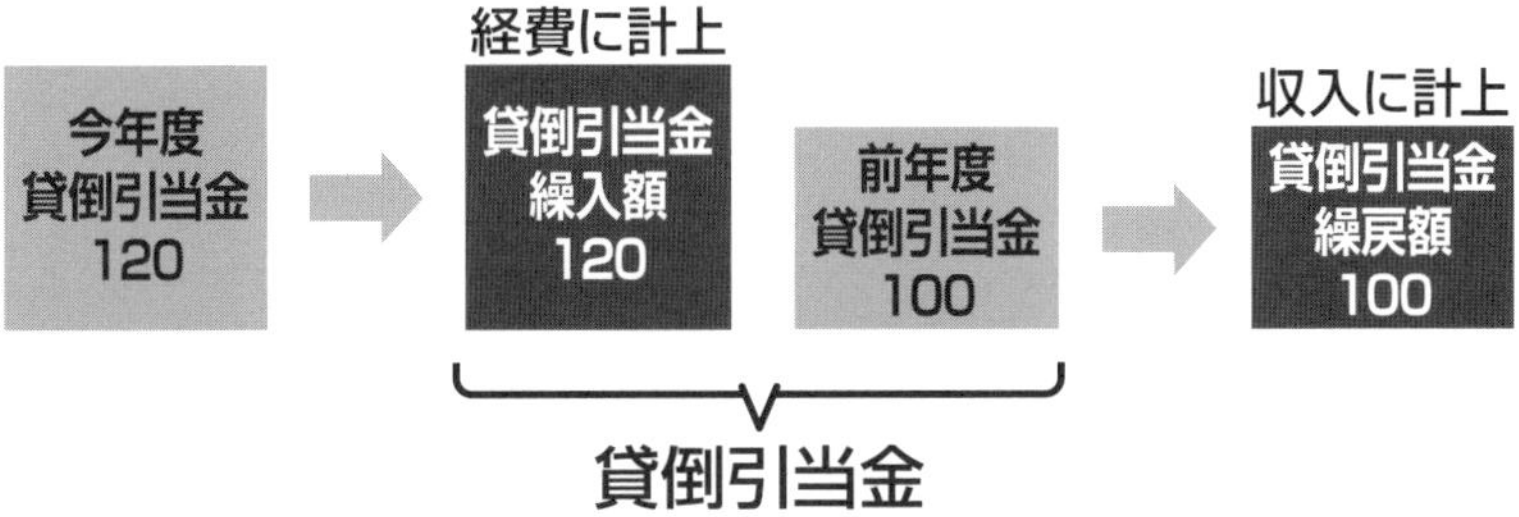

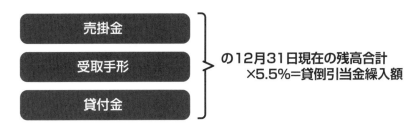

7 こんなにある青色申告のメリット
④純損失の繰越控除

➡赤字が出たら翌年の儲けと相殺できる

事業を行なっていて、毎年安定して儲けが出れば言うことはありませんが、経済環境や競合他社とのからみなどさまざまな事情により、赤字になる年もあるでしょう。

災害に被災して事業で使用している資産が損壊したために赤字になったなど、特別な原因による場合を除き、通常のように事業を行なっている中で赤字が生じた場合には、赤字はその年度だけで扱われ、他の年度における儲けの計算には影響を及ぼしません。

しかし青色申告を行なっていれば、事業で赤字が出た場合、その翌年から3年間にわたって赤字の金額を繰り越して、その3年間のうちに生じた儲けから控除することが認められます。これを「**純損失の繰越控除**」と言います。

この純損失の繰越控除の適用がもっとも多いのは、独立して個人事業主として新規開業したタイミングです。一般的に開業にあたっては、用意した開業資金や銀行からの借入金などを元手に、事業に必要な設備を整え、開業費用にあてますが、思わぬ出費もあるため、初年度は赤字になる場合が多々あります。

ここで青色申告をしていれば、翌年以降3年間にわたって初年度の赤字を繰り越すことができるため、2年目以降に事業が軌道に乗って儲けが出た場合には、初年度の赤字を控除することで節税を図ることが可能です。

なお、純損失の繰越控除の適用を受けるためには、赤字が生じた年分について申告期限内に確定申告書を提出し、かつ翌年度以降においても、毎年、確定申告書を提出することが要件となります。

➡前年に払った税金を返してもらえる

事業で赤字が生じた場合、翌年以降に赤字を繰り越すだけでなく、その前年に儲けが出ていて税金を支払っている場合には、その前年に赤字を繰り戻して、前年の儲けと相殺することもできます。そして前年の儲けと赤字を相殺して税金を再計算することで生じた差額については還付を受けることができます。これを「**純損失の繰戻還付**」と言います。

赤字を儲けと相殺する方法

「純損失の繰越控除」のしくみ

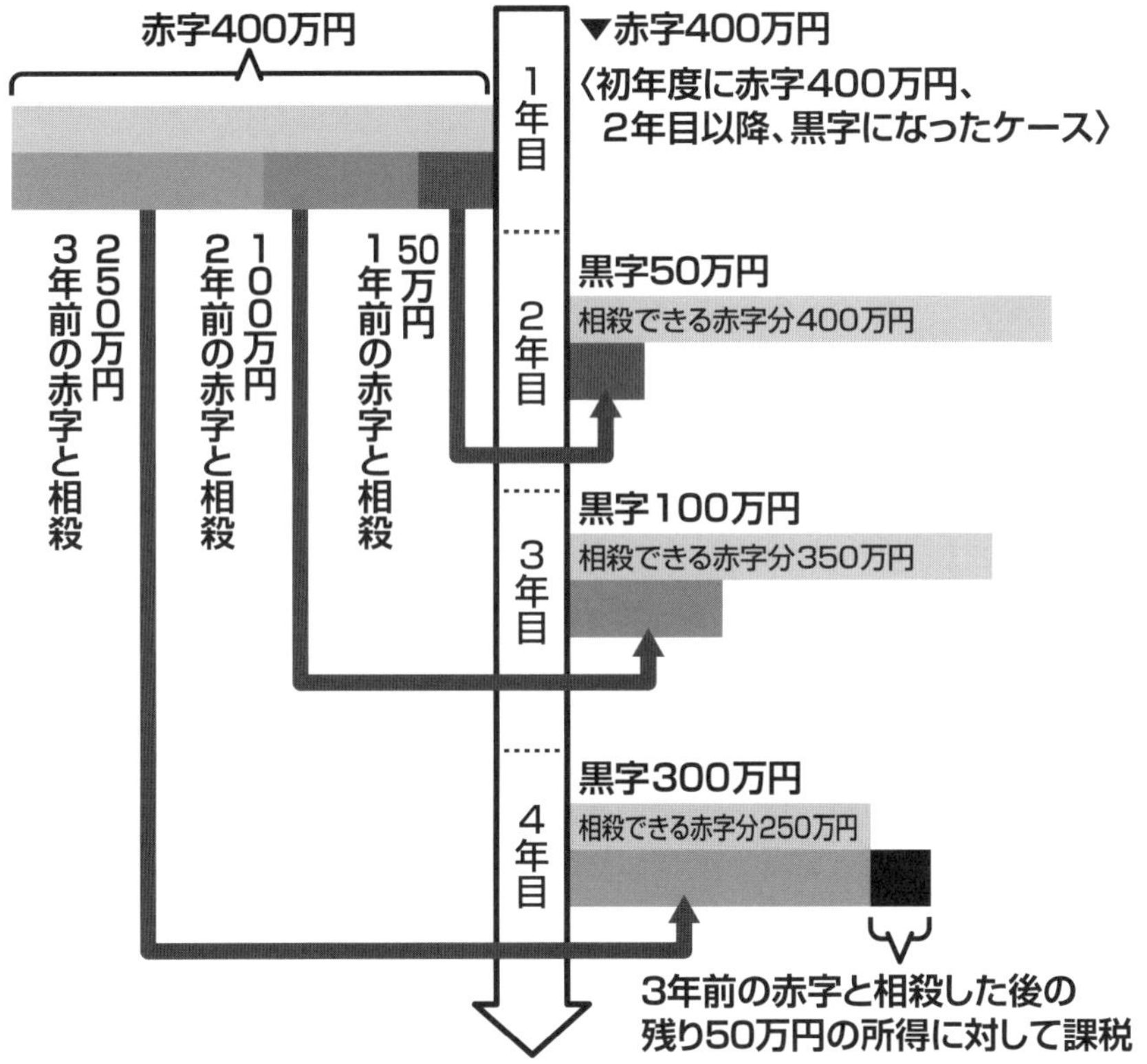

3つの要件

① 青色申告であること
② 申告期限内に確定申告書を提出すること
③ 翌年度以降も毎年、確定申告書を提出すること

前年も青色申告をしている場合は、翌年度以降への赤字繰越しに代えて、その赤字を生じた年の前年の所得と相殺して、前年分の所得税の還付を受けることも可能（**「純損失の繰戻還付」**）

8 個人事業における経費の考え方

お金を支払っていなくても経費になる？

事業における売上高は、1月1日から12月31日までの期間に生じた金額がきっちりと集計されますが、それに合わせて必要経費の金額も同様に集計されます。

しかし、その年の1月1日から12月31日までに生じた必要経費の金額は、お金の支払いがあったかどうかで線引きされるわけではありません。

お金の支払いが12月末時点では未払いであり、翌年に支払いがされるものであっても、商品やサービスの提供をすでに受けており、支払わなければならない金額が確定していれば、その商品やサービスの提供を受けた年分における必要経費として計上することになります。

このような考え方を「**債務確定主義**」と言います。必要経費を計上するにあたって、いつの時点で経費として認識するかは、債務（代金を支払う義務）が確定したかどうかで判断するのです。

帳端の計上を忘れないこと！

帳簿の端「帳端」と書いて「ちょうは」と読みます。

必要経費の集計は、その年の1月1日から12月31日の期間で行ないますが、ここで、月締めの請求に基づいて支払いを行なっている必要経費がある場合には、注意が必要です。

たとえば、「毎月20日締め・翌月末支払い」という取引をしている場合、12月末までの経費としては、「12月分までの請求金額を今年の経費として計上すればいい」と思いがちですが、実際にはそれでは、計上漏れの経費が生じてしまいます。

毎月20日締めで請求書が送られてくるなら、12月分の請求額は12月20日までに生じたものとなり、12月31日までの分を集計した金額にはなりません。この12月分の請求額に含まれていない、12月21日から31日までの期間に生じる金額を「帳端」と言います。

儲けの計算を行なううえでは、この帳端も漏れなく必要経費に計上することで、節税を図ることができます。帳端の金額は、翌年1月20日締めの請求明細を確認することで集計することができます。

必要経費を計上するタイミング

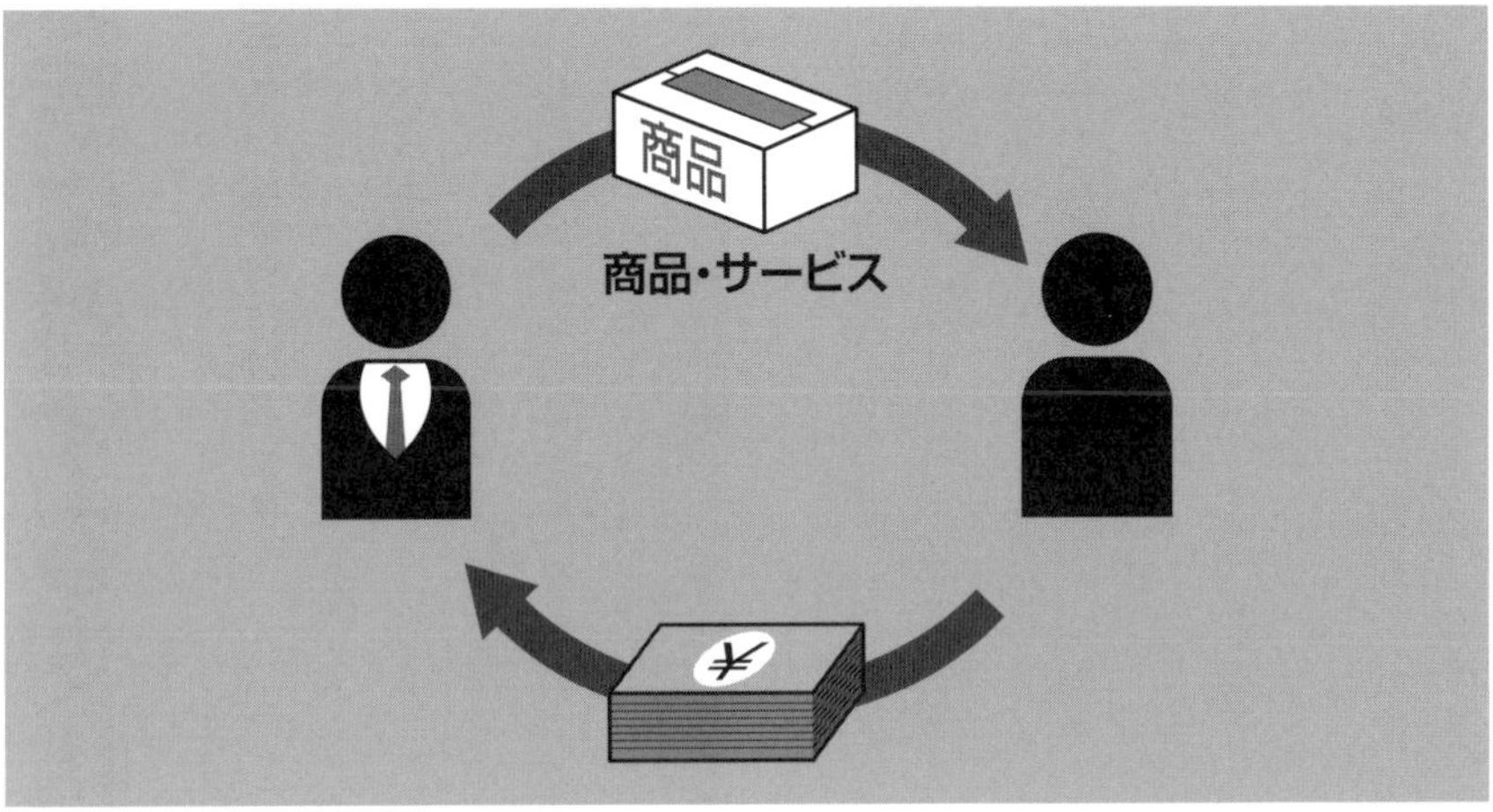

- 商品・サービスと引き換えに代金を支払う場合、代金を支払った日が必要経費に計上する日となる
- 代金が未払いの場合は、商品・サービスを受けた日が必要経費に計上する日となる（未払いの経費として計上する）

月締め請求に基づいて支払う仕入や経費の注意点

〈例〉毎月20日締め・翌月末支払いのケース

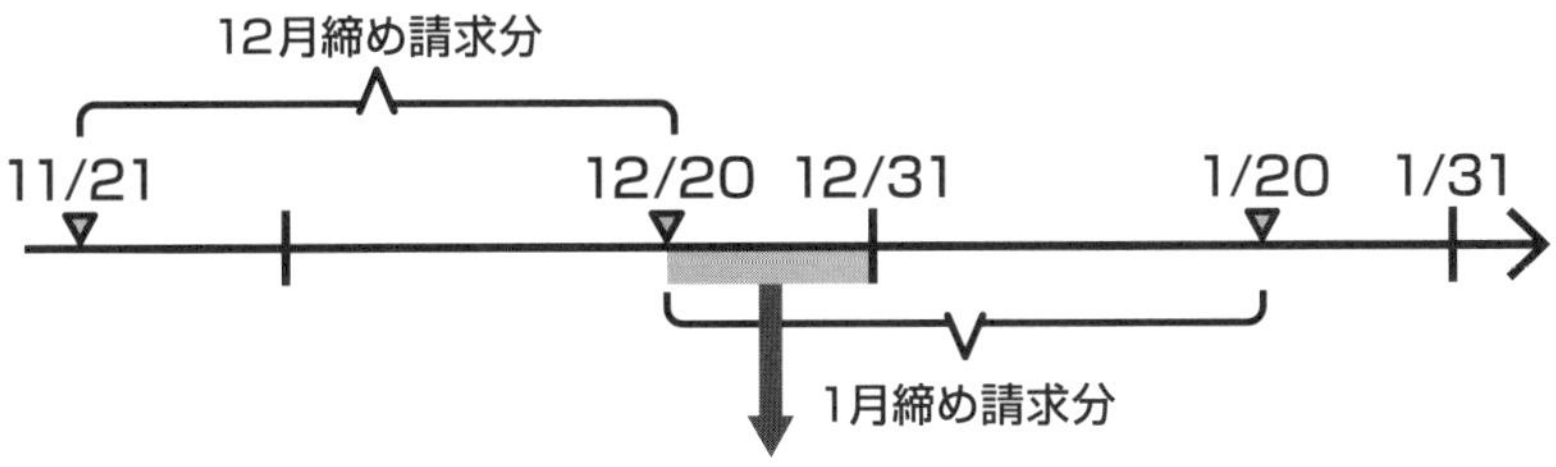

12/21～12/31の間の仕入や経費は１月20日締めの請求書に含まれ、翌月２月末の支払いとなるが、すでに商品・サービスの提供を受けているため、今年度の仕入や経費に計上する

9 家族に対する支払いには制限がある

家族への費用支払いは経費にはならない

個人で事業をしているのであれば、夫婦2人の他に、子供や両親など、家族で商売を手伝っていることも多いでしょう。パートやアルバイトを雇った場合は、支払った給与は当然、事業における必要経費になりますが、一緒に住む家族に対する給与となると話が違ってきます。

事業主の税金の計算においては、たとえ家族が実際に事業の手伝いをして働いてくれたとしても、家族に対して支払った給与は原則として必要経費にはなりません。

その理由として、一緒に住む家族は生活をするうえでの財布が一つであることが挙げられます。たとえば、夫が事業主として夫婦で喫茶店を経営している場合、店の儲けが生活上の財布の収入源となります。ここで夫から妻に給与を支払うというのは、結局、生活上の財布の中でのお金の移動にすぎないと見られるのです。

また、家族への支払いが経費として認められないのは、給与だけに限りません。たとえば、同居の父親が保有するアパートの一室を事務所として子供が借りた場合、子供から父親に支払う家賃は、子供の税金の計算上、必要経費にはなりません。

家族への支払いを経費にする方法

しかし、実際に働いている家族への給与がまったく経費にならないのは少し厳しすぎるとの配慮もあり、一定の取り扱いが認められています。

白色申告の場合は、実際に支払った給与の金額にかかわらず、事業に従事する家族が配偶者の場合は86万円、それ以外の家族は50万円を控除することができます。

一方で青色申告の場合は、前述のように**青色事業専従者給与に関する届出書**を税務署に提出することで、支払った給与を必要経費に計上できるという特例があります。

また、給与以外の支払いについても、たとえば同居の父親が保有するアパートの一室を子供が業務のために借りる場合では、子供が父親に支払う家賃は経費にならない代わりに、父親がその物件について負担する固定資産税や火災保険料などの費用を、子供の事業における経費とすることができます。

家族への費用支払いを必要経費にするには？

〈原則〉

家族への給与支払い

家族への費用支払い（家賃や賃借料など）

生活上の財布が一緒である家族に対する支払いは、同じ財布の中でのお金の移動にすぎないため、必要経費とは認められない

ただし、家族への支払いがまったく経費にならないわけではない

給与支払いのケース

〈白色申告の場合〉

実際に支払った給与の金額にかかわらず、次の金額を給与に代えて儲けから控除できる

▶配偶者の場合：86万円
▶その他の家族の場合：50万円

〈青色申告の場合〉

「青色事業専従者給与に関する届出書」を税務署に提出すれば、届け出た金額の範囲内で支給した給与は必要経費にできる

その他の費用のケース

〈例〉 父親が所有するアパートの1室を子供が事業のために借りる場合

支払った家賃は必要経費にならない代わりに、その物件について父親が負担する固定資産税や火災保険料などの費用を、子供の事業における必要経費とすることができる

COLUMN 2

家族の給与額はどのように決めればいい？

家族の給与を必要経費にするには？

青色申告を行なっている場合、**「青色事業専従者給与に関する届出書」**を税務署に提出することで、事業を手伝ってくれている家族に支払った給与を必要経費として計上することができます。

「青色事業専従者給与に関する届出書」には、給与の支払いを受ける家族の氏名、従事する仕事内容や従事の程度、その家族が保有する資格や給与の支給時期・支給方法などを記載する必要がありますが、よく質問されるのが、「家族の給与の金額はいくらくらいに設定すればいいのか」ということです。

届出書を出しているからと言って、支給した給与が必ずしも全額、必要経費として認められるわけではありません。労働の対価として世間一般に照らして相当と思われる水準であることが求められ、過大とされる部分については必要経費にはなりません。

家族の給与をどのくらいにすると節税になる？

支給する給与金額を決めるにあたっては、基本的に従事する仕事内容と勤務時間を基に、「もし家族以外の他人を従業員として雇って、同じ条件で働いてもらったとすると、どのくらい支給するか」という金額を基準に考える必要があります。

とはいえ、家族に対してどのくらいの給与を支給するかは、節税対策にもつながることですから、労働の対価として相当と思われる水準を大きく逸脱しない範囲で、節税になる支給額を考えるべきです。

通常、支給する給与の最低ラインとしては、月額3万2000円以上で考えるべきと言えます。青色事業専従者給与を支給した場合、その給与を受けた家族は配偶者控除や扶養控除の対象から外れることになります。これらの控除額が基本的に38万円（12月31日現在で、19歳以上23歳未満の特定扶養親族に該当する場合は63万円、70歳以上の老親の場合は48万円または58万円）であることから、この所得控除額を下回る給与金額にすると、むしろ損をする結果になるため、年額でこれらの控除額を上回る支給額にすることです。

また、給与を受けた家族には、当然、その給与に対する税金が生じることになりますが、年間98万円までの支給額ならば所得税や住民税が生じないことから、この無税の範囲内で給与を支給すれば、家族全体で節税することが可能になります。

3章

節税できる必要経費の使い方①モノに対する経費

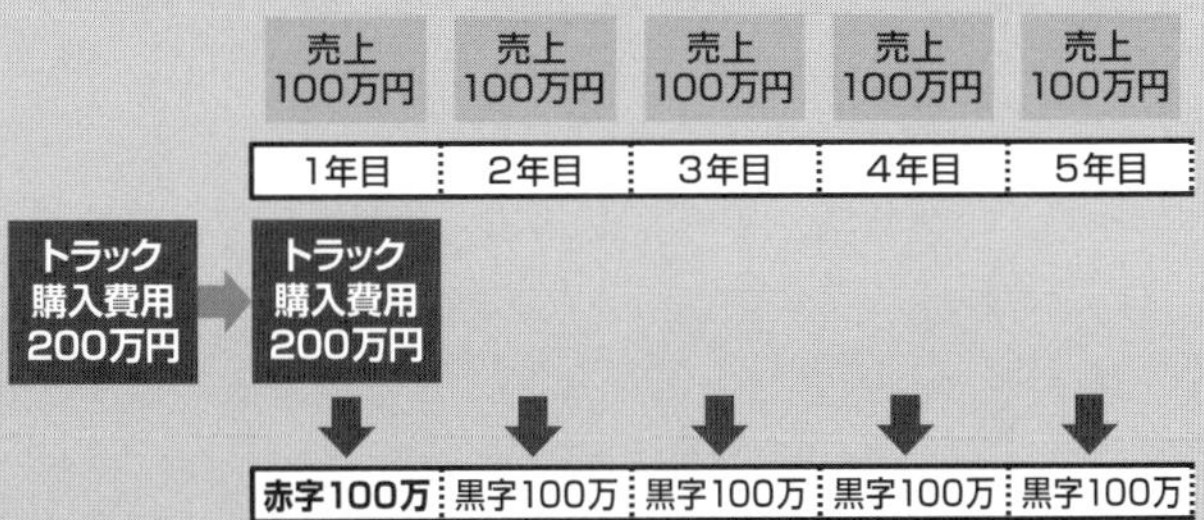

1 モノに対する経費で節税する方法

▼経費になるタイミングとは？

事業の営業活動を行なうために購入したモノは、当然ながら必要経費になりますが、必要経費になるタイミングがあります。厳密に言うと、購入した時点ではなく、モノが消費されたときに費用になります。

しかし、実際に消費した時点をいちいち記録して費用として計上することは現実的ではありませんから、実務的には、金額が少額なものについては簡便的に購入した時点で費用に計上することにしています。

少額かどうかの金額基準は、10万円で線引きされます。10万円以上のものは、原則として複数年で分割して費用に計上することになります（これを「**減価償却**」と言う。くわしくは後述）。

▼すぐに費用化するのが節税の基本

少額のモノは購入した時点ですぐに費用化できますが、10万円以上になると、そのモノが使える期間で分割して経費として落とすことになるため、買った時点ですぐに全額を費用にすることはできません。

節税の観点から考えると、税金は利益が出て一度支払うと基本的には取り返せませんから、費用はできるだけ前倒しして早く計上することが大事です。モノを購入した場合に、早く費用化する方法については次項以降で説明します。

▼生活用に購入したモノを経費にできるか

必要経費になるかどうかは、事業との関連性があるかどうかで判断することになります。

たとえば、事業を始める前のサラリーマン時代に購入した自家用車があり、それを事業用として使用する場合には、生活用として購入したものであっても、その購入費用は事業における必要経費として計上することが可能です（本章❾参照）。

ただし、過去の購入費用がそのまま経費になるわけではありません。購入時点から事業に使用されるまで、家事使用した期間の価値の目減り分を差し引いた金額を、今後その自家用車が使用できる期間で分割して、費用に落としていくことになります。

購入した物品が費用になるタイミング

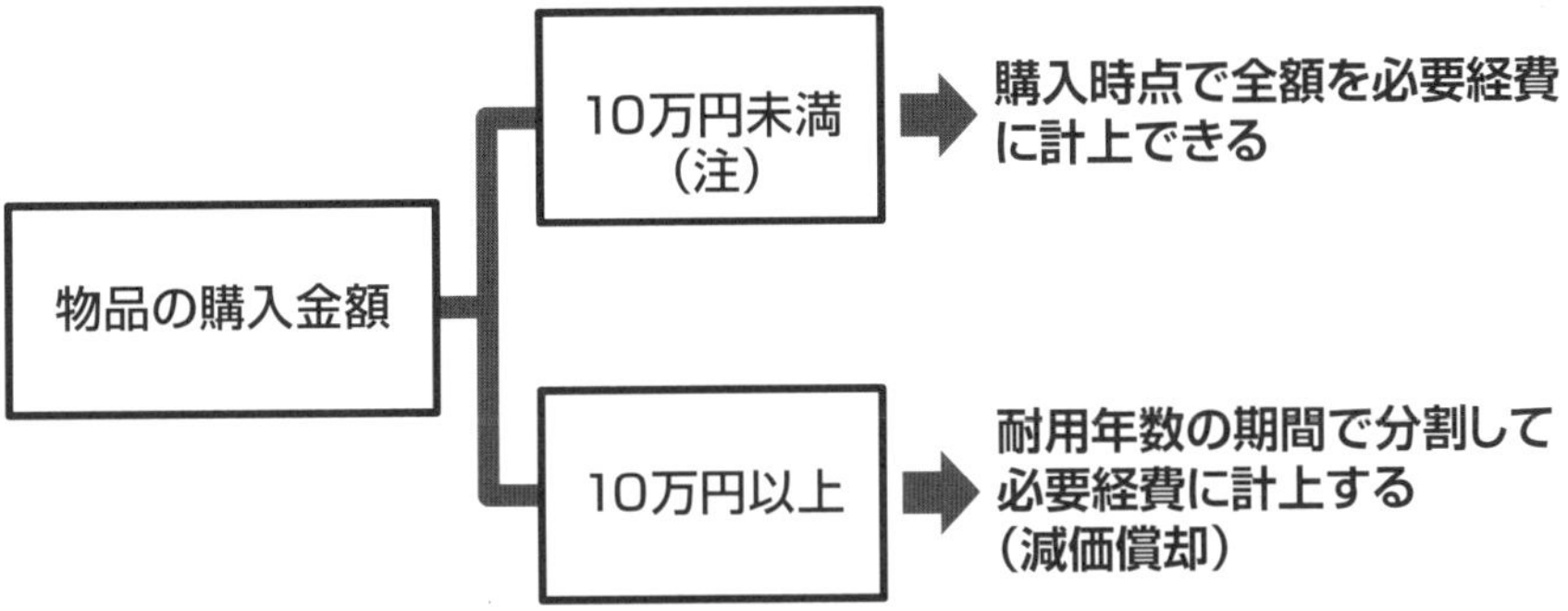

（注）青色申告の場合には、購入金額が30万円未満のものを
購入時に全額必要経費にできる特典がある

- ▶税金は、一度支払うと基本的には取り戻すことができない
- ▶物品を購入したら、購入した年に必要経費にできればその年の税金はその分、抑えることができる

↓

節税のためには、できるだけ早く費用化することが大事

〈注意点〉

- ▶事務用品や包装材料、商品パンフレットなどの消耗品を節税対策のために年末に大量購入し在庫となっている場合、原則として、その在庫品に対応する金額は必要経費にはならず、貯蔵品として棚卸資産に計上する必要がある
- ▶ただし、その物品を毎年概ね一定数量を購入し、かつ経常的に消費するものであるならば、購入時に全額必要経費に計上する経理処理を毎年継続することを条件に、購入時に全額経費算入することが認められる
- ▶節税を重視しすぎて、あまりに過度な消耗品等の購入をした場合には、在庫分を貯蔵品に計上すべきとして、必要経費に認められない可能性があるため、注意する必要がある

2 大きな買い物は付随費用を分ければ節税になる

▼大きな買い物のときは明細を確認する

事業で使用するために建物や機械設備、自動車などを購入する場合、当然、購入費用は経費になりますが、こうしたモノは高価であり、何年にもわたって使用することが可能な資産であることから、その使用できる期間にわたって分割して費用に計上することになります。

そのような高価な買い物をした場合の節税のポイントは、支払った総額をいかに早く費用に計上できるか、ということになります。

そこで確認したいのが、支払った総額の内訳明細です。購入金額の明細の中には、本体の価格の他に、付随して支払っているお金があるはずです。基本的には支払った総額が、自動車や機械設備など、その資産を取得した価額になりますが、付随して支払った費用の中には、本体の価格に含めることなく、支払った時点で費用に計上することが可能なものも含まれています。それらを抜き出して本体とは別に費用として計上すると、購入時点で経費にできる金額が増えるため、節税につながります。

▼経費にできる付随費用とは?

本体の価格と分けて経費にできる付随費用としては、次のようなものがあります。

①取得に係る税金（不動産取得税や自動車取得税、登録免許税その他、登記や登録のために必要な費用）

②建物の建設等のために行なった調査、測量、設計、基礎工事等で、その建設計画の変更のために不要となったものに係る費用

③いったん結んだ購入契約を解除して、他の資産を購入することにした場合に支払う違約金

④取得するための借入金の利子（使用を開始するまでの期間に係る部分）

⑤分割払いで購入した場合の、分割利息や分割払いのために係る費用

たとえば、自動車を購入した場合、税金（自動車取得税、自動車重量税、自動車税）や自賠責保険料、検査登録費用や車庫証明費用、登録手続きの代行費用などは、付随費用として本体の価格と分けて経費に計上できます。

大きな買い物は付随費用を分けて必要経費に計上する

〈例〉事業用に自動車を購入した場合

購入金額の合計：200万円

自動車本体の価格：180万円

↓

耐用年数の期間
（普通乗用車の場合6年間）で
分割して必要経費に計上する

付随費用：合計20万円

- ▶各種税金
  - ●自動車取得税
  - ●自動車税
  - ●自動車重量税
- ▶自賠責保険料
- ▶検査登録費用
- ▶車庫証明費用
- ▶登録手続代行費用　など

↓

車両本体とは分けて
購入時に全額
必要経費に計上できる

3 少額備品の購入で節税する

▼経費にできる購入金額とは？

ヒト・モノ・カネは事業に必要な3要素と言われますが、モノ（資産）の購入はどのような商売であっても必要です。事業で使用するために購入した資産は必要経費になりますが、前述したように経費になるタイミングは支払った金額で異なります。購入した年にその全額が経費として認められるのは次の二つです。

①取得価額が10万円未満のもの
②使用可能期間が1年未満のもの

なお、購入金額で判断する場合の消費税の扱いですが、基本的には消費税込みの金額で判断します（例外として、消費税の納税義務があり、帳簿を税抜経理で作成している場合には、消費税抜きの金額で判定する）。

また、購入金額が10万円以上であっても、通常の使用において物理的に1年ももたず消耗するものも、購入年に全額必要経費となります。

▼青色申告者には特典がある

資産の購入時に、購入費用が全額経費になるかどうかの基準は、確定申告を白色申告でするか、青色申告でするかによって異なります。

白色申告の場合、購入金額が10万円未満であることが基準となりますが、青色申告の場合は、この金額が30万円未満まで跳ね上がります。

つまり、購入金額で見た場合、青色申告と白色申告にかかわらず、10万円未満のものはすべて購入した年の経費になりますが、青色申告であれば、それが10万円以上のものであっても、30万円未満なら購入した年に全額経費で落とすことが可能となるのです。

ただしこれも無制限に認められるわけではなく、上限が設けられており、その年における「10万円以上30万円未満の資産の購入金額の総額が３００万円に達するまで」とされています。

また、この青色申告の特典を受ける場合には、確定申告書に添付する青色申告決算書3ページ目の「減価償却費の計算」の摘要欄に、「措法28の2」と記載する必要があるので注意してください。

購入時に必要経費にできるもの

- 使用可能期間が1年未満のもの
- 取得価額が10万円未満のもの

→ 購入時点で全額を必要経費に計上できる

購入金額の判定における消費税の扱い

▶基本的には消費税込みの金額で判断する
▶例外として、消費税の納税義務があり、税抜経理で会計帳簿の作成を行なっている場合には、消費税抜きの金額で判断する

青色申告の特典

取得価額が10万円未満のもの ➡ 取得価額が**30万円未満**のもの

青色申告の場合は、取得価額が30万円未満のものは購入時に全額必要経費にできる。ただし、その年における10万円以上30万円未満の資産の取得価額の総額300万円までが上限となる

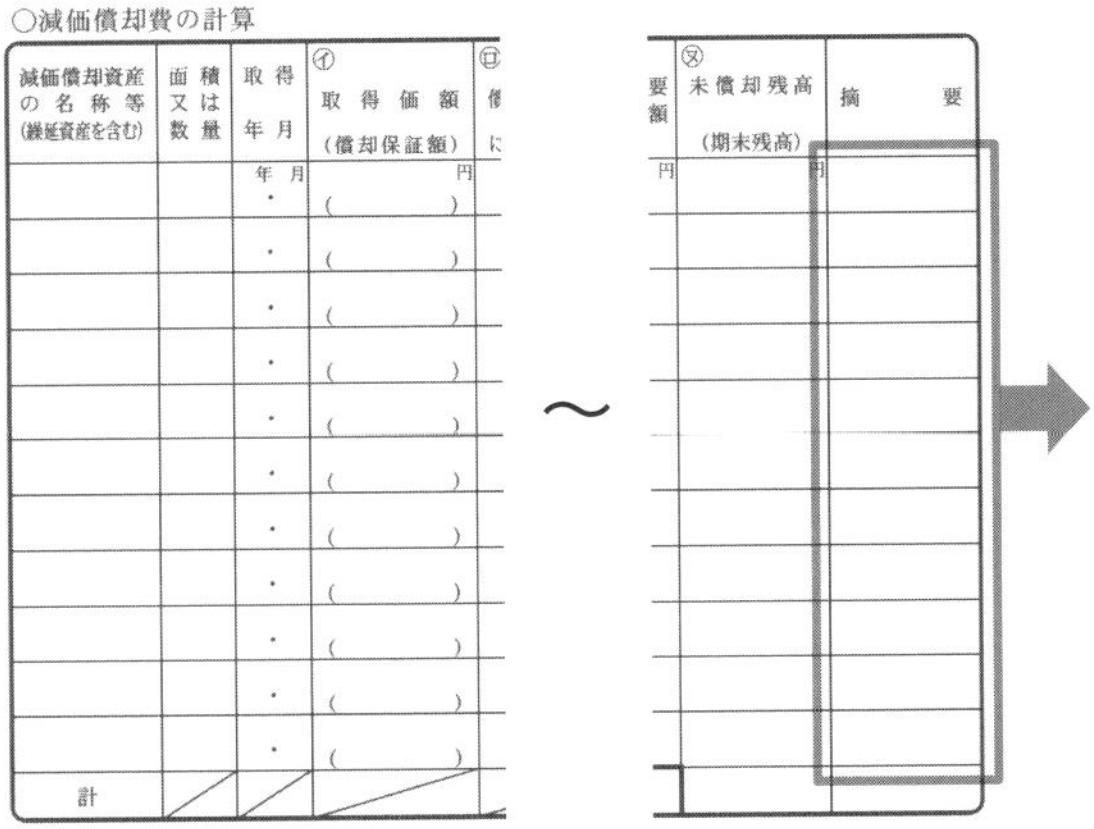

この適用を受けるためには、青色申告決算書3ページ目「減価償却費の計算」の表に取得価額30万円未満の購入資産を記載するとともに、右端にある「摘要」欄に「措法28の2」と記載しなければならないので注意が必要

4 減価償却を理解して節税する①減価償却のしくみ

▼減価償却とは何か

すでに説明したとおり、一定の金額を超えるモノは購入した年に全額が経費にはなるわけではありません。

たとえば、２００万円でトラックを購入した場合を考えてみましょう。

購入したトラックが、今後5年間は営業に使用できると見込まれる場合、5年間はこのトラックを使用して事業活動を行ない、売上げを得ていくことになります。

ここで、毎年１００万円の売上げが上がるとして、トラックを購入した年に購入費用を全額経費にしたら、損益計算はどうなるでしょうか。

初年度は売上１００万円に対し、経費としてトラックの購入費用が２００万円計上され、差引マイナス１００万円の赤字となります（説明を単純化するため、トラックの購入費用以外の経費はないものとする）。

その後2年目から5年目にかけては、売上げが１００万円に対し、経費が0円で、儲けは１００万円となります。

このように、トラックを購入した年に全額経費に計上した場合には、初年度だけ赤字で、2年目以降はトラックを使用しているにもかかわらず経費は0円となり、全体としてアンバランスな損益計算となってしまいます。

そこで、この損益計算のバランスを取るために「減価償却」という方法を用います。

▼価値の減少に応じて費用に落とす

「**減価償却**」とはその字のごとく、使用により価値が目減りした分に応じて経費として落とす方法です。２００万円で購入したトラックも、営業活動に使用することで消耗し、当初の２００万円から価値が減少していきます。

適正な損益計算をするためには、その年の売上高に対して計上する経費は、売上高を得るために費やされたものを対応させるべきです。そこで、その年の売上げを得るためにトラックを使用することで減少した価値部分を、費用（これを「**減価償却費**」と言う）として計上することで、売上げと経費のバランスが適正なものとなり、適正な税金計算にもつながります。

減価償却の役割とは？

〈例〉取得価額200万円、耐用年数5年のトラックを購入した場合

ケース1：購入時に全額必要経費に計上

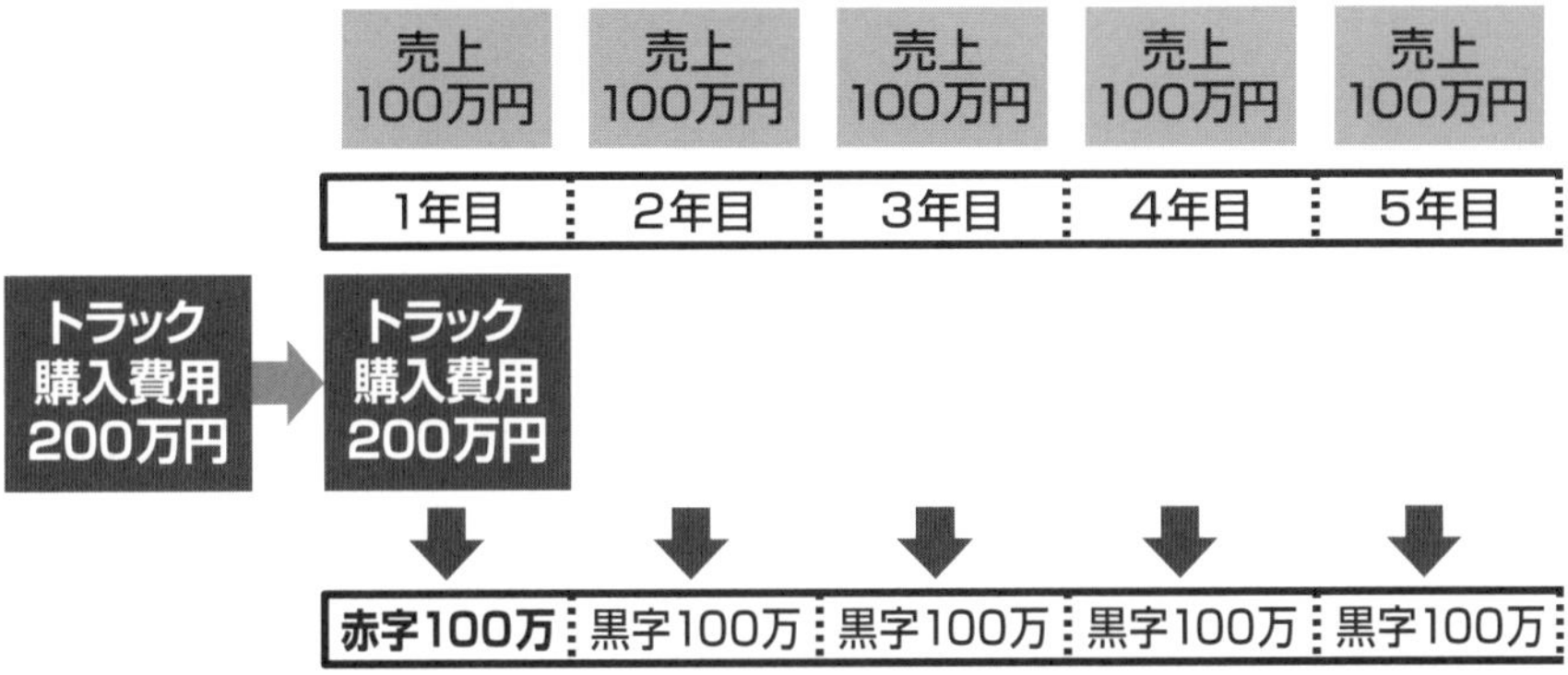

初年度のみ赤字となり、その後はトラックを使用しているのに経費がないため、アンバランスな損益計算になってしまう

ケース2：耐用年数5年間で分割して費用計上（減価償却費の計上）

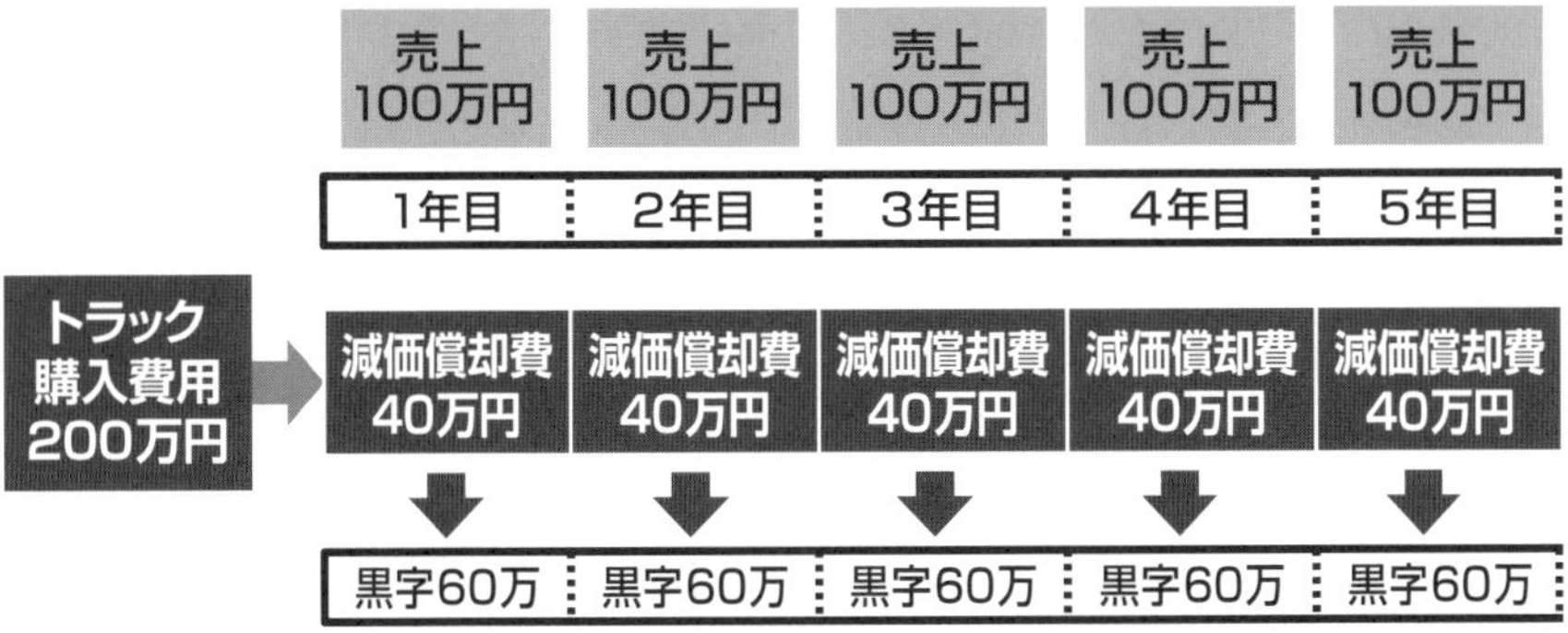

使用によるトラックの価値減少分を各年度に費用計上（減価償却）することで、毎年の売上げと費用が対応し、適正な損益計算が実現している

5 減価償却を理解して節税する
②「定額法」と「定率法」

▼減価償却の方法は二つある

　減価償却とは、購入した資産の金額をその価値の減少に応じて費用化していく方法です。しかし実際に計算する場合には、価値の減少部分をどのように算定するかが問題になります。

　同じ資産でも人によって価値減少の計算方法が異なると、計上する減価償却費に差異が生じ、税金面で公平性が保てなくなるため、減価償却の方法としては「定額法」と「定率法」という二つの方法が定められています。

「**定額法**」とは、毎年の価値の減少が一定に生じるものとして、毎年同額の減価償却費を計上する方法です。毎年一定額を費用化することから定額法と言います。

　たとえば、２００万円で購入した自動車について、使用できる期間（「**耐用年数**」と言う）が5年なら、毎年40万円ずつ減価償却費を計上することになります。

　一方、「**定率法**」は、資産の価値が毎年同じ割合ずつ減少するものとして、毎年の残価値に対し一定率を掛けて減価償却費を計算する方法です。毎年同じ割合（定率）を費用化することから定率法と言います。

　たとえば、先の例と同じ２００万円の取得価額で、耐用年数が5年のケースなら、定率法で用いる率（「**定率法償却率**」と言う）は０・４となり、初年度は２００万円に０・４を掛けた80万円が減価償却費となります。２年目以降は当初の取得価額から前年までに計上した減価償却費を差し引いた金額（毎年の残っている価値）に対して償却率を掛けて計算します。

　この例では、2年目の計算は、２００万円から初年度の減価償却費80万円を差し引いた１２０万円に対し０・４を掛けた、48万円が減価償却費となります。

▼投資額を早く回収したいなら定率法が有利

　二つの減価償却方法を比較した場合、定額法が毎年同額の費用計上になるのに対し、定率法は初年度に多額の費用を計上することができます。初年度の税金が安くなる分、定率法は投資額を早く回収できる方法です。

　なお、定率法を選択する場合は、事前に税務署への届出手続きが必要となります。

減価償却費の２つの計算方法

〈例〉取得価額２００万円、耐用年数５年のトラックを購入したケース

「定額法」による場合

取得価額×定額法償却率＝減価償却費

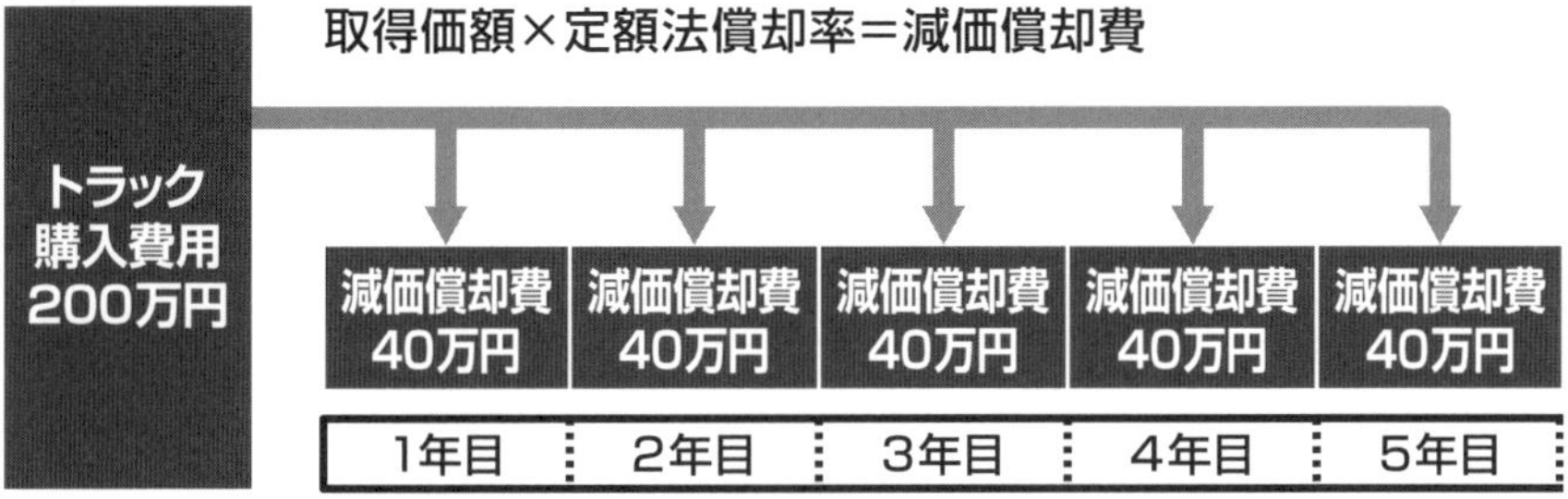

毎年、一定額の減価償却費を計上するのが「定額法」

「定率法」による場合

（取得価額－減価償却累計額）×定率法償却率＝減価償却費

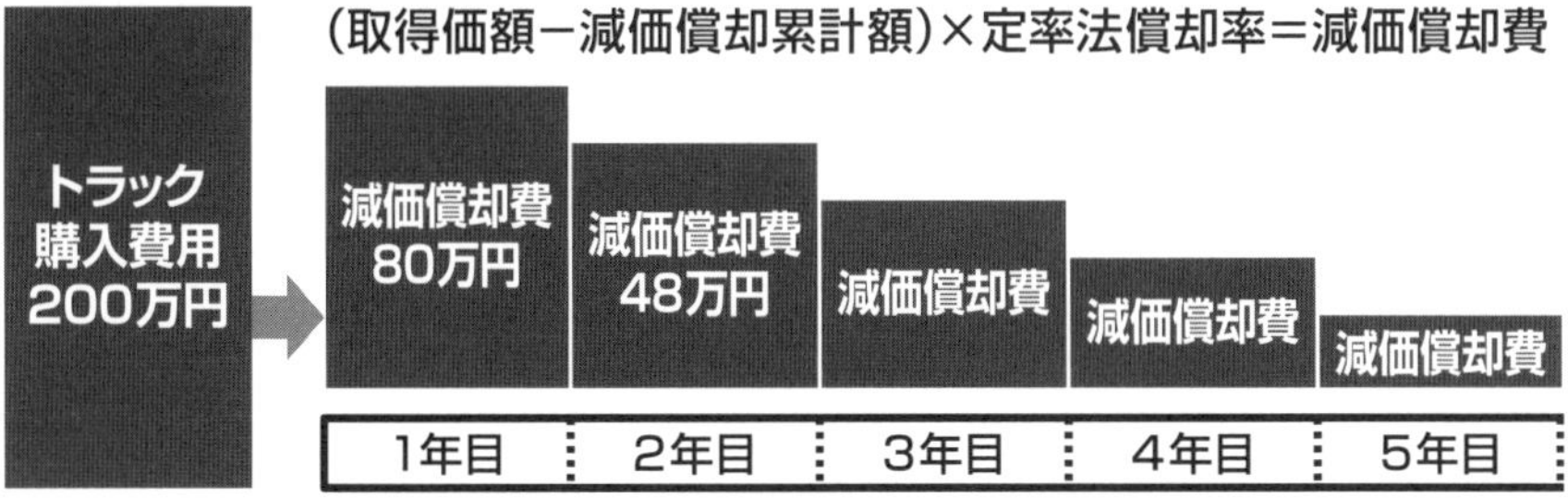

毎年同じ割合（定率）を費用化するのが「定率法」

- ▶節税のためには、早く費用化できる「定率法」が有利
- ▶「定率法」を選択する場合は税務署への事前の届出が必要

6 中古資産の購入で節税する

▼中古のほうが早く経費にできる

事業に使用する資産を購入した場合、その資産が使用できる期間（耐用年数）にわたって、定額法または定率法によって価値の減少分を減価償却費として費用計上します。節税の観点からは、いかに早く投資した購入金額を費用化できるかを考えることです。

２００万円で購入したものを5年で減価償却する場合、定額法と定率法のいずれを選択しても、費用に計上できる金額の合計は購入金額の２００万円で同じです。

しかし、定率法で、購入してから早い段階で多く費用化できれば、経費として節税できた分だけ投資額を早く回収することができ、手許に残るキャッシュも多くなります。

また、早く費用化するには、同じ資産であっても、あえて中古資産を購入する方法もあります。

中古資産は通常、新品に比べて使用期間が経過している分、耐用年数も短くなります。そのため購入してから費用化するまでの期間も短くなるというわけです。

中古資産の耐用年数は、取得時からその後の残存する使用可能な期間を見積もることが原則ですが、実際には見積りが困難なため、一定の計算式による簡便法で計算した年数を使用することが認められています。

たとえば、新品の耐用年数（「**法定耐用年数**」と言う）が6年のもので、新品時から4年経過した中古資産の残存する耐用年数は、簡便法によると2年と計算されます。この見積りにより、その中古資産は2年間で費用化すればよいことになります。

▼定率法との組み合わせで節税する

購入した資産を早く費用化するには、「できるだけ短い耐用年数」で、「定率法」により減価償却すればいい、ということになります。

もっとも短い耐用年数は2年ですが、耐用年数2年の定率法で用いる償却率は1・000とされています。

つまり、その年の1月に耐用年数2年の資産を購入すれば、購入金額がいくらであろうとも、全額がその年に減価償却により費用化できることになります。

中古資産の耐用年数の試算法

新品で取得　法定耐用年数で費用化

中古で取得　残存年数で費用化

↓

原則：残存する使用可能期間を見積もる
例外：「簡便法」による年数算定

簡便法による耐用年数の算定

①法定耐用年数の全部を経過している場合：法定耐用年数×20%で計算した年数

②法定耐用年数の一部を経過している場合：次の算式により計算した年数＝（法定耐用年数－中古資産の経過期間）＋（中古資産の経過期間×20%）

※算出した年数に1年未満の端数があるときは、その端数を切り捨てる。その年数が2年に満たない場合には2年とする

〈計算例1〉法定耐用年数6年、経過年数4年の場合

(6年－4年)＋(4年×20%)＝2.8年→2年(1年未満の端数切捨て)

〈計算例2〉法定耐用年数10年、経過年数4年8ヶ月の場合

(120ヶ月－56ヶ月)＋(56ヶ月×20%)
＝75.2ヶ月→6年(1年未満の端数切捨て)

↓

中古資産を「定率法」で減価償却すると早期に費用化でき、節税になる

7 設備投資への減税制度を活用する

▼上乗せできる特別償却

事業に使用するための設備投資のうち、国が税法で対象に定める特定の設備投資を行なった場合には、税金面で一定の優遇措置を受けることができます。

個人事業主や中小企業に対する支援策や雇用対策、公害などへの対策や日本の産業育成に役立つものなど、国の方針や政策に沿った事業活動のための設備投資には、税金面で政府としても後押しをしようという趣旨です。

せっかく設備投資をして高額の資産を購入するなら、減税制度の対象になるモノは、漏れなく適用を受けるべきです。このような設備投資に対する具体的な減税措置としては、「特別償却」があります。

「**特別償却**」とは、設備投資をした初年度に通常計上できる減価償却費に加えて、特別に追加で減価償却費を計上できるというものです。

特別償却は多くの場合、対象となる設備の取得価額に対し一定割合を乗じて計算されます。たとえば、特別償却として取得価額の30％相当額を通常の減価償却費に追加して計上できるとすると、特別償却費は、取得価額が５００万円ならば、その30％の１５０万円となります。

▼納税額が直接減額される税額控除もある

設備投資に対する減税制度には、特別償却の他に、その年の納税額を直接減額してもらえる**税額控除**の制度もあります。この税額控除も多くの場合、対象となる設備の取得価額に対して一定割合を乗じて計算されます。

たとえば取得価額の７％相当額を税額控除できるとすると、取得価額が５００万円の場合、その７％にあたる35万円がその年の納税額から控除されます（ただし、多くの場合、「その年の税額の20％相当額を限度とする」などの上限が定められている）。

特別償却や税額控除の減税制度は、同じ設備投資に対しどちらかを選択できる場合がありますが、両方の適用を受けることはできません。また、これらの減税制度は青色申告をしていることが要件となります。

減税対象となる設備投資は毎年のように改定されているため、税務署などに確認することをお勧めします。

国が対象に定める設備投資の減税特典

減価償却費を追加計上できる「特別償却」

減税対象の設備を500万円で取得(耐用年数5年)
特別償却率を30%とする場合
取得価額500万円×30%=150万円(特別償却費)

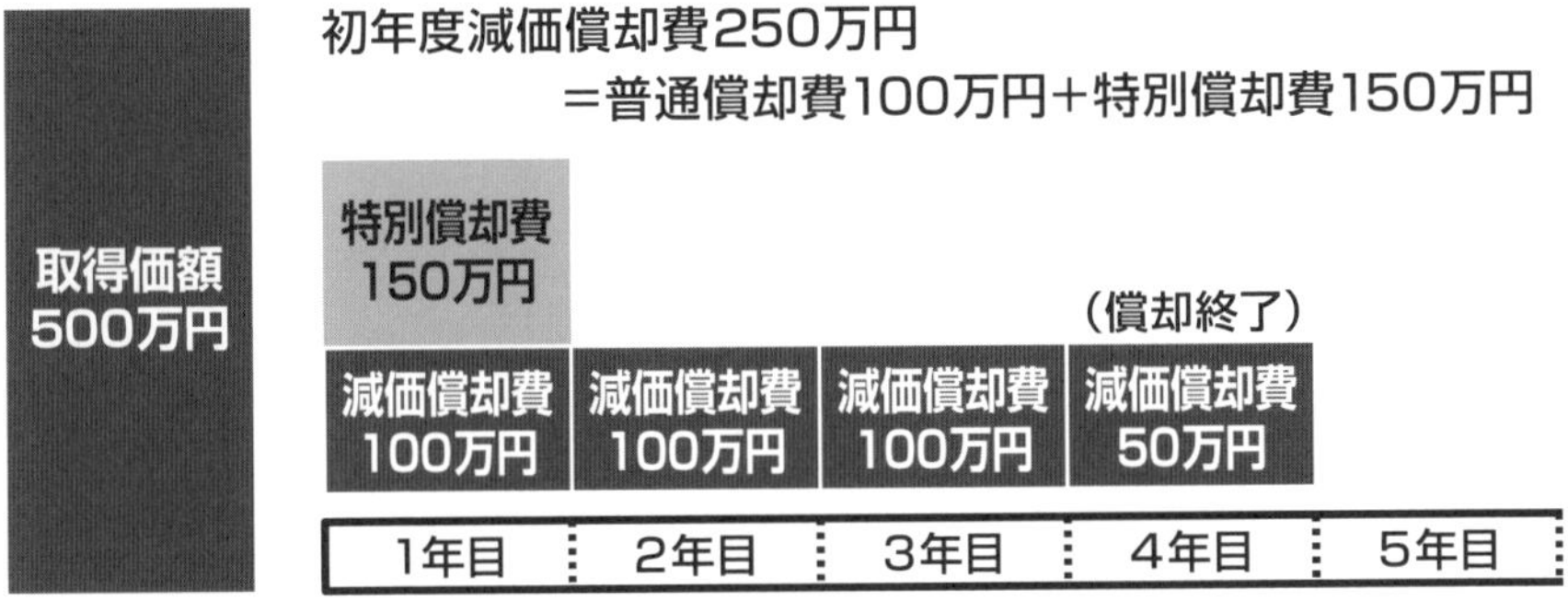

納税額が直接減税される税額控除

減税対象の設備を500万円で取得(耐用年数5年)
税額控除限度額を取得価額の7%相当額とする場合
取得価額500万円×7%=35万円(税額控除額)
……その年の所得税額から35万円を控除できる

※特別償却と税額控除は併用できず、いずれかを選択適用する

- 特別償却は償却の前倒しにより初年度の償却費が大きくなるが、計上できる費用合計は通常償却と同じとなる
- 減税できる金額では税額控除を選択したほうがトータルで大きくなる(通常の減価償却費に加え、税額控除が受けられるため)

8 自宅の家賃や光熱費を経費にする方法

▼自宅に仕事用スペースを設けて仕事をする

ＳＯＨＯ（スモールオフィス・ホームオフィス）の浸透に伴い、小さな事務所や自宅を仕事場としてビジネスを行なうフリーランスも多くなっています。自宅の一室を仕事場として使用している場合、一般的には次のような支出を経費として計上することができます。

①家賃（賃貸の場合）、②固定資産税（自己所有の場合）、③固定電話料金、④水道・電気・ガス料金、⑤インターネットプロバイダ料金

自宅を事業のために使用しているわけですから、その使用に伴う支出は経費にすることができるのです。

自宅とは別に店舗を持って商売をしている場合は、一見すると自宅は関係ないものと思われます。しかし、帳簿作成などの経理処理や、パソコンからの振込支払処理、客先への請求処理や事業に関わる各種の資料作成など、事務処理を自宅でしている人も少なくないと思います。これは正に自宅を事務所として事業のために利用していることになります。

▼支払いの一部を経費にできる

しかし、自宅を事務所にするなど、事業に利用しているからと言って、家賃などの支払いを全額経費にできるわけではありません。自宅はあくまで自分や家族の生活のための利用が主体であって、その自宅の一部を仕事に使用していることから、経費に計上するには、一定の割合による按分計算が必要となります。

たとえば、家賃や自己所有の場合の「固定資産税」であれば、面積比を用いて計算します。具体的には、全体の延床面積に対して、常時仕事利用しているスペースの面積の占める割合を用います。

月額の家賃が15万円で、自宅全体の広さが１００㎡ある場合、その内、仕事で20㎡を利用しているなら、面積の按分割合により、月額家賃の5分の1である3万円が経費に計上できることになります。

電話料金や水道光熱費、インターネットプロバイダ料金なども同様に、全体に占める仕事利用の割合を求めて、プライベート利用分と区分して経費に計上します。

自宅に掛かる支出を必要経費に計上する方法

自宅に掛かる支出

- 家賃（賃貸の場合）
- 固定資産税（持家の場合）
- 固定電話料金
- 水道・電気・ガス料金
- インターネットプロバイダ料金
- 火災保険料

など

→ 生活費部分
→ 事業利用分

生活費部分と事業利用分を按分して、事業利用分を必要経費に計上できる

按分計算例

自宅家屋全体の部屋数が5部屋あるうち、1部屋を事務所利用している場合

↓

5分の1を事業利用割合として、家賃の5分の1を必要経費に計上できる

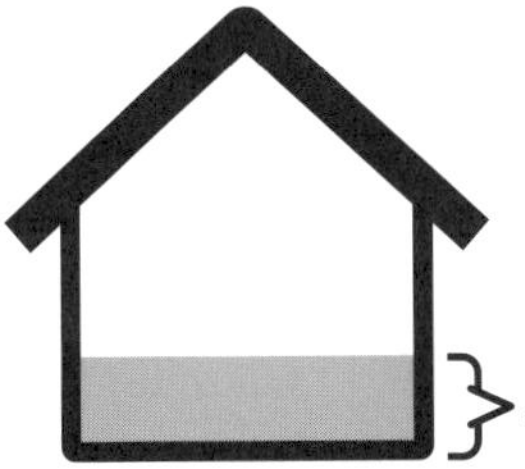

必要経費として計上

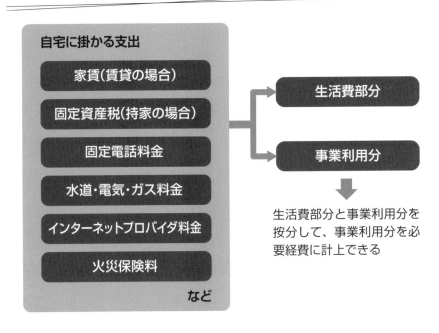

９ 開業前に買った車を経費にする方法

▼減価償却によって経費にできる

事業に必要なものは、独立開業のときに購入することが多いと思いますが、脱サラして開業する人の場合、それまでプライベートで使用していた車などを、独立後は仕事用として利用することもあるでしょう。

その場合、ガソリン代などの維持費は当然経費となりますが、「車両本体の購入費用はどうなるのか？」という疑問が生じます。サラリーマン時代に購入しているため、経費にならないのではと思われがちですが、事業に使用していることから、これも経費にすることができます。

方法としては、事業用として使用を開始する時点における価値を計算し、その価値を減価償却により毎年の経費に計上していくことになります。

▼開業前に目減りした価値を計算する

まずは、車の購入時点から開業により事業で使用するまでの期間（非業務用の期間）に目減りした価値金額を計算し、その目減り額を当初の購入金額から差し引いて、その車の事業開始時点の価値を計算します。具体的なステップは次のとおりです。

①耐用年数を１・５倍した償却率を求める
②非業務用の期間の年数を確認する
③非業務用の期間の減価償却費を計算する
④購入金額と③より未償却残高を計算する

車の購入費用が２００万円、法定耐用年数が６年、非業務用の期間が１年の例では、次のように計算されます。

まず、①の償却率は、６年を１・５倍した９年に対応する旧定額法償却率である０・１１１になります。②の非業務用期間はここでは１年です。なお、非業務用の期間に１年未満の端数があるときは、６ヶ月以上は１年とし、６ヶ月に満たない端数は切り捨てます。

③の減価償却費は旧定額法により計算します。

「２００万円×０・９×０・１１１×１年＝19万９８００円」と計算されます。これが非業務用の期間において目減りした価値金額となります。最後に２００万円から③の金額を引いた金額が事業開始時の未償却残高となり、この金額を基に、減価償却の計算を行なうことになります。

開業前に購入した車を必要経費にするには？

生活利用の車を事業用として使用する場合

取得価額200万円、法定耐用年数6年、生活用としての利用期間1年の場合

①取得価額
▶200万円

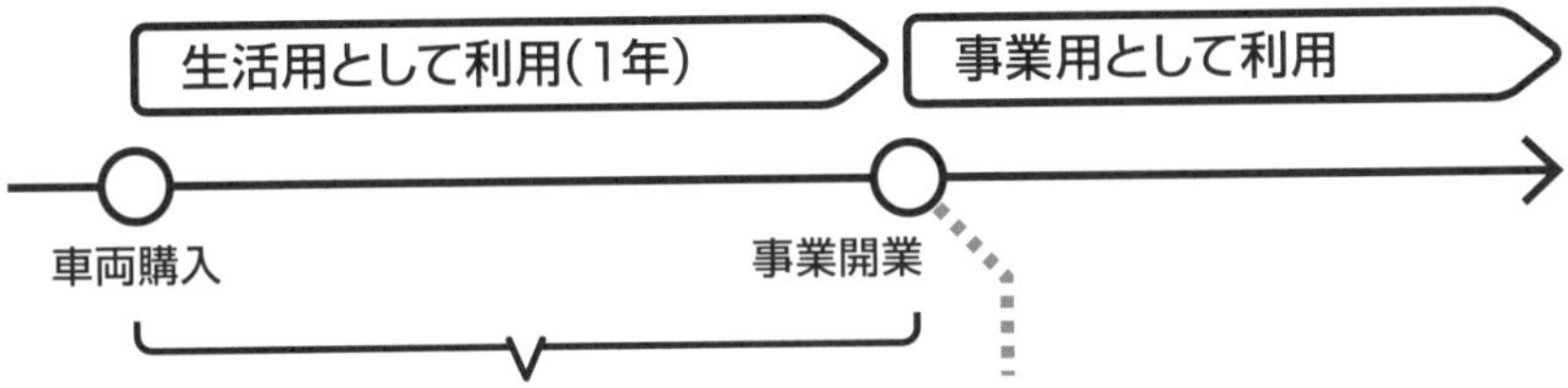

②生活利用の期間で減少した価額
▶19万9800円

③開業時点の未償却残高
▶200万円－19万9800円
＝180万200円

この未償却残高を
減価償却により費用化する

生活利用の期間で価値減少した価額の計算

①耐用年数を1．5倍した旧定額法償却率を求める
▶6年×1.5＝9年……償却率0.111

②非業務用の期間の年数を確認する
▶1年(6ヶ月以上の端数は1年とし、6ヶ月未満は切捨て)

③非業務用の期間の減価償却費を計算する(旧定額法)
▶200万円×0.9×0.111×1年＝19万9800円

④購入金額と③より未償却残高を計算する
▶200万円－19万9800円＝180万200円

COLUMN 3

税務署をもっと活用しよう

税務署はみなさんを待っている

税金に関する質問やわからないことがあった場合、読者のみなさんはどのようにその疑問を解決しているでしょうか。税理士と顧問契約をしているのであれば、その税理士に聞けばすみますが、そうでない場合には、自分で解決しなければなりません。

そんなときには、たとえば、本書のような税金に関する本を読んで自分で解決する方法もありますし、税金にくわしい知り合いに相談する方法もあります。ですが私のお勧めは、税務署を積極的に活用する方法です。税務署は税金に関する国の専門窓口ですから、税金の質問は税務署にすれば間違いありません。ただ心理的に敷居が高いのか、税務署を敬遠する人も少なからずいます。

しかし昨今は、税務署もむずかしそうな税金計算をやさしく理解してもらえるようさまざまな媒体を用いて税金に関する情報を発信しています。とくに、国税庁が運営しているホームページ（https://www.nta.go.jp）は、税金に関する情報の宝庫です。

国税庁・税務署が提供している様々なサービス

税金の専門家であるわれわれ税理士も、ふだんの業務において国税庁のサイトを活用していますが、このサイトには税金に関して初心者の人にもわかりやすい情報がたくさん掲載されています。

たとえば、「Web-TAX-TV（インターネット番組＜税に関する動画＞）」では、所得税や消費税などの手続きについて、動画による解説を配信しています。

また、「タックスアンサー」では身近な税金に関する情報を提供しており、項目やキーワードによって税金の情報を検索できる他、「質疑応答事例」では、過去に税務署に対して寄せられた質問とその回答内容を公開しています。

税金を基礎から学びたい人には、小学生向けから高校生以上向けまで幅広く対応した「税の学習コーナー」があり、税務署職員が研修生として初めて税法に触れる際の教科書として税務大学校が作成している「税大講本」も無料で公開しています。

その他、税務署では無料の電話相談センターを設けており、最寄りの税務署に電話をすると、自動音声による案内で国税局の税務相談室につなげてもらえます。また電話で事前予約をすれば、税務署で面談による相談もできます。

税金についての疑問点があれば、ぜひ税務署を有効活用するようにしましょう。

4章

節税できる必要経費の使い方②ヒトに対する経費

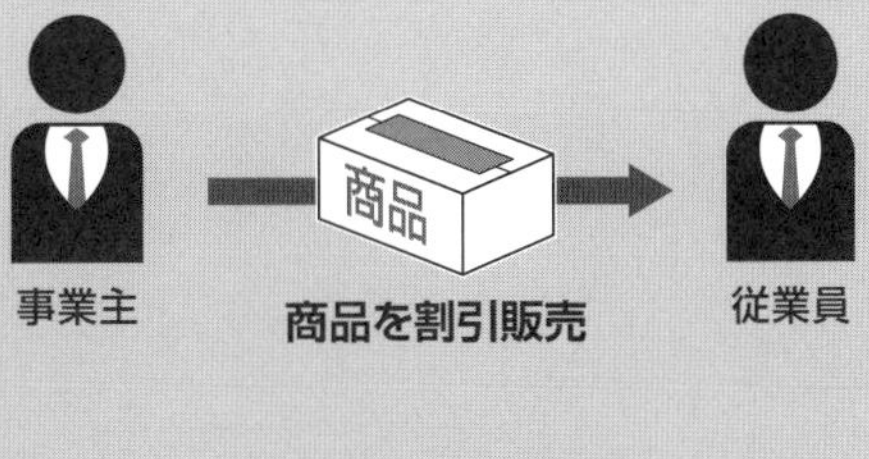

1 ヒトに対する経費で節税する方法

ヒトへの投資で節税する

税金を安く抑えたければ、お金を支出して経費を増やす必要があります。つまり、稼いだ利益が少なくなることで、それに合わせて税金も安くなるしくみです。

経費を増やすと言っても、むだ遣いでは意味がないので、お金を支払う以上は、将来のリターンとして返ってくるものに費やすべきです。

従業員に対する投資は、将来の事業へのリターンが見込まれる、よい節税につながる支出だと言えます。

一緒に働いてくれる従業員に対し、より働きやすい環境を提供したり、従業員各自の成長を支援するような取り組みは、作業効率の向上や売上高アップといった成果を生み、結果として業績というリターンにつながります。

ヒトが集まる職場づくりで節税する

事業主であれ従業員であれ、ヒトは立場は違っても働くことで何かしらの欲求を満たしています。ヒトの欲求については「マズローの欲求5段階説」では、第1階層の「生理的欲求（生きていくための基本的な欲求）」から第5階層の「自己実現の欲求」までピラミッドのように構成され、低い階層の欲求が満たされると、より高い階層の欲求の実現を求める、と説明しています。

同じ働くなら、職場が単に「決められた時間の労働で給料を得るだけの場所」であるより、「仕事を楽しみながら、尊厳の欲求や自己実現欲求が満たされる場所」であることが、事業主としても理想のはずです。

まわりの人から認めてもらえて、仕事を通じて自身の成長を感じ、成長を楽しむことができる職場は、給料を得るだけでなく、ヒトとして働く喜びも提供します。

職場において、従業員のスキルアップのための学習支援をすることは、単なる技能の習得だけでなく、従業員各自の成長の喜びにも通じます。また日頃の勤労の努力をねぎらう社内での慰労会や、節目ごとの懇親会等によるコミュニケーション、福利厚生の充実などは、従業員にとって、大事にされている安心感につながります。

このような職場環境づくりのためのヒトへの投資は、正に生きた節税だと言えます。

ヒトへの投資で節税する

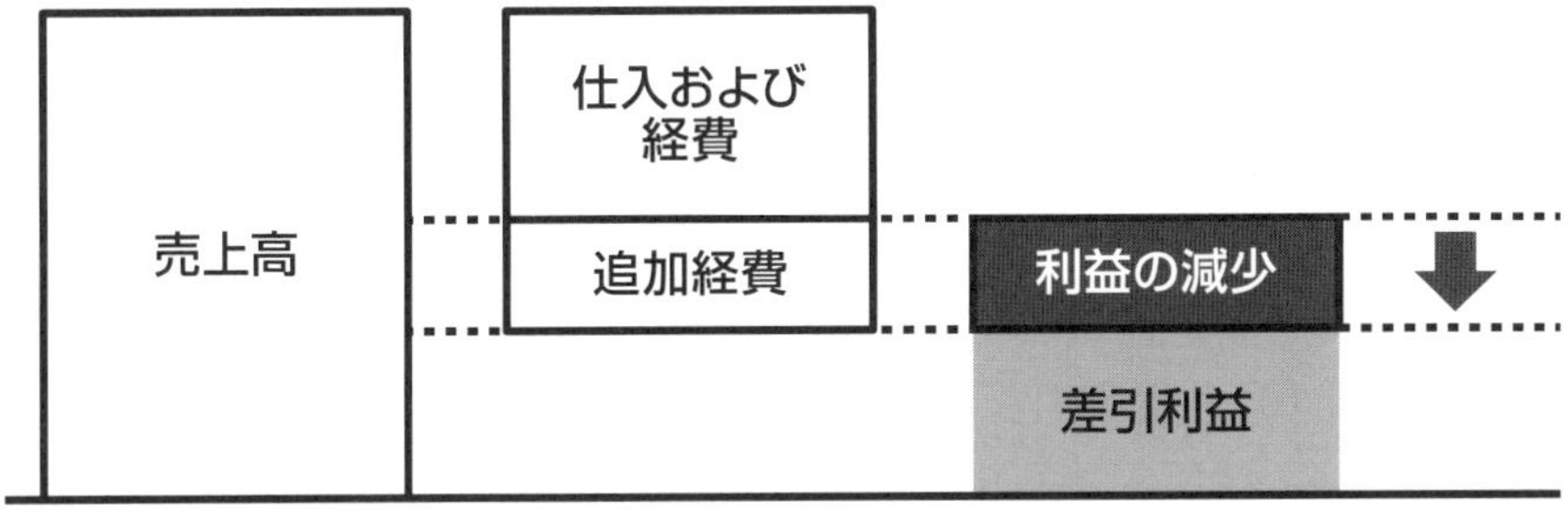

- 経費の支払いを増やせば差引利益は少なくなり、支払う税金も安く抑えられるが、その分、手許からお金を支出することになる
- 節税のためにむだな経費の支払いをしたために、本来の税金以上に手許資金を減らしてしまうのは本末転倒と言える

節税のために経費の支払いを増やすにしても、将来の売上げにつながったり、従業員にとってプラスになるものに使うべきである

マズローの欲求5段階説

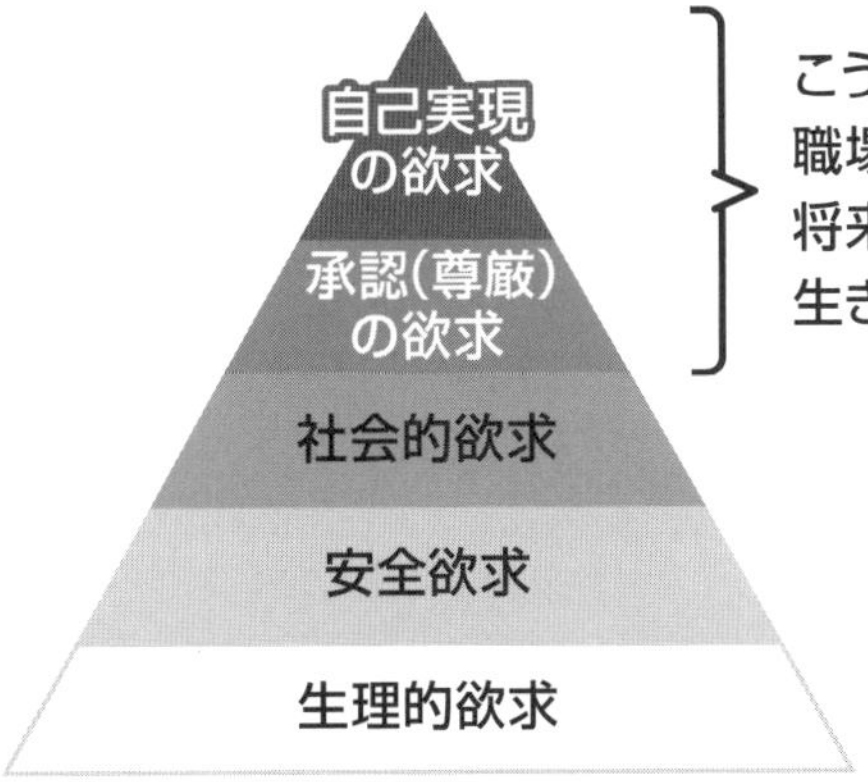

こうした従業員の欲求を満たす職場づくりのために投資をすることは将来の会社発展につながるため、生きた節税と言える

2 福利厚生費と税金の関係

福利厚生費とは何か

サラリーマンは勤務する会社の制度にもよりますが、給与以外にも、会社からさまざまな厚遇を受けています。たとえば、住宅手当や家賃補助の支給、結婚や出産に対する祝い金、健康診断の受診や保養所の利用など、生活のあらゆる場面で支援があります。

「**福利厚生費**」とは、従業員やその家族が幸せで豊かな生活を過ごせるようにするための、雇い主が提供するサービスや現金給付と言えます。

ヒトを雇う側としては、支給する給与に見合うか、それ以上の働きを従業員に対して期待します。また、一緒に働いてもらうからには、長く安定して勤めてもらいたいとも思います。

「ヒトを採用しても、長く続かず辞めてしまう」「従業員のモラールや働く意欲が低い」「職場の生産性や作業効率が悪い」といったことは、雇い主の悩みとしてよく聞きますが、これらの問題は単に決められた給与を支払っているだけでは解決しません。そこで従業員が気持ちよく働ける職場づくりを目的に、福利厚生費は必要なコストとして事業の必要経費に認められているのです。

福利厚生費で税金が生じる場合もある

一般に、福利厚生費となる支出としては、「慶弔金や見舞金」「飲食業における賄い料理等の食事支給」「自社製品の従業員割引販売」「従業員の親睦会やクラブ活動への援助費」「残業時の夜食や忘年会・新年会の開催」といったものがありますが、過度なものは従業員の給与扱いになってしまいます。

福利厚生費が従業員の給与として課税されてしまうと、事業主としてその給与に対する所得税（**源泉所得税**と言う）を徴収し、国に納付する義務が生じます。

支出した福利厚生費が後から従業員への給与になるとわかった場合には、本来納めておくべき源泉所得税が納付漏れになり、事業主に税務署からペナルティが課せられることになってしまいます。

一定の限度を超えた福利厚生費は、給与扱いになることに注意してください。

福利厚生費で節税する

福利厚生費のいろいろ

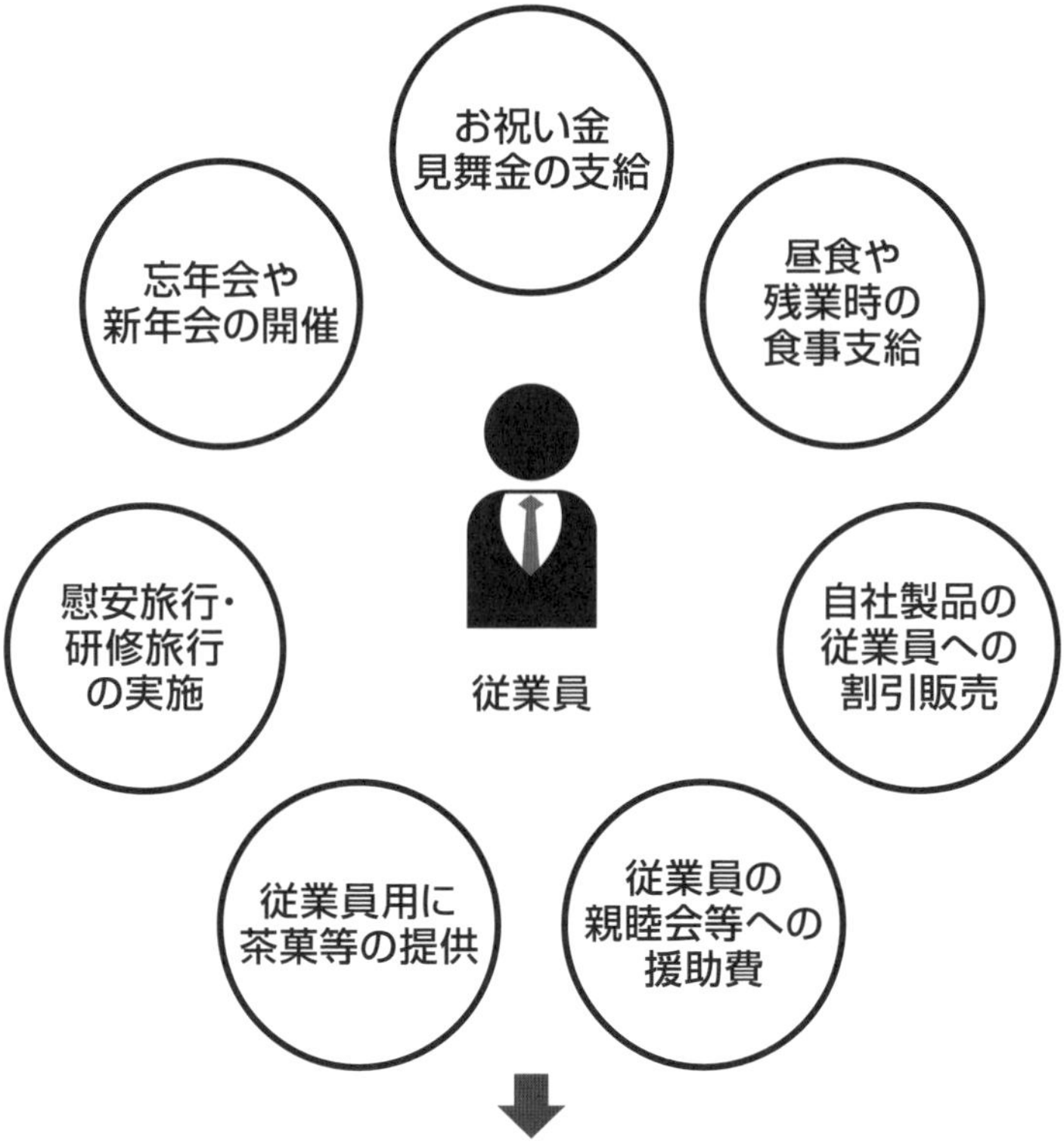

これらの福利厚生費について、内容や支出金額が過度なものについては、従業員のために負担したものであっても、従業員に対する給与扱いとなる

給与扱いと認定されると、その負担額に対して源泉所得税の徴収義務が生じるため、注意が必要

3 従業員の給与で節税する

事業主にとっての従業員給与とは？

事業を行なうために従業員を雇用して働いてもらった場合には、その働きに対して給与を支払いますが、当然その給与は必要経費に計上されます。

通常、従業員を採用するには、求人募集から始まって、応募者との面接等を経て採用が決められます。採用時には、従事してもらう仕事内容や勤務時間、給与条件などを提示して、労働の内容とその対価としての給与について、事業主と従業員の間で合意がなされているはずです。小規模な個人事業での従業員の採用においては、就業規則や労働契約などの書類作成は、事業主にとっても負担になるため、あまり行なわれていないでしょう。

しかし、従業員との間の労働契約自体は、書面作成がなくても、口頭でのお互いの合意があれば成立します。

給与は、この労働契約に基づいて労働を行なった対価として、あらかじめ取り決められた給与条件に従って支払われるものです。従業員への給与の支払いは、労働契約に基づく労働を理由に、事業の経費性が認められるわけです。

月給制の給与を日割りする

従業員を正社員として雇用している場合には、給与は月給制で、毎月決められた支給日に支払われていると思います。基本的に従業員の給与は、支給した日において事業の経費として計上されます。

給与の締日を毎月20日とし、給与支給日を当月の25日とするケースでは、その年の年間で経費となる従業員給与は、1月から12月まで毎月25日に支給された給与になります。しかし、先に述べたとおり、給与とは労働の対価として支払われるものです。12月については、給与締日の翌日21日から年末の最終勤務日まで、労働は行なわれています。そこで、その労働日数分に見合った給与を日割計算して、12月末時点で「未払給与」として経費に計上することが可能になります。ちなみに日割計算の基となる給与は、翌年1月25日支給の給与です。

なお、この日割計算による経費の未払計上は、賞与には適用できないので注意してください。

「未払給与」を経費に計上する

給与は労働の対価だから経費になる

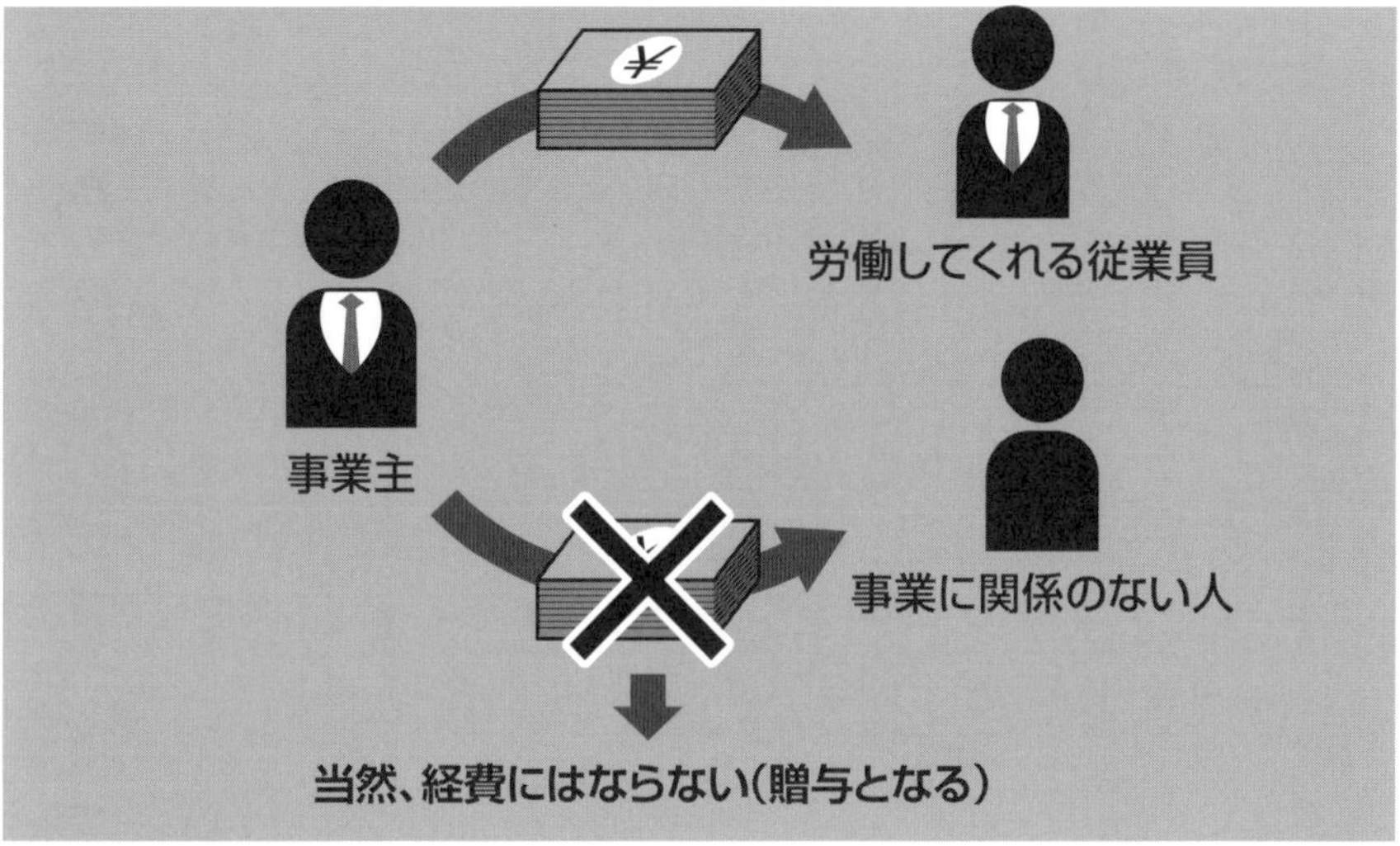

「未払給与」とは？

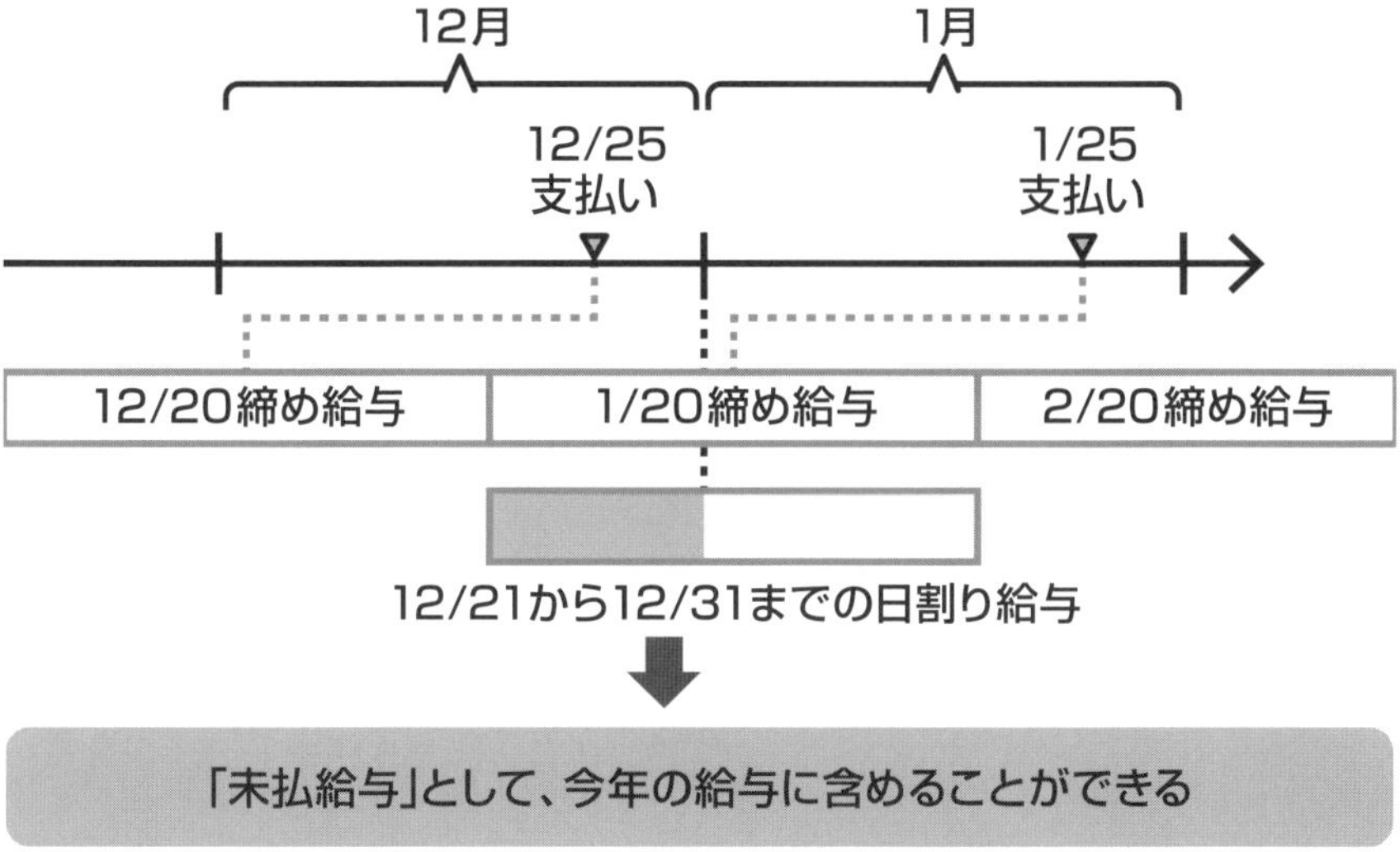

4 従業員への現物支給で節税する

食事代の援助をする

サラリーマンの小遣いの使い道の中で、昼食代は大きなウェイトを占めます。小遣いのやりくりでは、まずは昼食代の節約を考える人も多いと思います。そこで、勤める会社で食事代の補助をしてもらえると、従業員にとっては喜ばしいものではないでしょうか。

しかし、食事代を現金で支給すると、その食事代は従業員に対する給与として取り扱われることになり、税金が生じてしまいます。雇い主が従業員の食事代を負担する場合には、次の二つの要件を満たすことで、給与として課税されないことになります。

①従業員が食事の価額の半分以上を負担する
②事業主の負担額が月３５００円以下である

この場合における食事の価額とは、事業主が自前で調理して提供するのであればその材料費、お弁当屋さんなどから購入するのであればその購入価額になります。

この二つの要件を満たさない場合には、食事の価額から従業員が負担している金額を差し引いた差額が、従業員に対する給与として課税されることになります。

なお、昼食代以外では、残業をする場合の夜食代や、宿日直を行なうときの食事代の他、深夜勤務者に対して夜食の支給が困難な場合に、１回３００円以下の現金を支給することも給与にはならず非課税となります。

商品の従業員向け販売

小売店や飲食店をしている場合には、自店舗の商品を従業員が購入するケースもあると思います。従業員への社内販売で、福利厚生の一環として通常価格よりも値引きした金額で販売する場合、次の二つの金額のうち、いずれか高いほうの金額で販売する必要があります。

①その商品の仕入原価
②通常販売する価格の70%

ただし、これらの販売価格を満たしていたとしても、従業員が副業のために大量購入するなど、通常、家庭内で消費すると思われる限度を超えるものや、値引率や値引価格の決め方について何らかのルールがないと問題になるので注意してください。

必要経費として認められる「現物支給」とは？

食事の支給

次の2つの要件を満たせば、従業員への食事代が
給与として課税されない

① **従業員が食事の価額の半分以上を負担**
② **事業主の負担額が月3500円以下**

（もしいずれかを満たさない場合には、事業主が負担した
金額が従業員に対する給与とされる）

上記にかかわらず、次のものは給与扱いとならず、非課税で支給できる
▶従業員が残業する場合の夜食代
▶従業員が宿直・日直をする場合の食事代
▶深夜勤務者に対し、食事の現物支給がむずかしい場合に１回300円以下で支給する現金

社内販売

次の2つのいずれか高いほうの金額で販売すれば、
給与として課税されない

① **その商品の仕入原価**
② **通常販売する価格の70%の金額**

5 通勤手当を活用する

所得税が課税されない手当

従業員が通勤のために電車やバスなどの公共交通機関を利用する場合に、その費用を事業主が支給する通勤手当は、原則として所得税が課税されません。

通勤手当を支給する事業主としても、その支給額は基本的に全額経費として認められることから、通勤手当は税金面で得をするものだと言えます。

現在、従業員に支給している給与明細を見て、各種手当を区分せずに、給与としてひとまとめに支給している場合には、通勤手当分を区分すると給与の手取額が増えるので、従業員からも喜ばれるはずです。

しかし、この通勤手当には1ヶ月あたりの限度額が設けられていて、月10万円が非課税の上限とされています。もし限度額を超えて支給した場合には、その超える部分については従業員に対する給与扱いとなり、所得税が課税されることになります。

なお、通勤手当が非課税扱いになるからといって、給与のうち一律10万円を全員に通勤手当としても、それは認められません。通勤手当の金額を決めるにあたっては、通勤のための運賃・時間・距離等の事情に照らして、「もっとも経済的かつ合理的な経路および方法で通勤した場合」の通勤定期券などの金額とされています。

そのため、通勤手当の金額を嵩上げするために、遠回りした経路での交通費は、当然認められません。

マイカー通勤でも大丈夫

通勤手当は何も電車やバスで通勤している人だけのものではありません。マイカー通勤をしている場合にも、片道の通勤距離に応じた、非課税となる1ヶ月あたりの限度額が設けられています（左表）。

通勤距離が片道2㎞未満の場合には非課税額はなく、支給した通勤手当が全額給与として課税されますが、片道2㎞以上の通勤距離がある場合は、1ヶ月あたり4200円から、それぞれ距離に応じた非課税限度額が設けられています。

なお、この通勤手当の非課税限度額は、自転車や徒歩通勤であっても適用されます。

通勤手当の非課税限度額とは？

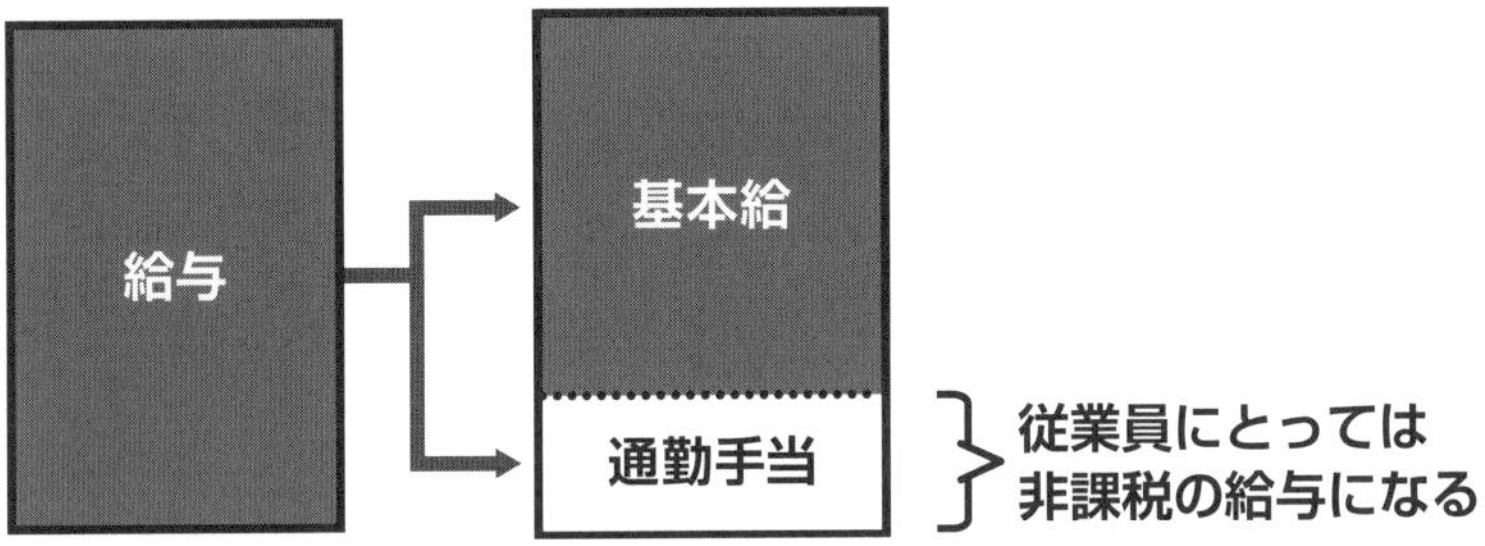

各種手当を区分せずに、まとめて給与として支給している場合には、通勤手当を分けると従業員にとって得になる

通勤手当での注意点

- 通勤手当にすれば給与が非課税になるからといって、上限額の10万円を無条件に通勤手当と区分しても非課税とは認められない
- 通勤のための運賃・時間・距離等の事情に照らして、「もっとも経済的かつ合理的な経路および方法で通勤した場合」の通勤定期券などの金額とする必要がある

マイカー通勤等における通勤手当の非課税限度額

片道の通勤距離	1ヶ月当たりの限度額
2km未満	(全額課税)
2km以上10km未満	4200円
10km以上15km未満	7100円
15km以上25km未満	1万2900円
25km以上35km未満	1万8700円
35km以上45km未満	2万4400円
45km以上55km未満	2万8000円
55km以上	3万1600円

6 従業員のモチベーションアップを支援する

従業員全員のレクリエーション

事業を大きく発展させていくには、事業主1人の力では限界があり、従業員の協力は欠かせません。

しかし、毎日仕事漬けでは誰しも疲れてしまいます。そこで日頃の頑張りに対する慰労として、さまざまなレクリエーションを企画する職場も多いと思います。

たとえば、忘年会や新年会といった食事会や、ボーリング大会や社内運動会などのイベントがありますが、これらの費用を事業主が負担した場合には、基本的に福利厚生費として経費にすることができます。

ただし、レクリエーションを実施するには、全員を一律に対象としたものである必要があります。特定の一部の人を対象としたものは、その一部の従業員に対する給与となるので注意が必要です。

社員旅行でリフレッシュ

日頃の仕事に対する慰労と、社内の親睦を図る意味で社員旅行を行なうことは、事業の発展にもプラスになりますから、その費用を事業主が負担した場合には、当然経費として認められます。

しかし、あまりに豪華すぎる旅行など、世間一般の見方からかけ離れたものは、従業員に対する給与として課税される場合があります。課税されない、問題のない社員旅行の基準としては次のように規定されています。

①旅行の期間が4泊5日以内であること
②全従業員の半数以上が参加すること

ちなみに海外旅行の場合は、行き先によっては飛行機での機内泊もあることから、旅行期間ではなく、滞在日数が4泊5日以内かどうかで判断されます。

従業員の表彰制度

人からほめられるとうれしいもので、さらにがんばろうという意欲も湧いてきます。そこで従業員を表彰する制度がありますが、もっとも一般的なのが永年勤続表彰です。表彰で記念品を贈る場合、その購入費も当然経費となります。しかし金一封として現金を贈ると従業員への給与となるため注意が必要です。なお永年勤続の表彰は、概ね勤続年数10年以上であることとされています。

経費にできる従業員のためのイベント

各種レクリエーション

従業員のための各種レクリエーションに掛かる費用を事業主が負担した場合には、福利厚生費として経費にできる
（ただし、特定の一部の人だけを対象としたものは給与として課税されるので注意）

社員旅行

あまりに豪華すぎる旅行は従業員への給与扱いとなるが、次の２つを満たす旅行であれば課税されない

①旅行期間が４泊５日以内であること
②全従業員の半数以上が参加すること

※海外旅行だと機内泊もあるため、日数は旅行期間ではなく、現地の滞在日数で判断される

従業員の表彰制度

永年勤続する従業員を称えるために贈る、表彰の記念品の購入費は福利厚生費として経費になる
（ただし、金一封として現金支給する場合は給与として課税される）

7 従業員の能力向上・資格取得を支援する

研修・セミナー参加を支援する

事業を大きくするには、それに見合った投資を行なう必要があります。投資と言うと株式や不動産をイメージするかもしれませんが、設備投資なども、事業の利回りを大きくする大事な投資と言えます。

事業における投資はモノに対してだけではありません。従業員の成長を支援する「人材投資」も大事な要素の一つです。従業員の能力向上のため、研修などに参加させてその費用を事業主が負担した場合には、たとえ金額が多額であっても負担した全額が必要経費となります。

なお、従業員の研修費用が必要経費として認められるためには注意点があります。まず、受講させる研修内容が、事業に関係している必要があります。プライベートなセミナーは、本人が負担すべきものとなります。また、受講した研修内容がわかるものとして、研修プログラムなどの資料を保存しておくことが望ましいと言えます。

研修旅行の場合は注意が必要

従業員教育のため、研修を目的とした旅行を行なう場合、その内容が事業に直接必要なものであれば、その費用は必要経費として認められます。

もしその研修旅行の内容について、業務に直接必要な部分と、直接必要でない部分がある場合には、直接必要でない部分の費用については、参加する従業員への給与扱いにされてしまうため注意が必要です。

また、次のような研修旅行は、原則として業務上直接必要でないものと見なされます。

①同業者団体が主催する主に観光を目的とした団体旅行
②旅行の斡旋業者などが主催する団体旅行
③観光渡航の許可で海外で行なう研修旅行

学資金の取り扱い

従業員が学校に通う学費については、高校までの学費支援であれば、例外的に事業の経費として認められ、従業員本人に対しても給与として課税しない取り扱いになります。ただし、大学や高等専門学校などの学費支援は、業務に直接必要な技術や資格、免許取得のためのものを除き、原則として給与扱いとなります。

従業員のスキルアップを支援する費用

従業員研修

▶従業員を育成し、成長を支援するための社内研修費用や、外部セミナーの参加費用を負担した場合には経費として認められる

▶ただし、受講する研修内容が仕事を行なうために必要な技術や知識習得である必要があり、仕事に関連しないプライベートなセミナー等の費用を負担した場合には、従業員に対する給与となる

研修旅行

▶研修を目的とした旅行費用は経費に認められる

▶ただし、次の研修旅行は原則として経費として認められないため注意が必要

①同業者団体が主催する、主に観光目的の団体旅行
②旅行業者が主催する団体旅行
③海外で行なう研修旅行

学資金

高校までの学費支援であれば、従業員が学校に通学するために負担した学費は経費に認められる

8 リタイア資金づくりで節税する①保険の知識

生命保険料は経費にならない

日本人は保険好きであると言われています。自身も含めてまわりの社会人を見渡せば、ほとんどの人が何らかの生命保険に加入しているでしょう。実際、生命保険文化センターの調査によると、男女ともに日本人の約8割が生命保険に加入しているそうです。

生命保険の加入目的としては、死亡した場合の遺族の生活保障、病気やけがの治療費や介護費用への備え、老後の生活資金の確保、といったものが挙げられます。

個人事業主は、サラリーマンのように勤務先の会社からの福利厚生などの保障はなく、すべて自己責任になることから、いざという場合のリスク対策の手段として保険を活用している人も多いと思います。

生命保険料の支払いに関しては、税金面で一定の所得控除を受けることができますが、個人事業主だからといって、多くの保険料を負担しても控除額は一般のサラリーマンと変わらず、生命保険と介護保険、年金保険の3区分で合計しても12万円が上限となります。

また生命保険料は事業の必要経費とは認められないため、いくら多額の保険料を支払ったとしても、節税面でのメリットは限定的と言えます。

節税しながらリタイア資金をつくる

保険の加入目的の中には、老後の生活資金への備えとして年金保険に加入するケースもあります。しかし年金保険であっても、保険料支払いで一定の所得控除はあるものの、節税面でのメリットは限定的です。

事業主として、保険によるリスクへの備えは大事ですが、むやみに保険加入すると、多額の保険料負担により、資金繰りを圧迫することにもなりかねません。保険料の支払額は事業の経費にもならず、所得控除の額もわずかなため、多額の保険料の支払いに加えて、安くならない税金の負担も重なるといった結果になってしまいます。

どうせお金の支払いをするなら、すべて経費や所得控除などで引くことができ、なおかつ将来の老後の生活資金への備えにもなる、そのような一挙両得のものに支払うべきです。それは次項で説明します。

生命保険についての基礎知識

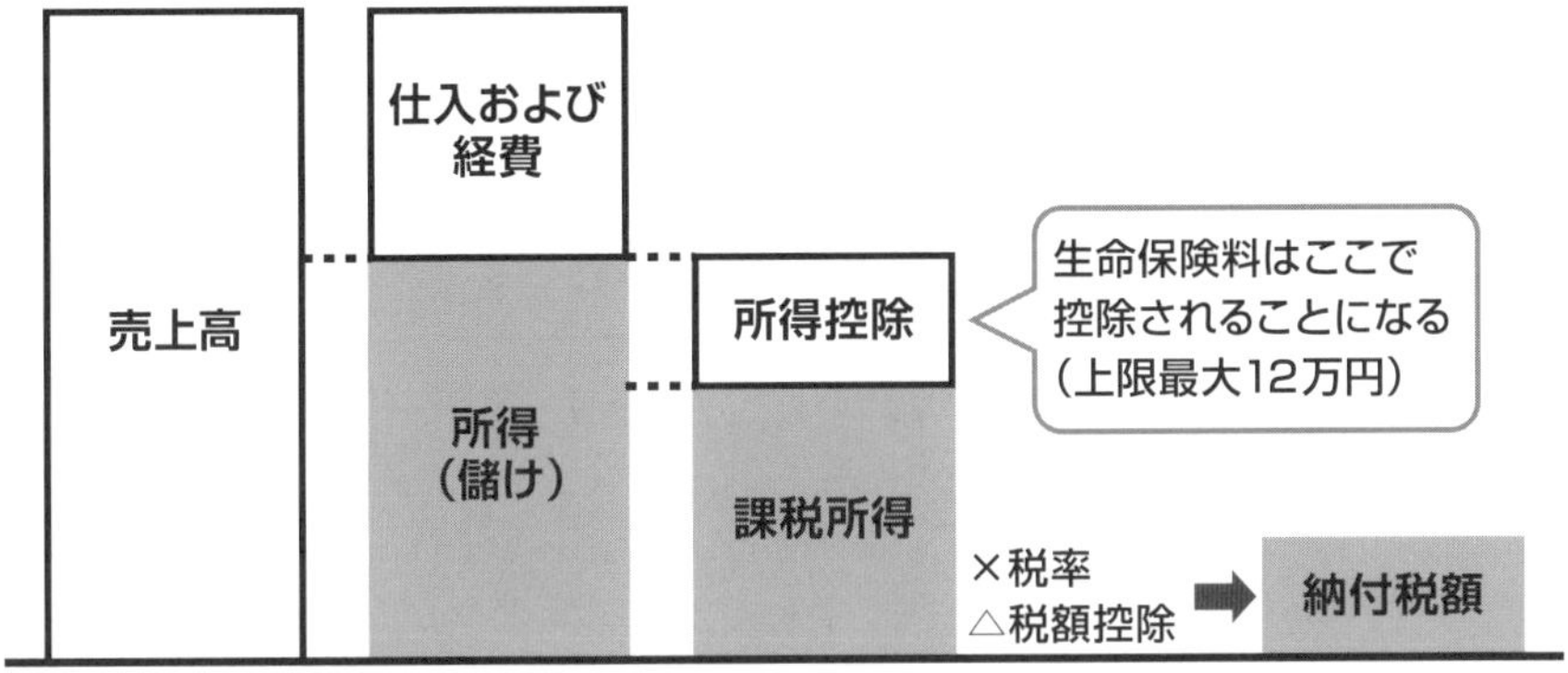

▶生命保険料の支払額は所得控除項目の１つとして控除されるため、事業の必要経費にはならない
▶生命保険料控除は、生命保険・介護保険・年金保険の３区分に分けて、それぞれで控除額の上限が４万円とされている
▶そのため、いくら多額の保険料を支払っても、節税メリットは限定的となる

▶多額の保険料負担は、経費にならず節税メリットも少ないにもかかわらずお金が出ていくため、資金繰りを圧迫する原因になる
▶保険は“安心”を購入するものであり、求めすぎると際限がなくなるため、本当に必要とする保障に厳選すべき
▶将来の資金の備えを目的とするならば、国の制度を有効活用すべき（次項参照）

9 リタイア資金づくりで節税する② 小規模企業共済

小規模企業共済で退職金づくり

支払った金額がすべて事業の経費や所得控除で引くことができ、現在の税金を節税しつつ、かつ将来の老後の生活資金への備えもできる、そのような都合のいい制度があるでしょうか？

実はあるのです。国の政策として個人事業主や中小企業を支援する制度はいろいろありますが、その中の一つである「**小規模企業共済**」がそれに該当します。

これは、中小企業基盤整備機構（略して「中小機構」と呼ばれる）が取り扱う共済制度です。中小機構は経済産業省が所管する独立行政法人であり、公的機関として中小企業に対する施策を総合的に実施する役割を果たしています。この中小機構が取り扱う小規模企業共済ですが、その趣旨は、「事業主本人のための退職金を積み立てておく」というものです。

老後のための積立と節税対策

サラリーマンであれば、勤務先の会社を定年退職する際に退職金を受け取ることができます。しかし、個人事業主や中小企業の経営者には、事業を廃業しても退職金はありません。そのため、現役のときから20年・30年先の老後を見据えて、税金を支払った後の稼ぎの中から老後資金を自己責任で積み立てていく必要があります。

税金の支払いと老後資金の積立の両方を工面することは資金的に負担が重く、社会保障面で個人事業主は不利な立場にあると言えます。小規模企業共済はそのような不利益をカバーするための共済制度です。

小規模企業共済の掛金は、月額１０００円から７万円の範囲で自由に選べ、支払った掛金は全額、所得控除の対象になります。また、廃業時に共済金を受け取る際も一括か分割かを選択することができます。

一括受け取りの場合は退職所得扱いになり、分割の場合は公的年金と同じ雑所得になるため、受け取り時の税金負担も軽減されるというメリットがあります。

掛金の支払方法は通常、月払いですが、年払いも選択することが可能です。そのため12月の段階での税金対策として、年払いによる共済加入も一つの方法です。

個人事業主の退職金「小規模企業共済」とは？

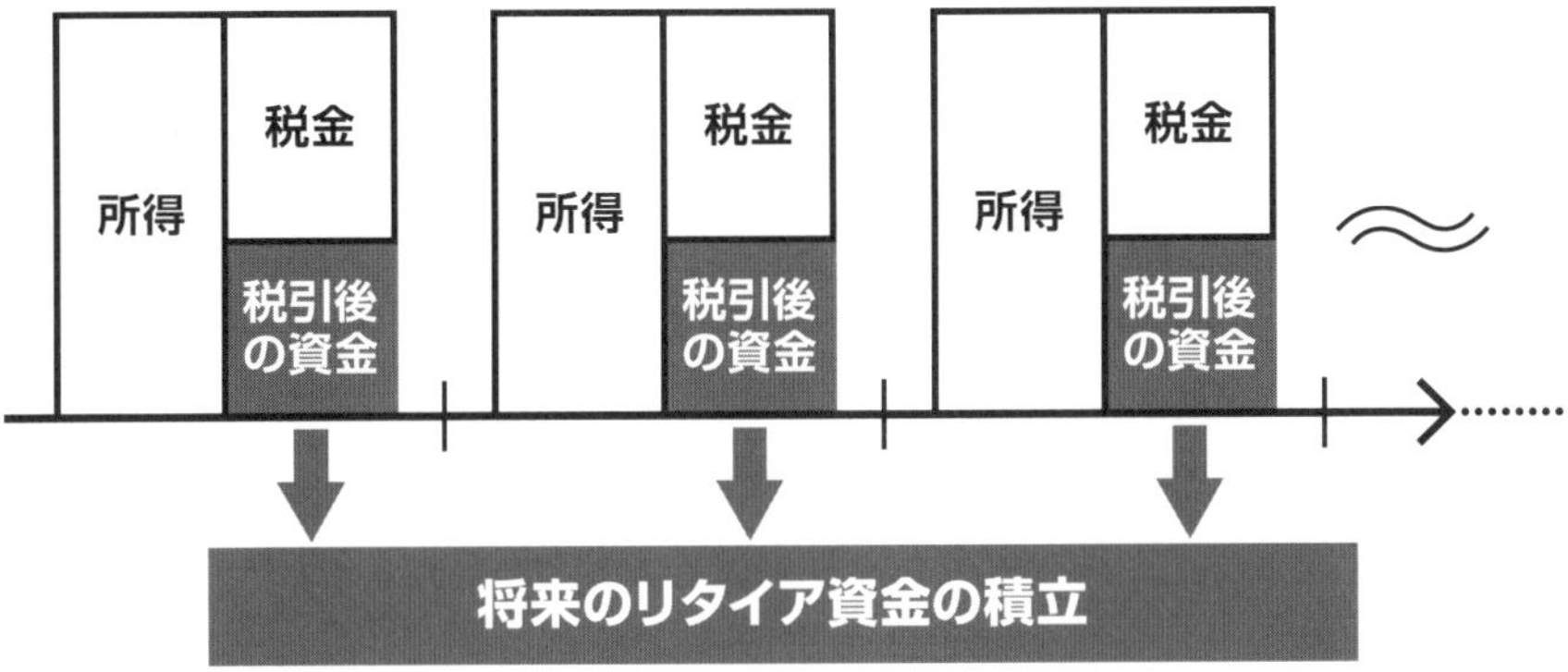

- 個人事業主にはサラリーマンと異なり退職金がないため、老後の生活資金を自ら準備する必要がある
- 現役時代から、将来を見据えて自己責任で老後資金を一から積み立てる必要があるが、税金の支払いをした後に残ったお金から老後資金を準備していくのは負担が大きい

老後の資金積立に有利な〈小規模企業共済〉

- 支払った掛金は所得控除で全額控除することができる
- 共済金の受け取り時は、退職金として一括受け取りと、年金として分割受け取りの選択が可能。受け取り時の税負担も軽減される

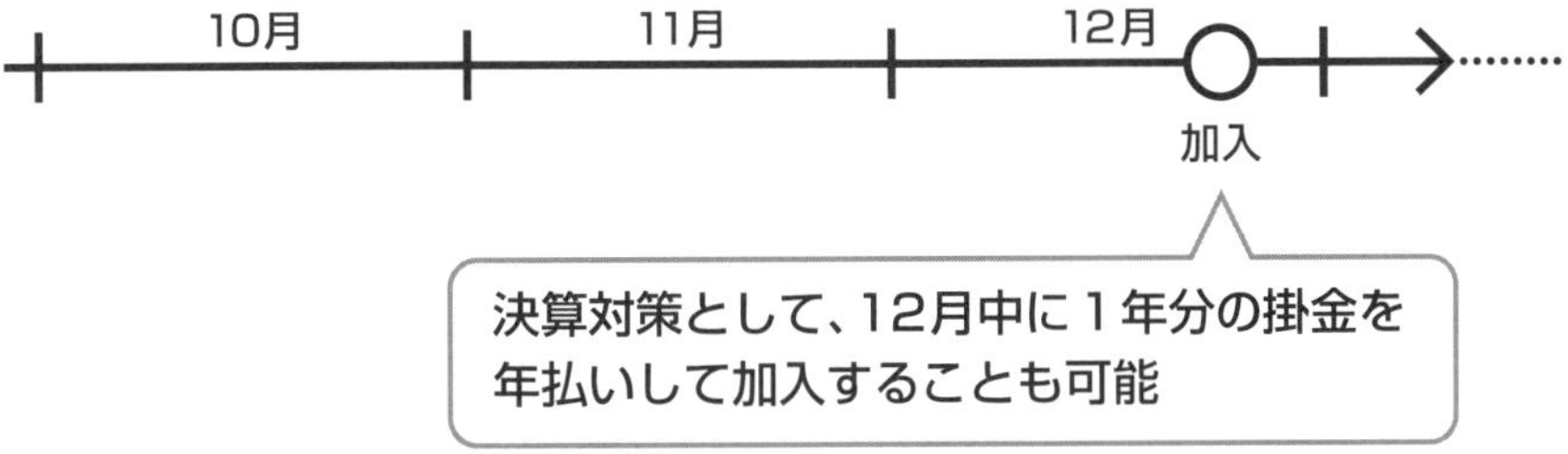

10 従業員の退職金づくりで節税する

退職金が資金繰りを圧迫する

長年勤務した従業員が退職する際には、一般的に退職金を支給する慣行があります。長らく事業に貢献してくれたことへの報奨や、定年退職後の生活保障として支払われるものですが、一時に多額の支出を伴うものであるため、支払時には資金繰りへの影響も心配されます。

退職金を支払う原資は当然、事業の儲けになるため、本来は将来の退職金支払いに備えて、毎月の儲けのうち一定額を積み立てていくのが望ましいことです。

しかし、資金繰りに余裕があればいいのですが、仕入業者等への日々の支払いで手許に残るお金も多くはない状況では、何十年も先の退職金の支払いに備えるよりも、今の資金繰りを少しでも楽にしたいと考える事業主も少なくないと思います。かと言って、いざ退職金を支給する段階になって手許にお金がないのも困りものです。

「中退共」を活用する

このような従業員の退職金準備がむずかしい状況に対して、国による支援制度があります。

それが、**中小企業退職金共済制度**（略して、「中退共」と呼ばれる）です。この中退共は事業主が退職金共済契約を結び、毎月掛金を支払うことで、従業員の退職時に中退共から従業員に退職金が支払われるものです。

中退共のメリットとしては、事業主自身が退職金に備えた積立貯蓄を行なう場合、その積立額は必要経費になりませんが、中退共への掛金は全額、事業の必要経費になるため、節税しながら将来の退職金支払いへの準備ができる点にあります。

また、中退共に加入した後は毎月決まった掛金が口座から引き落とされ、従業員ごとの退職金に関する事務処理がないため、事業主にとっては管理が楽になります。

そのほか、掛金のうちの一部については、国による助成があります。たとえば、新しく加入した場合、掛金月額の2分の1を加入後4ヶ月目から1年間は国が負担したり、掛金月額が一定額以下の従業員の掛金を増額する場合、増額分の3分の1を増額月から1年間助成するといったものです。

「中小企業退職金共済制度」とは？

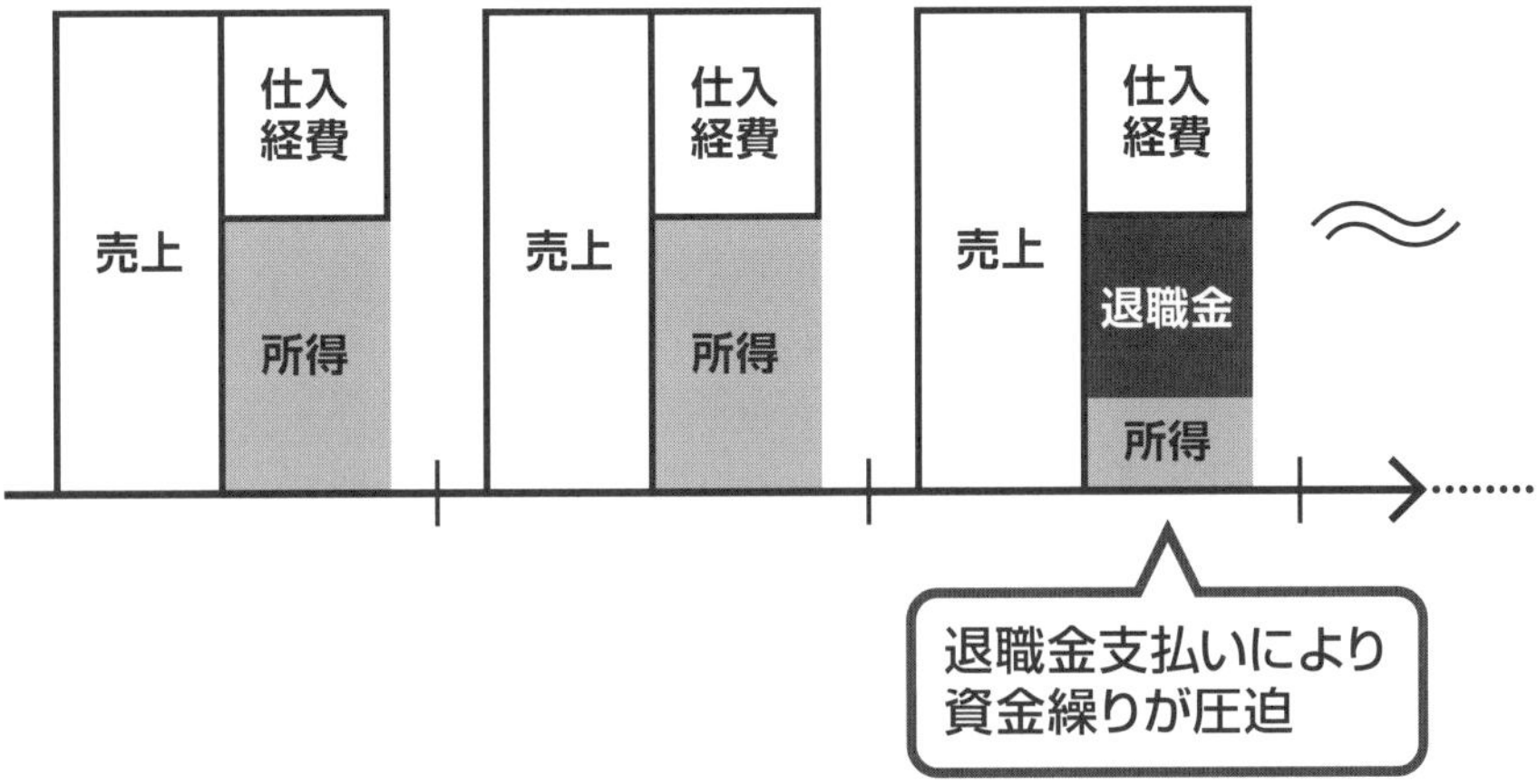

- 長年勤務した従業員に対し支給する退職金は、一般的には多額になることから、退職金を支給した年度はその分、資金繰りが圧迫されることになる
- 早い段階から、毎年従業員の退職金準備のための資金積立ができれば望ましいが、税金の支払いをした後に、残ったお金から従業員の退職金を準備していくのは負担が大きい

従業員のための退職金積立に有利な〈中小企業退職金共済〉

- 支払った掛金は全額経費に計上することができる
- 各従業員ごとの積立額は中退共事業本部が管理するため、事業主の退職金管理が楽になる
- 退職金は中退共から従業員に対し直接支払われることから、退職時の資金繰りへの圧迫はなく、従業員への支給手続きの手間もない

11 経営セーフティ共済で節税する

経営セーフティ共済とは？

事業経営においては業績の好不調の波は当然で、経営危機が生じる可能性はどのような事業でもついて回ります。中小企業庁では毎年、企業の倒産の状況について調査を行なっており、倒産原因の統計も公表しています。

倒産原因の1位として、ダントツに多いのが「販売不振」です。次いで2位が「既往のしわよせ」です。これは、過去の業績不振や経営の失敗による赤字の累積に対し、具体的な手立てを講じないまま、ジリ貧経営に陥ってしまったというものです。

そして3位が「連鎖倒産」です。倒産原因の1位と2位は自己の努力で一定の対策が取れますが、3位の連鎖倒産については、あくまで取引先の事情によるため、対策もむずかしくなります。個人事業主や中小企業では、一般的に連鎖倒産に耐えるだけの十分な資金力を持つのは厳しいことから、そのような状況に対して国も共済制度による支援対策を行なっています。

中小企業倒産防止共済制度（経営セーフティ共済）は、小規模企業共済と同じく、中小企業基盤整備機構（中小機構）が運営する共済制度です。

この経営セーフティ共済は、個人事業主や中小企業の取引先が倒産した場合、売上代金が回収できないための連鎖倒産や、資金繰りの悪化により経営難に陥るといった事態に備えるための共済制度です。

共済掛金を積み立てておくことで、取引先が倒産し、回収困難な売掛金債権がある場合には、掛金総額の10倍、最大で８０００万円の貸付を受けることができます。

節税しながら将来資金づくりができる

経営セーフティ共済は本来、連鎖倒産を防ぐためのものなのですが、支払う掛金は全額、事業の必要経費に計上できるため、節税をしながら倒産リスクに備えることができます。また掛け捨てではなく、積み立てた掛金は納付月数が40ヶ月以上になれば、任意解約により全額、解約手当金として返還を受けることができます。そのため、経費として掛金を支払いながら、将来資金の貯蓄ができるという効果もあります。

連鎖倒産の備え「経営セーフティ共済」とは？

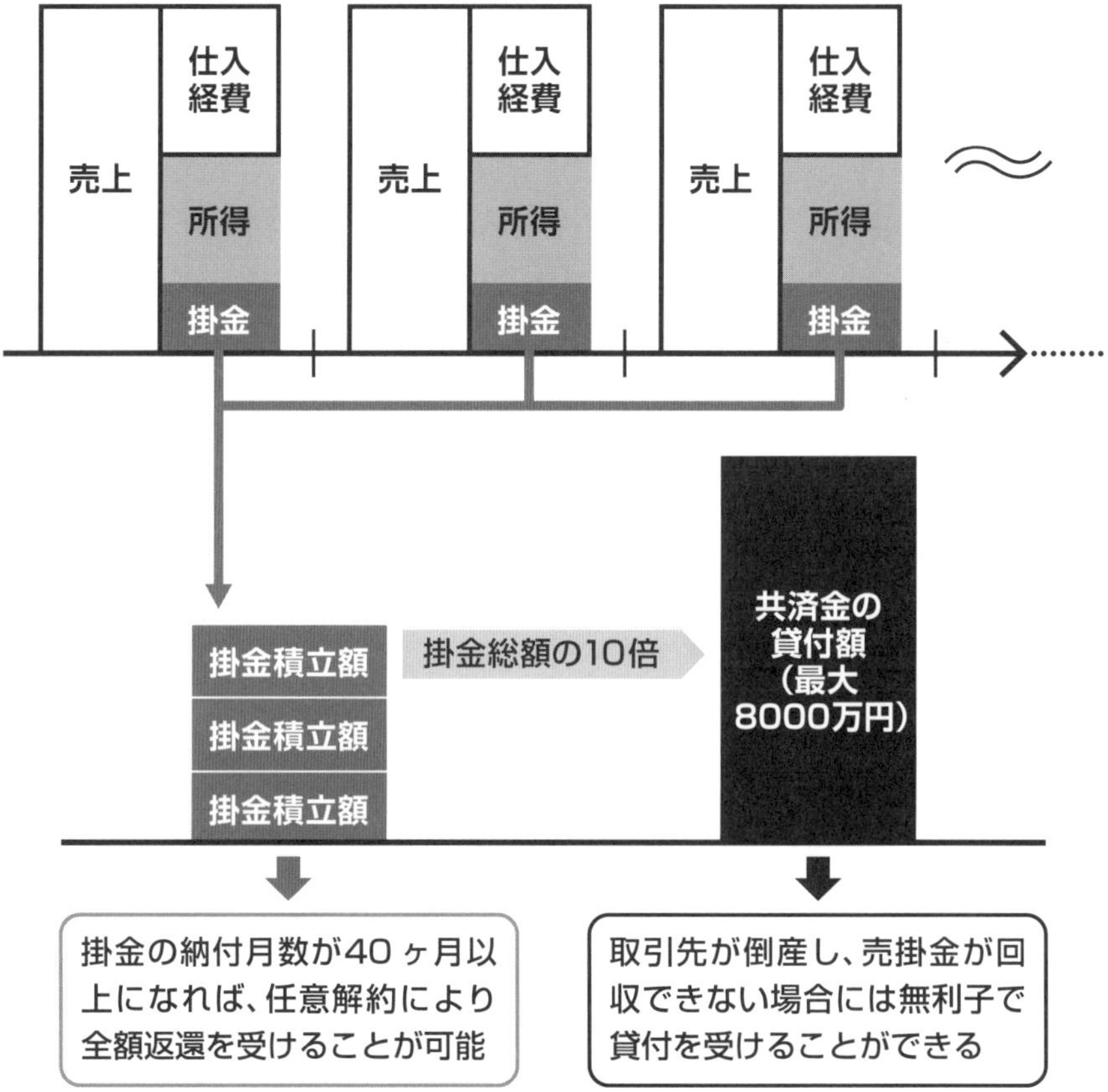

節税に有利な〈経営セーフティ共済〉

- 支払った掛金は全額必要経費になる
- 40ヶ月以上納付すれば、任意解約で全額返還されることから、定期預金の積立額が経費になるのと同じ効果があり、節税メリットは大きい

COLUMN 4

源泉徴収とは何か？

「源泉徴収」を行なうケースとは？

従業員を雇用して給与を支払う場合には、支給する金額に応じた所得税を給与から天引きすることになります。この所得税を差し引くことを**源泉徴収**と言います。天引きした所得税は、その給与を支払った月の翌月10日までに国に納付する必要があります。

このように所得税を給与から天引きして、預かった所得税を国に納める義務がある人のことを「**源泉徴収義務者**」と呼びます。個人事業主は、基本的に従業員を雇って給与を支払うことになった場合に、この源泉徴収義務者に該当することになります。

また、支払いの際に所得税を差し引く必要があるのは給与だけに限りません。次のような報酬や料金を個人に対して支払う場合にも、源泉徴収を行なう必要があります。

①原稿料や講演料
②弁護士、税理士、司法書士、社会保険労務士などの特定の資格を持つ人（いわゆる“士業”）に対する報酬や料金
③バーやキャバレーなどに勤めるホステス等に支払う報酬・料金
④保険外交員やモデル、プロスポーツ選手等に支払う報酬・料金
⑤芸能人や芸能プロダクションを営む個人に支払う報酬・料金　など

源泉所得税はいつ納付すればいいか

天引きする所得税の金額は、報酬・料金の場合、支払う金額に対して10.21％を乗じて計算します（ただし、支払う金額が100万円を超える場合や、外交員やホステス、司法書士などへの支払いについては、また別の計算方法となる）。

給与や賞与、報酬・料金等の支払額から天引きした所得税は、原則としてその支払いをした月の翌月10日までに納める必要がありますが、給与を支給する従業員が常時9人以下の場合には、毎月ではなく、半年ごとにまとめて納付できる「**納期の特例**」を受けることができます。

「納期の特例」を受けた場合には、その年の1月から6月までの上半期に源泉徴収した所得税は7月10日に、7月から12月までの下半期分については翌年の1月20日までに納付すればよいことになります。

税務署に「**源泉所得税の納期の特例の承認に関する申請書**」を提出すればこの適用を受けることができ、申請書を提出した月の翌月分から納期の特例の対象となります。

5章

個人事業主のための消費税の節税法

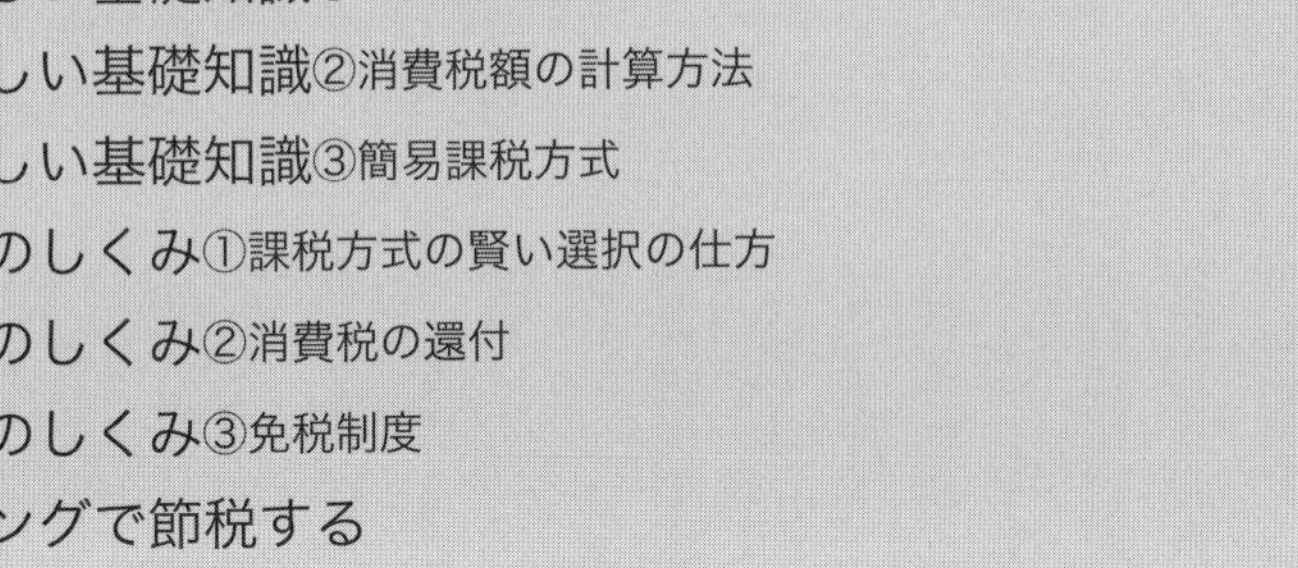

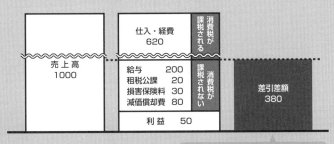

1 消費税のやさしい基礎知識①消費税の申告

消費税の申告が必要な人とは？

消費税は、日本国内においてモノやサービス等を消費することに対して課される税金です。消費税を最終的に負担するのは消費者ですが、国に納税するのは、消費者からモノやサービスの対価と一緒に消費税を預かっている事業者が行ないます。売上代金と一緒に消費税を受け取っている以上、事業を行なう人は皆、原則として国に消費税を納める必要がありますが、一定の条件を満たす小規模な事業者に対しては、事務負担に配慮して消費税の納税が免除されるなどの措置もあります。

一般的には、年間の売上高が１０００万円を超えなければ消費税を納税しなくてもいいことになっています。具体的には、次の期間における売上高がいずれも１０００万円以下であれば、消費税の納税が免除されます。

①2年前の年間売上高
②前年1月1日から6月30日の売上高

なお、②については売上高に代えて、その期間における給与および賞与の支払合計額で判定することも可能です（仮に売上高が１０００万円を超えていても、給与等の支払額が１０００万円以下であれば、②の要件を満たすことになる）。

なお、事業を新規開業した人についての消費税の納税義務も、同様に①と②の期間における売上高で判定されます。脱サラにより新規開業した場合には、①と②の期間はまだ事業を行なっていませんから、必然的に売上高はなく、消費税の納税義務も生じませんが、いったん廃業して再度新たに商売を始めたケースでは、前の事業における売上高も含めて判定されるため、注意が必要です。

消費税の申告でよくある誤解

消費税の申告が初めて必要になった人の中には、申告する消費税を「2年前の売上高や経費に基づいて計算する」と誤解しているケースがあります。2年前の売上高を用いるのは、あくまでその年分の確定申告において消費税の申告が必要か否かの判定のためだけであって、消費税の申告書作成においては、その年分における売上高や経費等に基づいて計算することになります。

消費税の申告についての基礎知識

消費税の申告が必要な人とは？

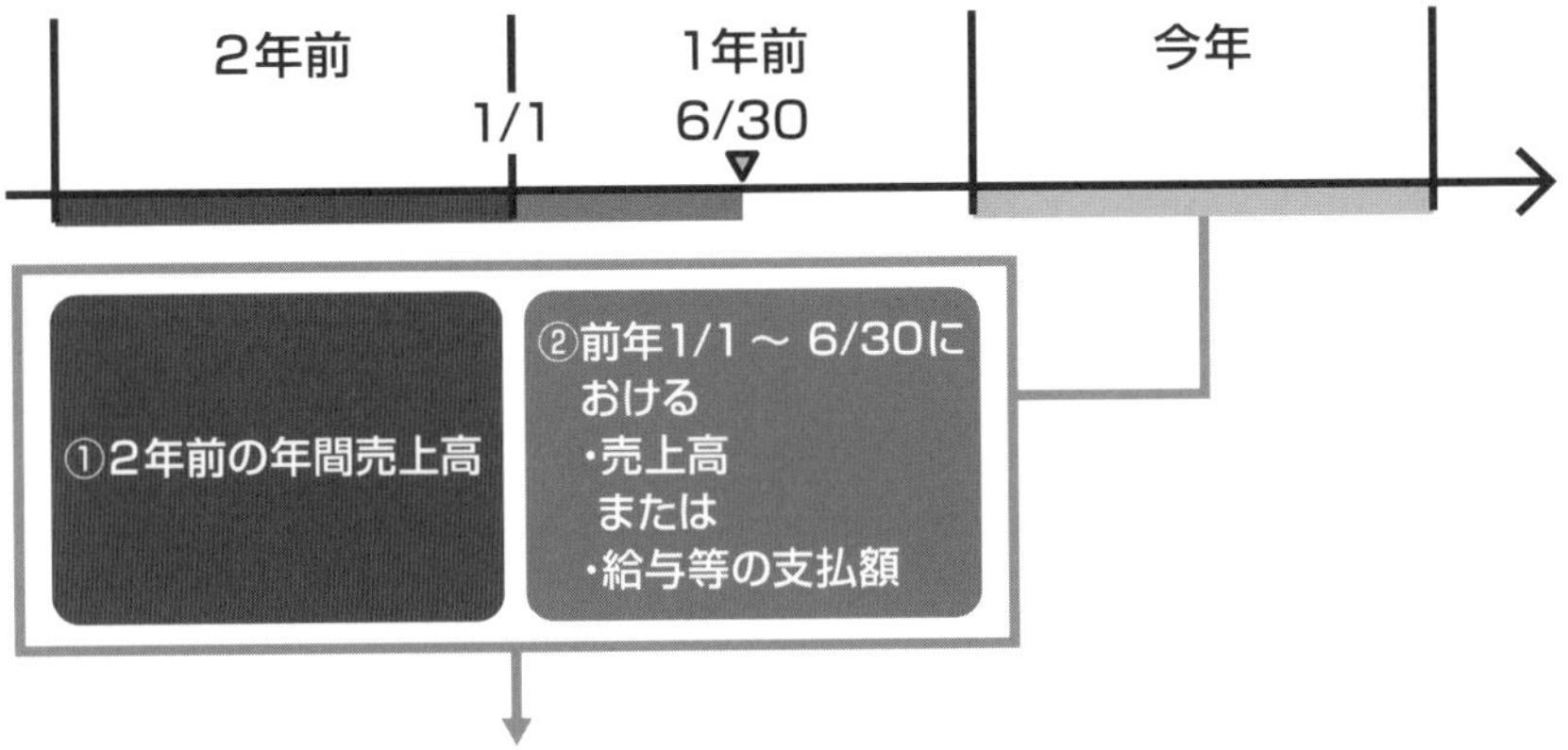

①または②の金額のいずれかが1000万円を超える場合には、
今年分について消費税の申告が必要
（つまり、①と②の金額がともに1000万円以下なら
消費税は申告する必要はない）

消費税の申告でよくある誤解

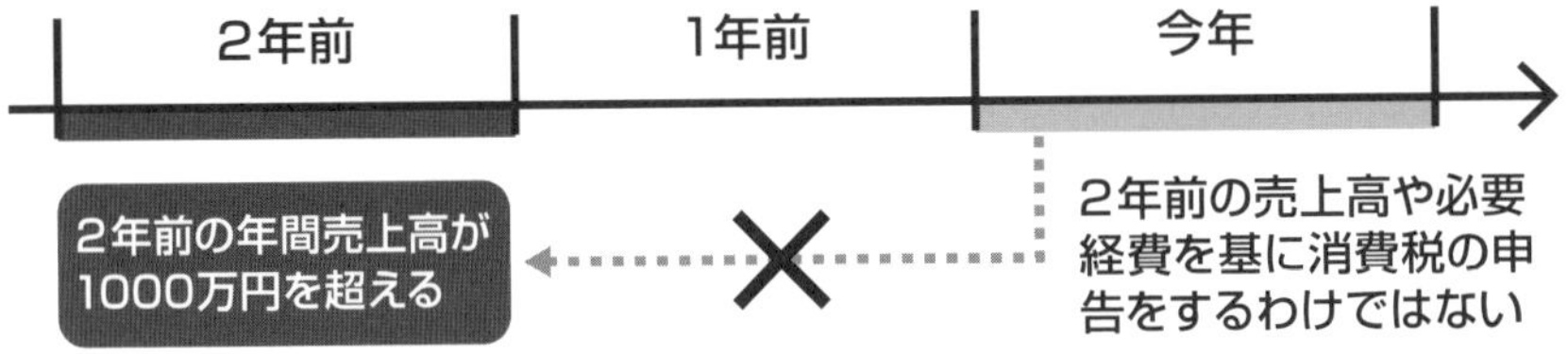

▶2年前の売上高は、あくまで消費税の納税義務判定のためだけに使用される
▶実際の消費税の申告納税は今年の売上高・必要経費を基に行なう

2 消費税のやさしい基礎知識②消費税額の計算方法

納める消費税はどのように計算される？

事業をしていてお客様から商品やサービスの代金をいただく際には、合わせて消費税も受け取っています。

消費税の申告・納税を行なうにあたっては、このお客様から預かった消費税を国に納税することになりますが、売上げとともに預かった消費税を、そのまま納税するわけではありません。消費税の申告計算は至ってシンプルなものであり、次のように計算されます。

①売上げで預かった消費税
②仕入や経費で支払った消費税
③①－②＝納める消費税

消費税はお客様から売上げで預かったものだけでなく、その売上高を生むために、仕入や経費により支払っているものもあります。そこで預かった消費税と自社が支払った消費税の差額を国に申告して納税することになります。このような計算方法を**原則課税方式**と呼びます。

納税義務がある場合の注意点

消費税は、売上げで預かった消費税から、仕入や経費で支払った消費税を差し引いた残りを国に納めることになりますが、もし商売において、お客様から消費税をもらっていない場合はどうなるでしょうか？

売上げでお客様から預かった消費税がないため、国に対して消費税を納税しなくてもいいようにも思えますが、このような場合でも消費税の納税額は生じます。

たとえ商売でお客様から消費税分をもらっていないとしても、消費税の申告においては、お客様から受け取った売上代金に消費税分が含まれているものとして税金の計算を行なうことになります。

また、仕入や経費で支払った消費税に関しては、それらの支払いに関する帳簿の記録や、請求書・領収書の保存が義務づけられています。帳簿や請求書・領収書等を保存していない場合には、消費税の計算において仕入や経費で支払った消費税額の控除が認められないことになり、後の税務調査によって、追加の課税を受ける可能性もあるため注意が必要です。なお、帳簿書類等の保存期間は7年間とされています。

納める消費税額の計算方法（原則課税方式）

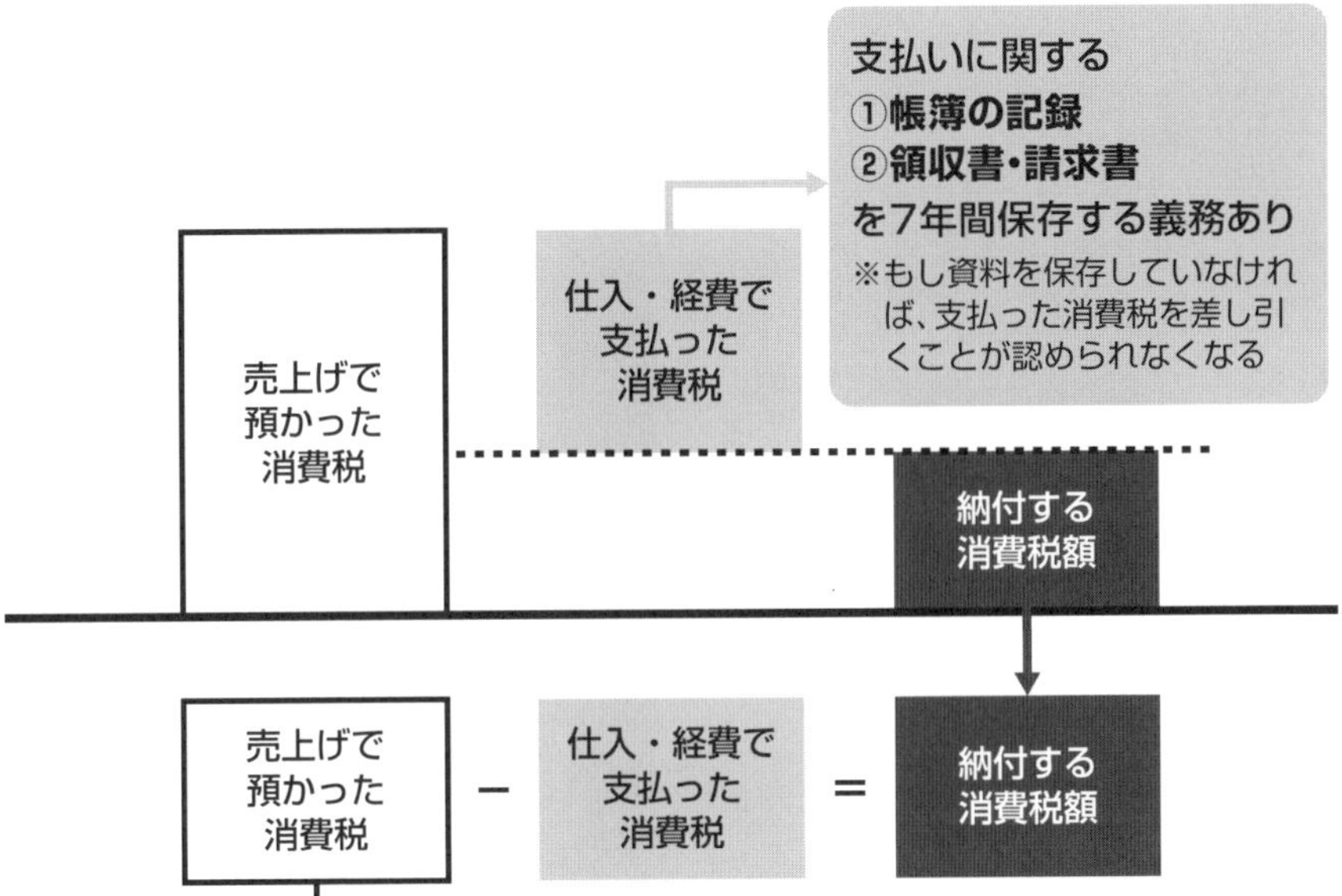

- お客様から消費税分のお金をもらっていなくても、消費税の納税は免除されない
- 実際にお客様から受け取った金額が消費税込みの売上代金であるとして、消費税の計算をすることになる

〈お客様から消費税をもらっていない場合の計算〉

たとえば、税抜価格1000円の商品について、通常は消費税（10%）を加えた1100円で販売するところ、税抜価格の1000円のまま販売した場合には、この売上高1000円は税抜価格909円の本体価格と消費税91円の合計額で計算されることになる（売上高1000円に110分の100を掛けて税抜の本体価格を計算する）。

消費税分の100円をお客様から受け取っておらず、売上高は消費税抜きの1000円だからといって、売上げで預かった消費税を0円として消費税の納税が免除されるわけではないので注意が必要。

3 消費税のやさしい基礎知識③簡易課税方式

簡易課税方式とは何か

消費税の計算は、基本的には原則課税方式によることになりますが、この計算方法だと帳簿への記帳や計算などの手続きが面倒で、個人事業主にとっては事務負担が重くなります。そこで、前々年の売上高が5000万円以下の小規模な事業主に対しては、事務負担を軽減するため、原則課税方式に代えて**簡易課税方式**による消費税の申告も認められています。

簡易課税方式は、消費税の計算を原則課税方式より簡単にする方法です。原則課税方式では、売上げで預かった消費税と仕入や経費で支払った消費税の両方を集計しますが、簡易課税方式では、売上げで預かった消費税だけを集計します。具体的な計算方法は次のとおりです。

①売上げで預かった消費税
②①×みなし仕入率
③①－②＝納める消費税

簡易課税方式では、仕入や経費で支払った消費税を実際の金額ではなく、売上げで預かった消費税に対してあらかじめ定められた一定割合を乗じることで計算します。このみなし仕入率は、事業を6種類に分け、その区分に応じて率が決められています。

第一種事業（卸売業）	90％
第二種事業（小売業）	80％
第三種事業（製造業・建設業等）	70％
第四種事業（飲食業等その他）	60％
第五種事業（サービス業等）	50％
第六種事業（不動産業）	40％

たとえば、小売業を行なっている場合であれば、売上げで預かった消費税から、その80％を差し引いて納める消費税を計算します。単純に言えば、売上げで預かった消費税の20％を納税することになります。

簡易課税を行なうには届出が必要

この簡易課税方式による申告を行なう場合には、税務署に、簡易課税方式による消費税の申告をしたい年の前年12月末までに「**消費税簡易課税制度選択届出書**」を提出する必要があります。

簡易課税方式による消費税額の計算方法

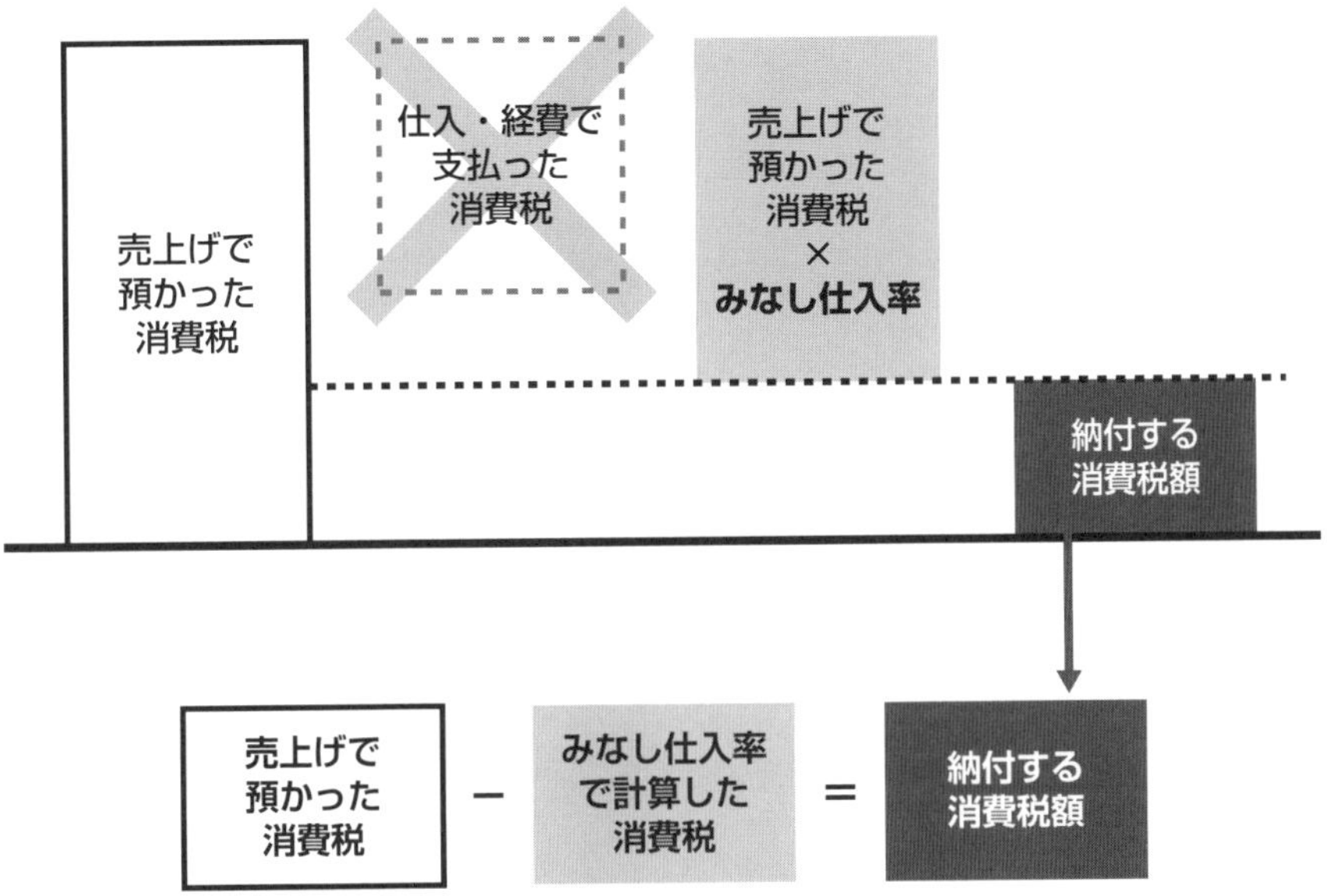

簡易課税を適用する方法

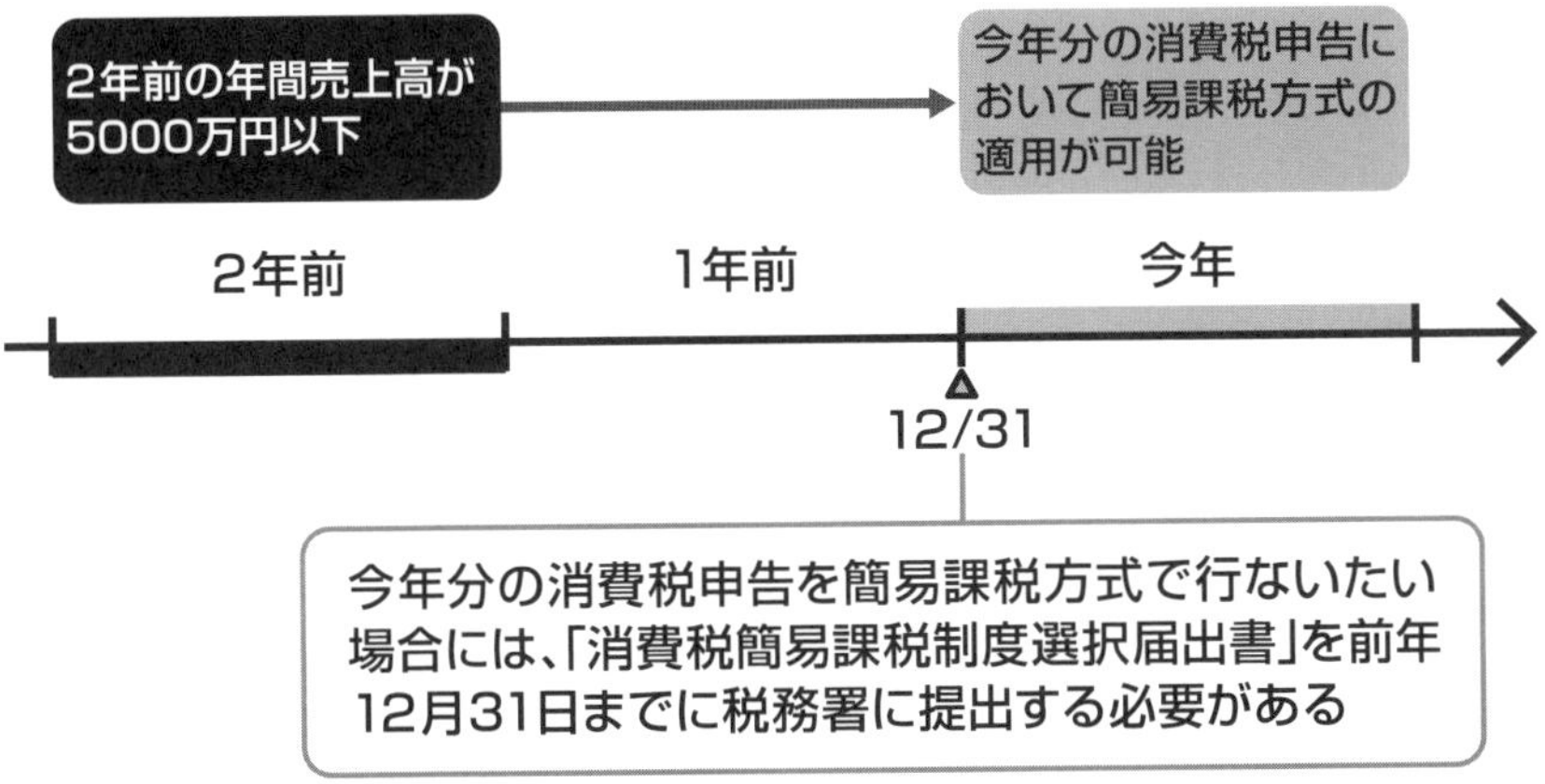

4 消費税の節税のしくみ①課税方式の賢い選択の仕方

■有利な計算方法を選択する

前々年の売上高が５０００万円以下の場合には、消費税の計算を原則課税方式にするか、簡易課税方式にするか、どちらか選択することが可能です。

消費税の節税では、原則課税と簡易課税のそれぞれにおける税額を試算し、有利なほうを選択すべきです。

この比較計算では、たとえば簡便に次のように行なうことができます。

【例：飲食業の場合】

売上高１０００　仕入・経費９５０　利益50

（経費のうち、消費税の支払いがないもの……給与２００、租税公課20、損害保険料30、減価償却費80）

①原則課税のケース

利益50＋給与２００＋租税公課20＋損害保険料30＋減価償却費80＝３８０

※消費税が課税されない経費を利益に加算することで、消費税が課税された売上げと仕入・経費の差引額を逆算しています。

②簡易課税のケース

売上高１０００×（１－60％）＝４００

※飲食業のみなし仕入率は60％です。

よって、原則課税では３８０に対する消費税額、簡易課税では４００に対する消費税額を納めることになるため、このケースでは原則課税のほうが納税額が少なくなり、有利と言えます。

■選択のタイミングと注意点

原則課税と簡易課税のいずれを選択するかは、消費税を計算する年分の前年末までに行なっておく必要があります。簡易課税方式を選択する場合には、その年分の前年12月末までに届出書を税務署に提出する必要があるためです。また、いったん簡易課税方式を選択すると、原則として2年間は簡易課税方式を継続採用する必要があり、その間は原則課税方式は選択できません。

そのため消費税の節税においては、事前のシミュレーションが不可欠と言えます。少なくとも将来2年間を見通したうえで、判断する必要があります。

原則課税方式と簡易課税方式の税額比較

原則課税方式による試算

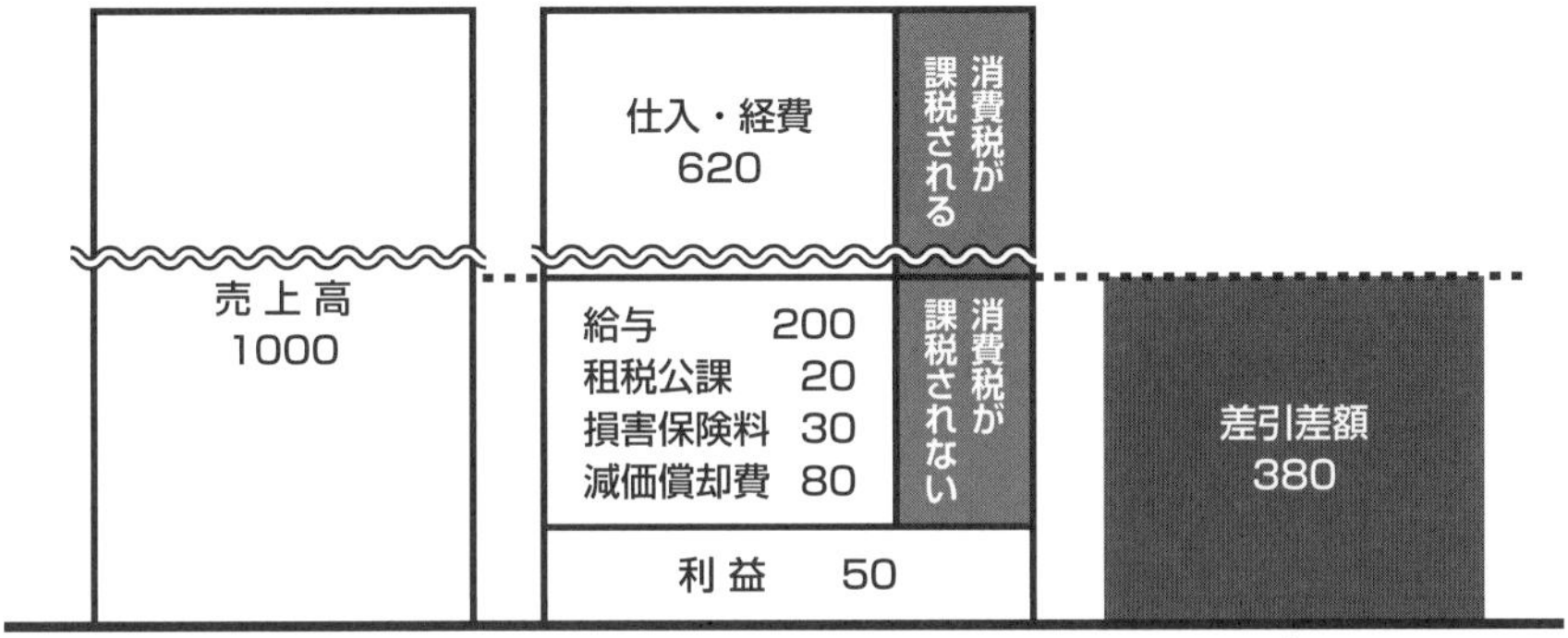

この差引差額380に対する消費税額が原則課税での納税額となる

簡易課税方式による試算

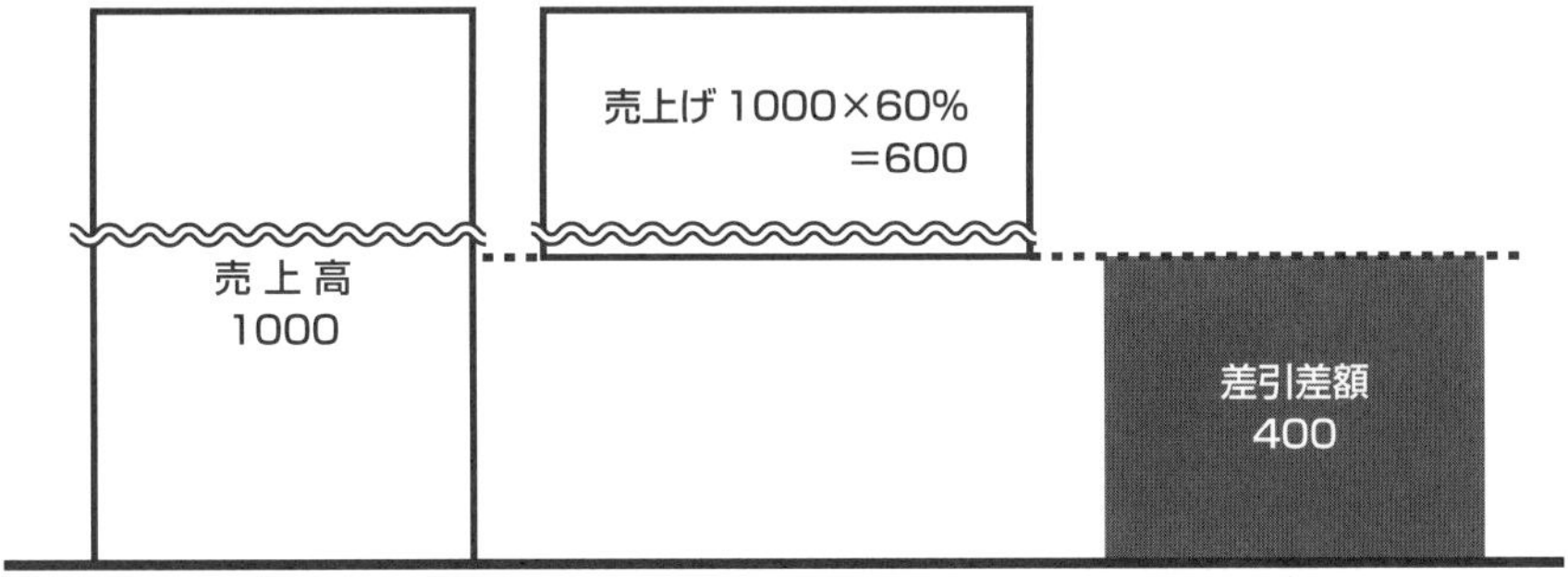

この差引差額400に対する消費税額が簡易課税での納税額となる

原則課税方式 380 ＜ 簡易課税方式 400

この事例では、原則課税方式のほうが納税額が少なくなるため、
原則課税方式が有利

5 消費税の節税のしくみ②消費税の還付

大きな出費で消費税が節税できる

消費税の計算方法のうち、原則課税方式によると、仕入や経費で支払った消費税が大きいほど、差引計算により納税する消費税額が少なくなります。そのため、多額の出費や設備投資を行なう年度においては、原則課税方式のほうが消費税が節税できることになります。

ではもし、原則課税方式において、売上げで預かった消費税よりも、経費などで支払った消費税のほうが大きい場合はどうなるでしょうか？

この場合、差引計算をすると支払った消費税が大きいため差額がマイナスとなり、これは消費税を払い過ぎている状態ですから、申告により国から還付してもらうことができます。新規店舗を出店したり、大型の機械設備の導入といった設備投資を行なう場合に、このように還付になることがありますが、それ以外に想定されるケースとしては、年末に多額の仕入を行ない、在庫を多く抱えた場合も考えられます。

また、海外への輸出販売を行なっているケースでも、消費税の還付を受けられる場合があります。日本国内での仕入や製造で支払った経費には消費税が課税されますが、輸出販売での売上高は消費税が免税となるためです。

還付を受ける場合の注意点

消費税の還付が受けられるのは、原則課税方式が前提となり、簡易課税方式を採用する場合には還付額が生じることはありません。そのため、設備投資など多額の支出が予定される年度においては、簡易課税方式を選択しないよう事前の検討が必要となります。

また、前々年の売上高が１０００万円以下のため、設備投資等を行なう年度において免税事業者となる場合も、消費税の申告が免除されていることから、そのままでは還付を受けることができません。ただしこの場合、事前に税務署に「**消費税課税事業者選択届出書**」を提出することで消費税の申告を行ない、消費税の還付を受けることができます。なお、届出により課税事業者となり、設備投資等による還付を受けた場合には、３年間は継続して消費税の申告を行なう必要があります。

大きな出費がある場合は消費税が節税できる

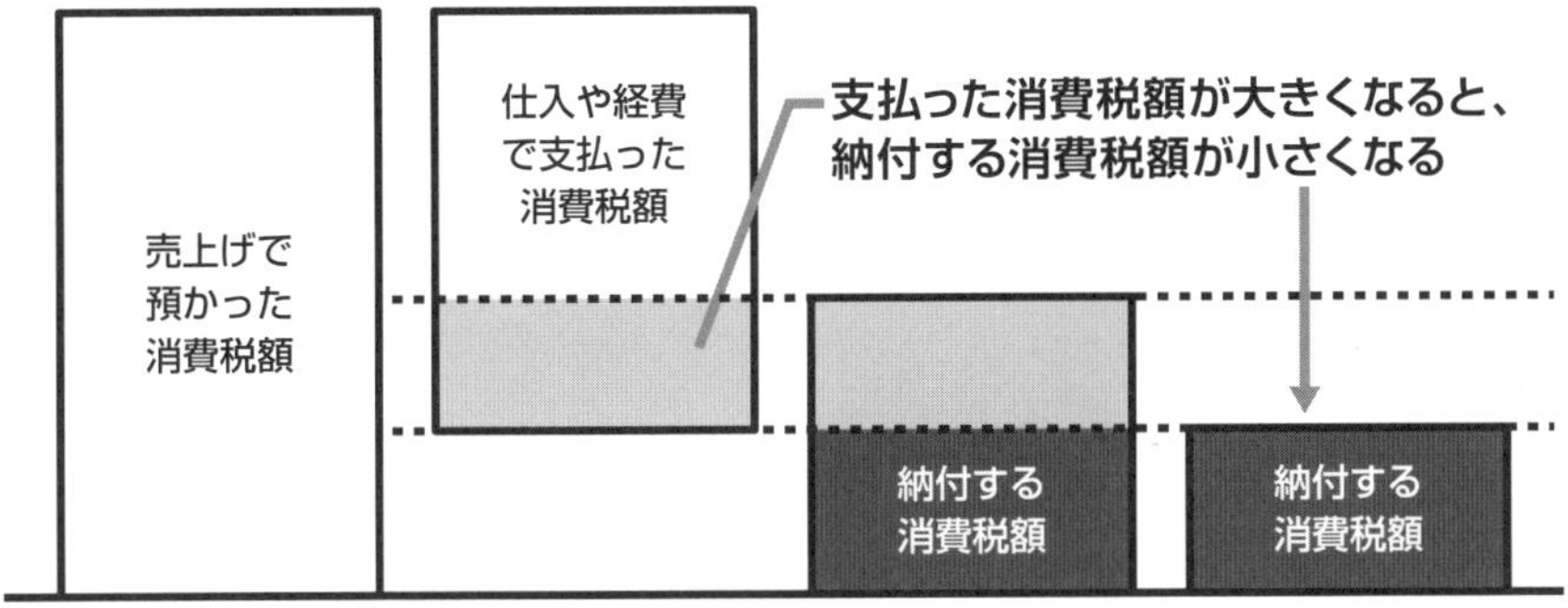

預かった消費税より支払った消費税が大きい場合は還付される

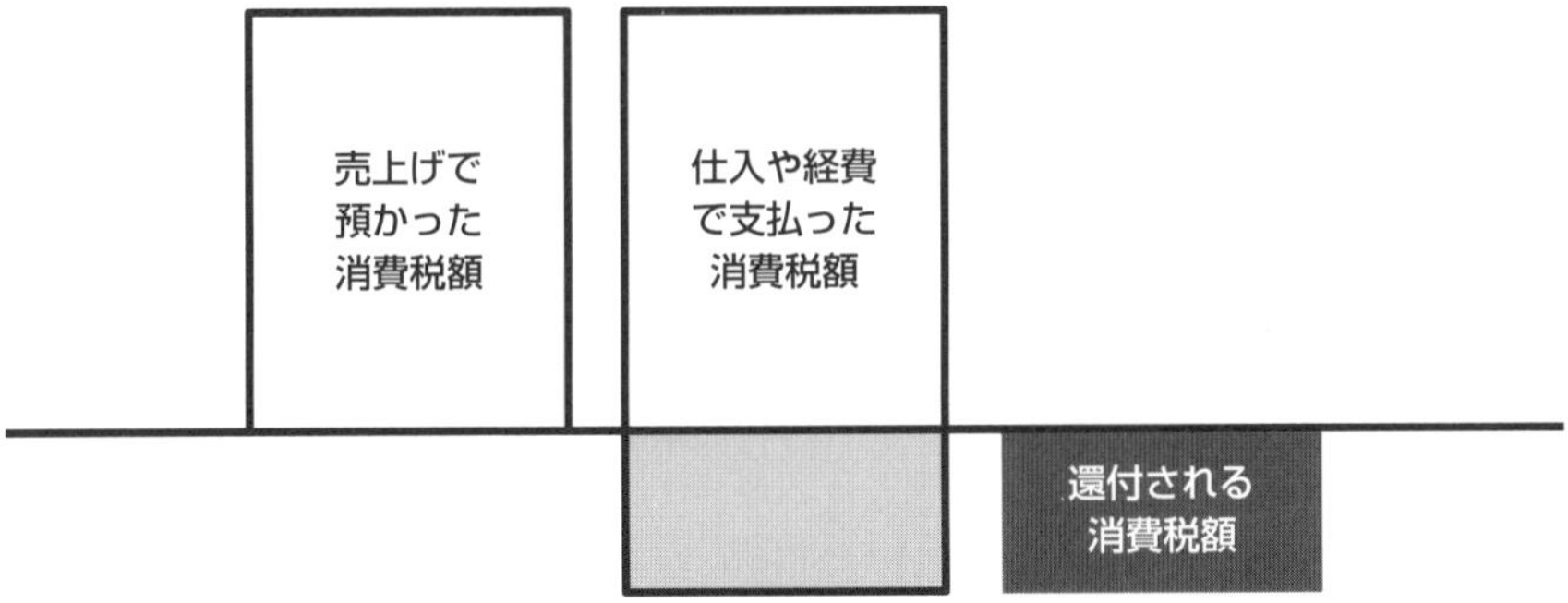

- 消費税の還付は原則課税方式でのみ受けられる
- 簡易課税方式は支払った消費税をみなし仕入率で計算するため、還付金は生じない
- 簡易課税方式の選択を検討する場合は、次年度以降、2年間は多額の設備投資の予定がないかどうかを確認することが大事

6 消費税の節税のしくみ③免税制度

免税制度を上手く活用する

その年分において消費税を納税する必要があるか否かは、前々年の売上高か、前年上半期（1月から6月の半年間）における売上高、または給与支払額が１０００万円を超えているかどうかにより判断されます。

その年の売上高が１０００万円を少しでも超えると、2年後には消費税を納税する必要が生じてしまうため、もし、年間売上高１０００万円前後の規模であるならば、消費税の免税制度のメリットを享受できるよう、売上高の管理をしっかり行なうことが望ましいでしょう。

たとえば、年末の取引を抑制し売上高が１０００万円を超えないようにすることも一つの方法です。

歳末のセールよりも、新春セールに注力することで年明け以降に売上げが上がるように顧客を誘引したり、場合によってはあえて値引販売を行なうことで、値引の損をとって、消費税免税の得を取る方法も考えられます。

法人成りで免税のメリットを受ける

個人事業として行なってきた事業を法人化することを法人成りと言いますが、法人成りを行なう場合にも、消費税の免税メリットを享受することができます。

たとえば、その年の12月末をもって個人事業を廃業し、翌年1月1日から新たに設立した法人が事業を引き継ぐ場合には次のようになります。

個人事業における消費税の申告は廃業の年分までとなり、廃業の翌年からは個人での事業取引はないことから、消費税の申告納税は不要となります。

一方で、法人においては前々事業年度の売上高、前事業年度の上半期における売上高または給与支払額のいずれも設立初年度において存在しないことから、消費税は免税となります。また2期目においては、前事業年度（設立初年度）の上半期に関する判定が生じますが、売上高または給与等の支払額が１０００万円以下であれば、消費税免税のメリットを享受できることになります。

ただし、設立した法人の資本金が１０００万円以上の場合には納税義務は免除されず、初年度より消費税の申告義務が生じるため、注意が必要です。

免税制度を上手く活用する

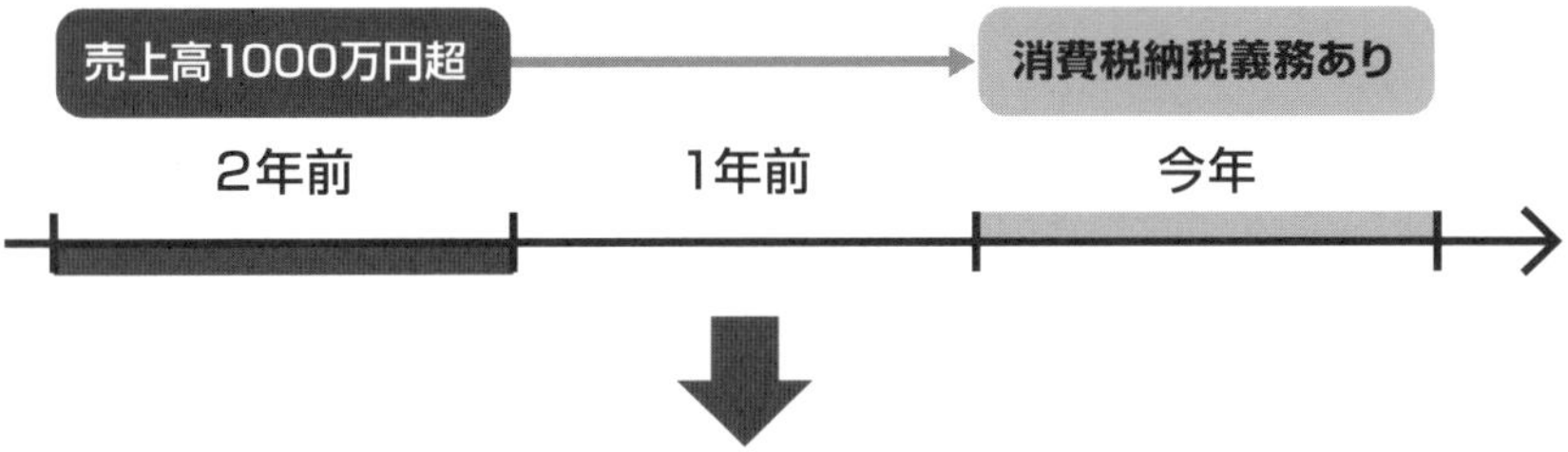

年間売上規模が1000万円前後の規模であれば、
売上高管理をしっかり行なうことで免税メリットを享受できる
(その年の売上実績に基づき、年末の営業日や取引量の管理により
年間売上高を1000万円以下に抑えたり、歳末セールよりも新春
セールに注力する　等)。

法人成りした場合には設立初年度は免税になる

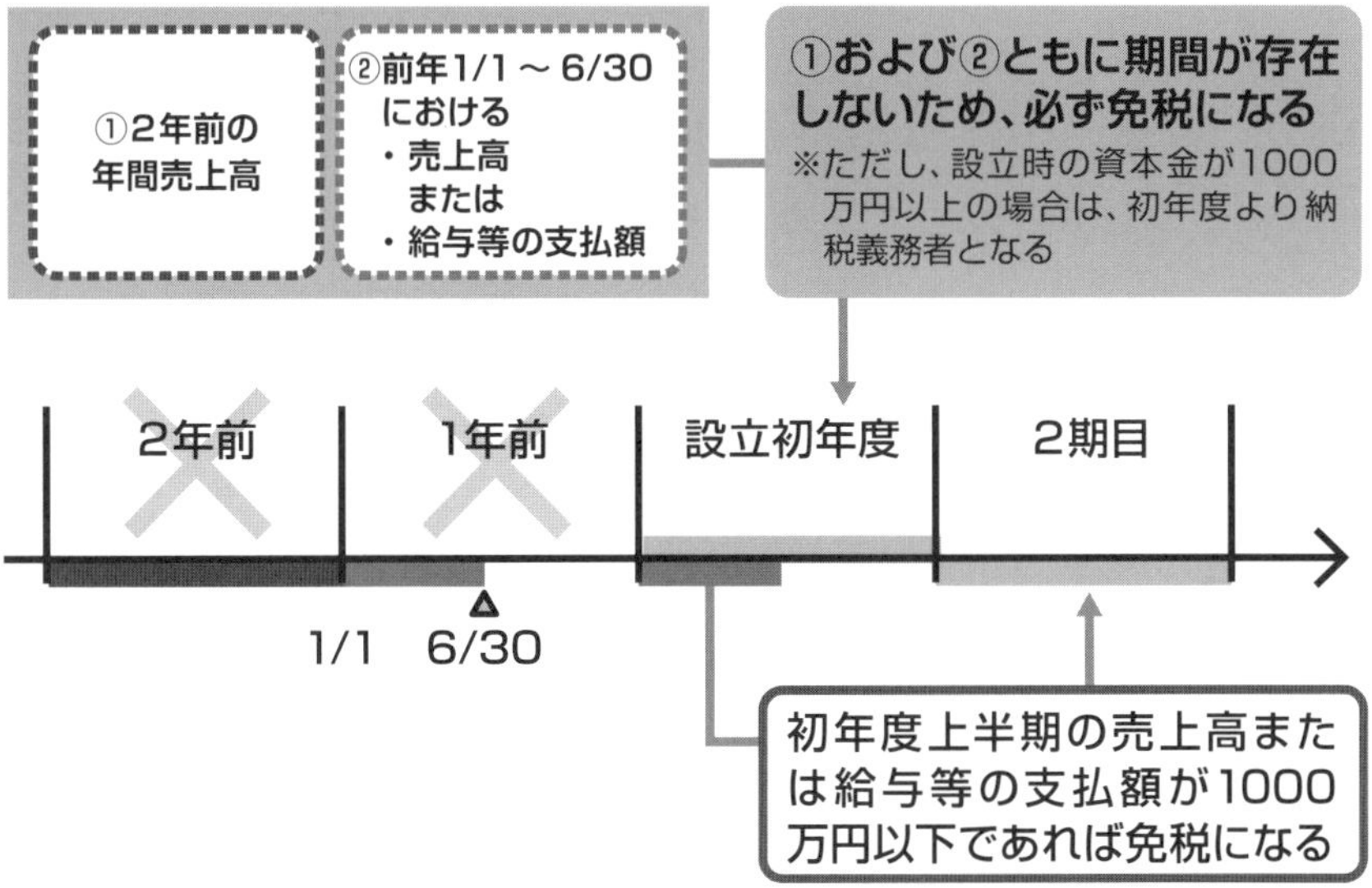

＜注意＞

令和5年10月1日より開始されるインボイス制度においては、免税事業者は適格請求書発行事業者として登録を受けることができません。登録を受ける場合には課税事業者を選択し、消費税の申告納税を行なう必要があります。

7 アウトソーシングで節税する

原則課税方式による節税方法

消費税の計算では、原則課税方式によると、仕入や経費で支払った消費税が多くなるほど有利になります。

そのため消費税を節税するためには、仕入や経費等で支払う消費税を大きくする必要がありますが、消費税の節税を目的として経費を多額に使うことは経営的に望ましくありません。たとえ消費税の納税額は少なくなったとしても、それ以上にお金を支出していることから、事業のキャッシュフローの観点からは問題があります。

そこで、お金の支出を大きく変えることなく、売上げで預かった消費税から差し引くことができる消費税額を大きくできるような方法を考えることが大事です。

事業活動を行なうには、商品仕入や人件費、地代家賃やリース料、水道光熱費などさまざまな支払いが生じます。これらの支払いに対する消費税を、売上げで預かった消費税から差引計算することにより納税額を計算するのですが、人件費については消費税が課税されない支払いにあたります。一般的にどのような事業においても、人件費は経費項目の中で大きな割合を占めるものですが、従業員の給与や賞与には消費税が課税されないことから、いくら人件費が大きくなったとしても、消費税の計算上差し引くことのできる金額には含まれません。

外注費で節税する

そこでこの人件費について、直接雇用による給与支払いに代えて、もしすべてを人材派遣等の外注委託に切り替えた場合にはどうなるでしょうか。

仮に従業員の給与支払額と人材派遣費用の支払額が同額であった場合、同じ支払額であっても、給与については消費税がかからない支払いになりますが、人材派遣などの外注費用は、外部業者へのサービス対価の支払いとなり、消費税が課税された支払いとなります。

そのため同じ支払額であっても、外注委託では支払った消費税が大きくなる分、消費税の申告において有利になります。建設会社などが1人親方といった個人事業主を抱えられるのも、このような理由が一つにはあるのかもしれません。

アウトソーシングによる消費税の節税（原則課税方式）

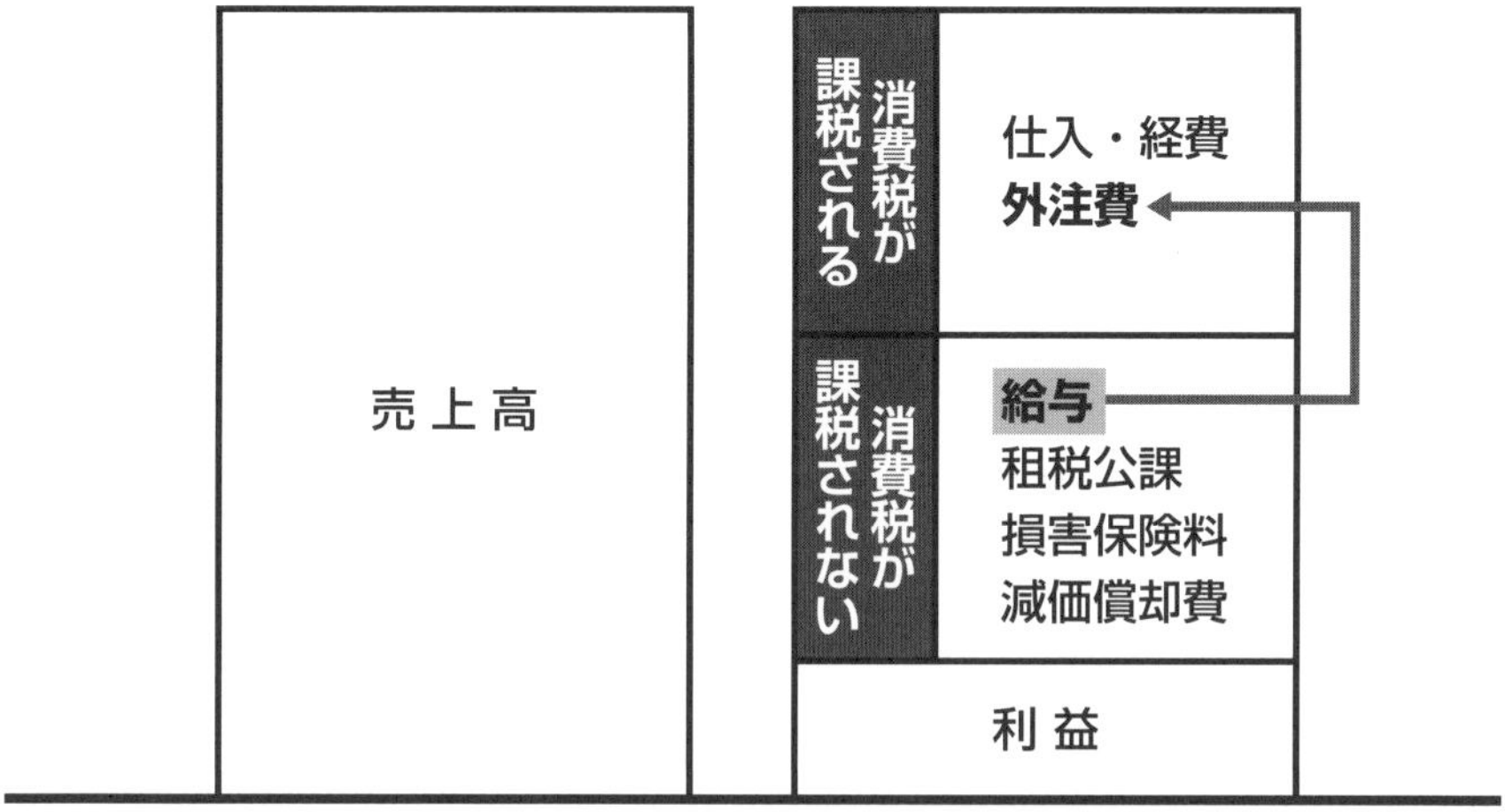

▶給与は消費税が課税されない費用
▶一方、人材派遣等の外注委託の場合は消費税が課税される

アウトソーシングに切り替えると人件費が外注費用になり、消費税が節税できる

〈注意点〉

▶これまで従業員として給与の支払いをしていた人を、今後は外注業者扱いとすることで給与を外注費に切り替える場合、外注扱いとした後も勤務実態や支払額の計算などが以前と変わらない場合には、税務署から外注費ではなく給与と認定される可能性がある

▶そのため、一般の外注業者との取引と同様に、請求書や領収書の受け取り、請負契約書などの取り交わし、外注業者となる本人が独立した個人事業主として税務署に開業届を提出し、毎年確定申告を行なうなど、形式面と実質面の両方より独立した事業者と判断できる必要があることに注意する

＜補足＞

令和５年10月１日からのインボイス制度開始後は、取引先が免税事業者や一般消費者など、適格請求書発行事業者ではない場合には、その支払った外注費に対する消費税額は、消費税の納税額の計算において控除することはできません。

COLUMN 5

いい税理士の選び方

顧問税理士をどう選ぶ？

個人事業主として独立開業して商売を始めた当初は、多くの人が費用を抑えるために、わからないなりに何とか自分で確定申告をします。しかし開業して数年がたち、事業も軌道に乗って売上規模の拡大とともに従業員を雇うようになると、そろそろ税理士に顧問を依頼しようと考える人が多くなります。

では税理士に依頼するにあたって、どのように“わが社に合った税理士さん”を探せばいいのでしょうか。一般的には、①知人等から紹介してもらう、②地元の税理士会などに紹介を依頼する、③インターネットで検索して問い合わせをする、④税理士紹介会社を利用する、などの方法が考えられます。

それぞれ一長一短がありますが、いずれの方法でも税理士選びにおいては、自分との相性や話しやすさ、その税理士の得意分野、対面で相談をしたい場合の事務所へのアクセスのよさ、顧問料などの料金といった点で選んでいくことになると思います。

間違いのない税理士選びとは？

では、どうすれば「間違いのない税理士選び」ができるのでしょうか。税理士を探している人を“税理士目線”で見た場合に、とても損をしている、もったいないと感じるような探し方をしている人も中にはいます。

たとえば、どの税理士に依頼してもサービス内容は大して変わらないと考えて、料金だけを判断基準にするケースがあります。

料金が安いに越したことはないのですが、税理士のサービス価値は帳簿や確定申告書の作成などの単なる事務作業だけで測れるものではありません。税理士に顧問を依頼しようとしている人は、事務作業のアウトソーシングだけではなく、自分に合った適切な節税方法のアドバイスや、事業の将来を見据えて、“転ばぬ先の杖”としての役割を担ってもらえることを期待しているはずです。

また、税理士に顧問を依頼すると、自分の財布事情だけでなく、家族の状況を含めたプライベートな部分まで知ってもらうことになります。そのため、税理士を選ぶ際には、いつでも気軽に相談ができ、自分のことを常に親身になって考えてくれる人、お互いに信頼関係を築きながら、二人三脚で長期にわたってともに歩むパートナーになってくれる人、という観点から検討すると間違いがないと思います。

6章

決算で節税する方法

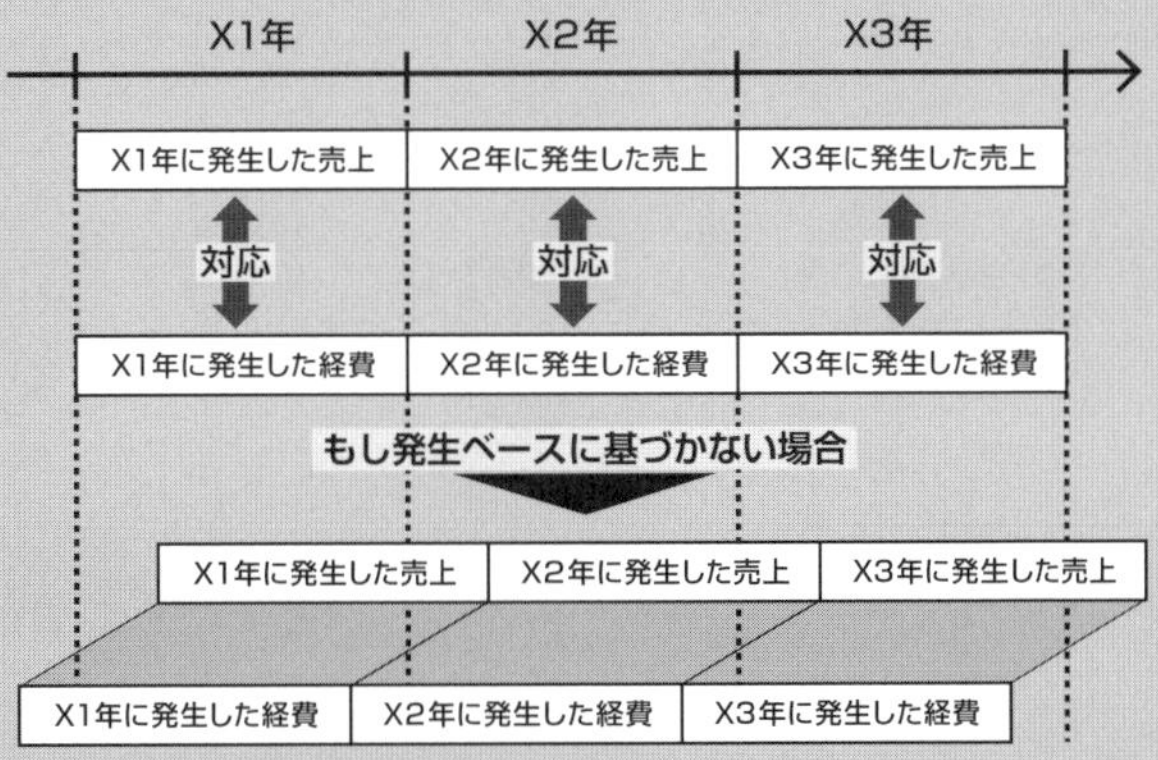

1 むだな在庫を少なくして節税する

在庫と利益の関係

小売店や卸売業を行なっている場合、販売する商品は仕入業者などから仕入れますが、仕入代金がそのまま全額、必要経費になるわけではありません。

「売上原価」は、計上した売上高に対し、売り上げた販売商品の仕入金額です。つまり一つ80円で仕入れた商品を１００円で販売した場合、売上高は１００円で売上原価は80円、差し引きした利益（「売上総利益」と言う）は20円になります。

商品を一つだけ販売した場合には一対一でわかりやすいのですが、1年間を通じて計上した売上高についても、販売した商品の仕入金額だけを売上原価として経費に計上する必要があります。ですから、その年の仕入金額を全額、売上原価とすると正しい利益計算になりません。

その年の売上高に対応する売上原価は、販売した商品の仕入金額を一つひとつ調べて集計しても計算できますが、販売回数や商品数が多いと大変な作業になってしまいます。そこで、売上原価は次の三つを用いた差引計算で求めます。

①前年末の棚卸金額（期首棚卸高）
②当年度の仕入金額合計
③当年末の棚卸金額（期末棚卸高）

①の期首棚卸高と②の当年度の仕入金額の合計から、③の期末棚卸高を差し引くことで、その年における売上原価が計算できます。その年の売上原価を計算するために年末在庫の棚卸が必要になるわけです。

在庫処分で節税する

売上原価の計算方法によれば、年末の棚卸金額が小さくなれば、その分、売上原価が大きくなり、売上高との差引で計算される利益は小さくなります。つまり、年末の棚卸金額を小さくできれば節税につながるのです。

そのため節税の観点からは、年末の売れ残り商品はバーゲン等の見切り品として値引販売して売り切ってしまうのも一つの方法です。また、流行遅れ等で価値の下がったものや、長く売れ残っている商品などは、思い切って年末に廃棄すると節税になります。

在庫処分で節税する

売上原価の計算式

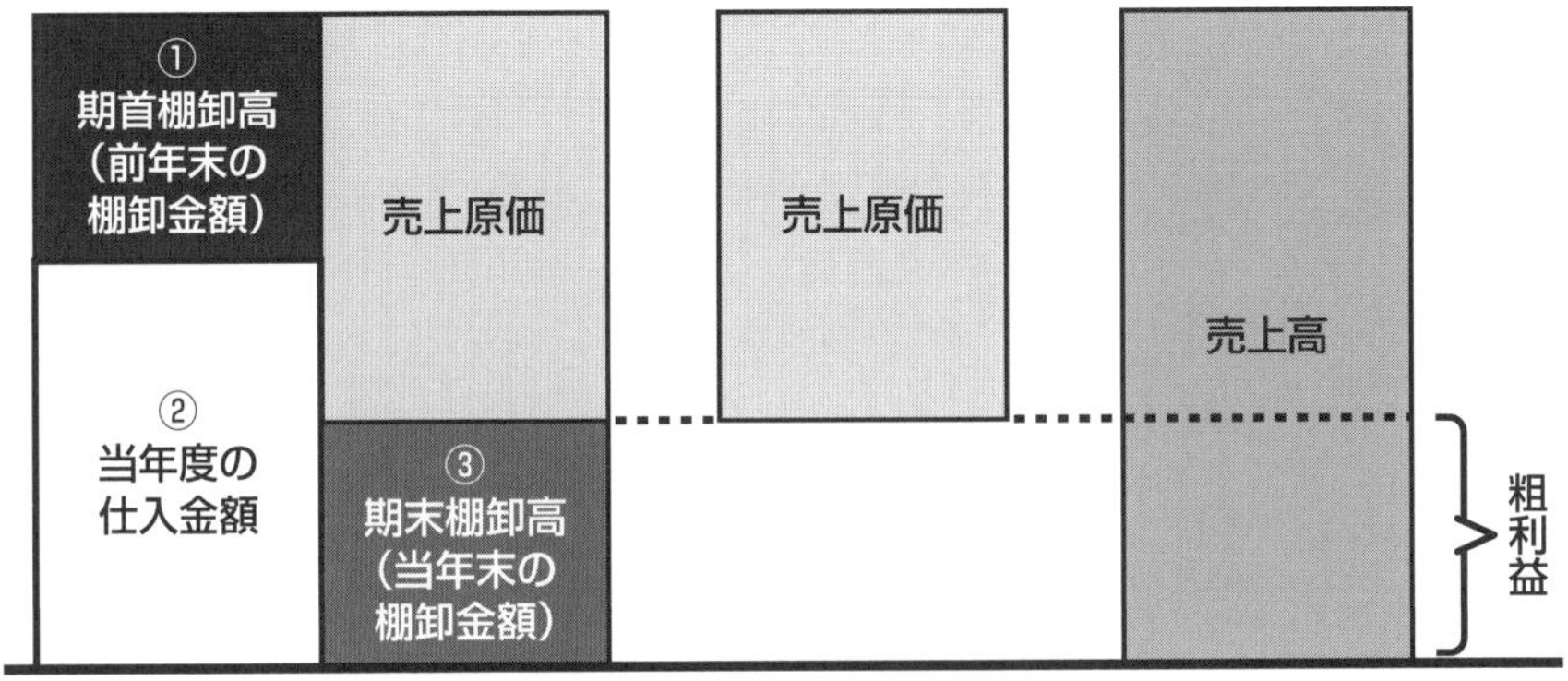

売上原価とは、その年に売り上げた商品に掛かる仕入金額のことで
次の算式により計算される

売上原価 ＝ **①期首棚卸高** ＋ **②当年度仕入金額** − **③期末棚卸高**

年末に在庫処分すると……

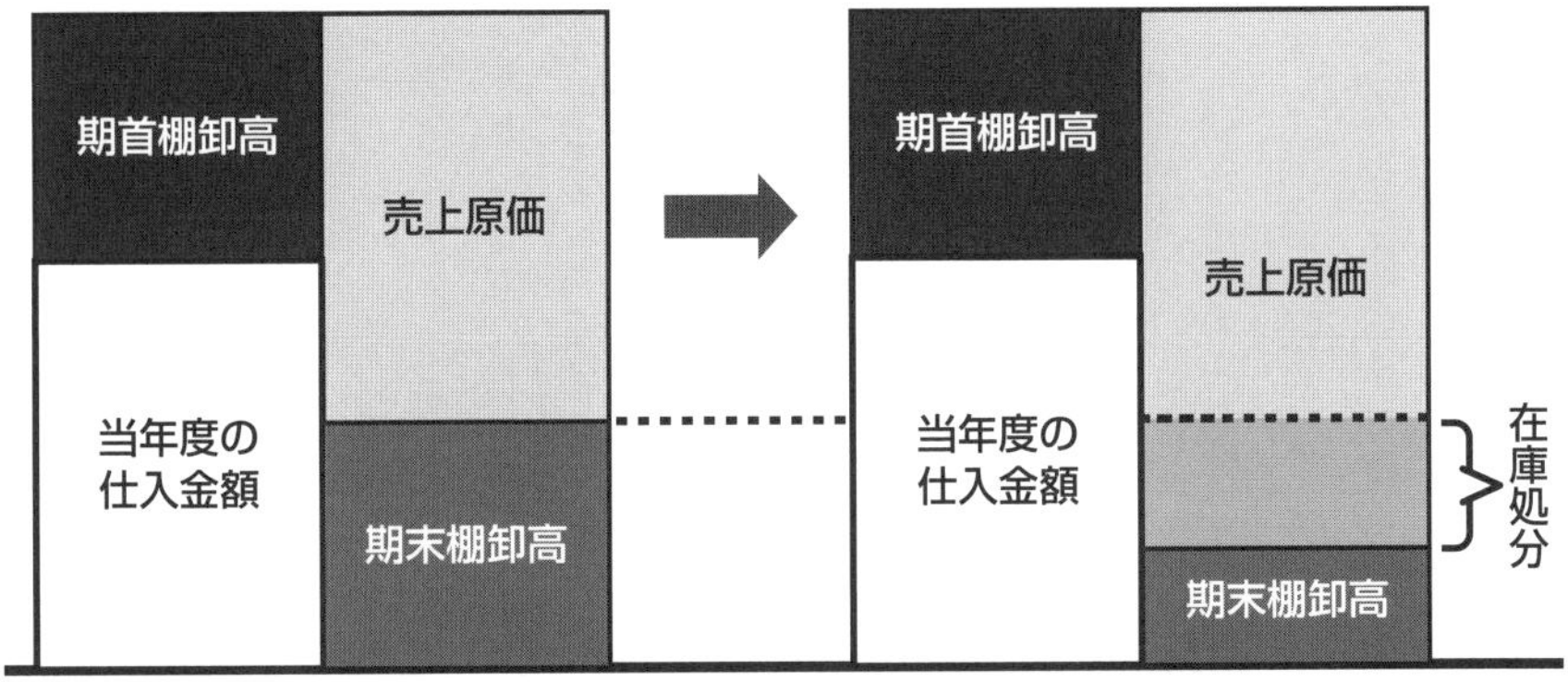

期末棚卸高が減少した分、売上原価が増加する

2 不良債権を切り捨てて節税する

回収できる見込みのない売掛金を整理する

事業で儲けるためには、とにかく売上げを上げることが大事なのは言うまでもありません。見込客を見つけて、売り込みをかけて受注につなげ、無事に納品を完了すると売上げとして計上できます。これで営業成果を上げることができたと喜ぶべきところですが、もし請求書をお客様に送付しても、売上代金を支払ってもらえない場合にはどうなるでしょうか？

売手側としては、納品した商品の仕入代金を支払い、営業活動のために人件費や交通費、広告費などの諸費用も負担しています。もし売上代金が回収できなければ、このような営業費用がすべてむだになってしまいます。そのために営業研修などでは、「売上代金を回収するまでが営業の仕事だ」といった話がよく聞かれるわけです。

事業では、このような回収できない売掛金、いわゆる不良債権をそもそも発生させないことが肝要ですが、確実に売掛金を回収できる客先だけに絞って商売をするのは現実的にはむずかしいでしょう。

そこで、やむを得ず発生してしまった不良債権については、いつまでも帳簿上に残して置かず、決算で切り捨ててしまい、「**貸倒損失**」として処理することで節税につなげるのも一つの対処法と言えます。

貸倒れと認められるには基準がある

請求したが相手が支払ってくれない、という単純な理由だけでは貸倒れとは認められません。売掛金を貸倒損失として処理できる基準には大きく次の三つがあります。

①法律に基づき債権が切り捨てられた場合
②相手の状況から実質的に回収不能の場合
③貸倒損失の特例条件に該当する場合

会社更生法の更生計画等の認可決定や、債権者集会での協議決定により、法的に売掛債権が切り捨てられる場合が①にあたります。②は相手の資産状況や支払能力等から見て、売掛金の全額が回収できないことが明らかになった場合が該当し、③は取引停止後1年以上経過しても支払いがなかったり、相手方が遠方にあり、取立てに要する旅費等が売掛金を上回る場合が該当します。

売掛金が回収できなかった場合は？

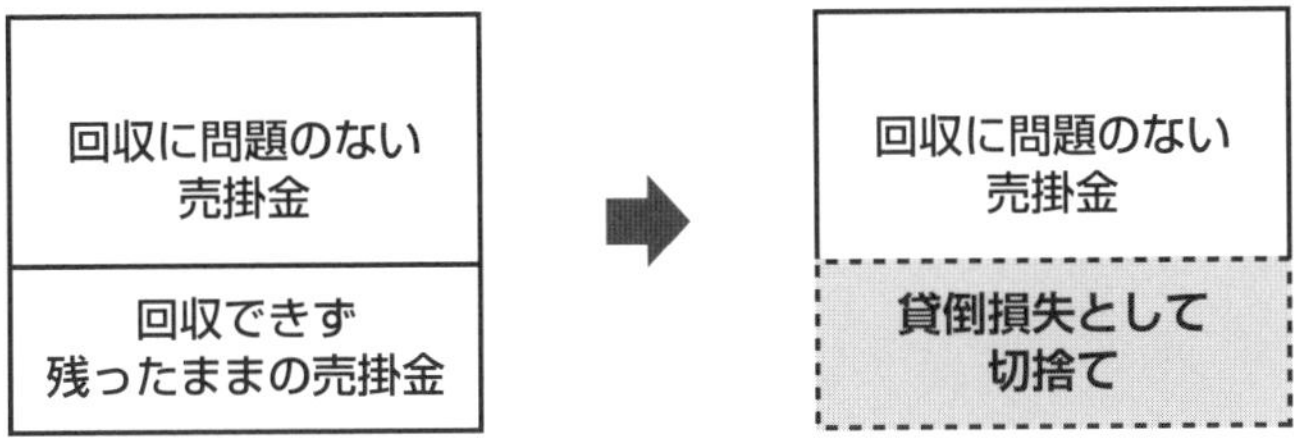

回収見込みのない売掛金を残したままだと、たとえ未回収であってもその売上げに対する儲けについて税金を負担した状態になっている

決算において「貸倒損失」として切り捨てることで、今年の税金の節税になる

貸倒損失を計上できるケースは次の３つ

①法律に基づく債権の切捨てによる場合

- ▶ 会社更生法・民事再生法の再生計画の認可決定により、債権が切り捨てられる場合
- ▶ 相手の債務超過状態が長期にわたり、弁済の見込みがないために債務免除を書面で通知した場合

②事実上の貸倒れによる場合

- ▶ 債務者の資産状況、支払能力等から見て、その全額が回収できないことが明らかになった場合
（担保物がある場合は、まずその処分が必要）

③貸倒損失の特例に該当する場合
（１円の備忘価格を残した残額を損失計上できる）

- ▶ 相手との取引停止後１年以上経過したこと
- ▶ 遠方等により、取立てに要する旅費等の費用が売掛債権を上回る場合

3 貸倒引当金で節税する①引当金の計上

貸倒引当金とは何か

売掛金が回収不能となった場合には**貸倒損失**を計上しますが、貸倒れが生じた段階で一度に多額の損失を計上すると、その年度だけ利益が落ち込むことになります。

安定した経営を行なうため、将来、貸倒れが生じる可能性がある売掛金等の金額を見積もり、前もって利益の出ている年度において費用計上をすることができれば、健全な事業運営につながります。このような将来の貸倒れに備えた費用計上が「**貸倒引当金**」と呼ばれるものです。

決算において貸倒引当金を計上することは、節税につながります。貸倒引当金はその年の12月末日における売掛金等の残高に対して一定額を計上しますが、貸倒引当金の設定には、「個別評価による引当金」と「一括評価による引当金」の2種類があります。

引当金の対象となる債権

貸倒引当金の対象になるのは、12月末日時点における、事業活動によって生じた金銭債権です。「**金銭債権**」とは相手から現金を受け取る権利のことで、具体的には売上代金の未回収分である売掛金や、現金支払いに代えて手形で代金回収をした場合の受取手形、従業員や取引先等に対する貸付金などになります。

「**個別評価引当金**」とは、金銭債権について、相手先ごとに回収の可能性を個別に判断する引当金です。

個別評価による貸倒引当金の計上には次の三つの基準があり、それぞれにおいて取立てが見込めない金額を引当金に計上します。

①法的に弁済の長期棚上げがされた場合
②実質的に取立ての見込みがない場合
③民事再生等の手続開始申立がされた場合

「**一括評価引当金**」とは、12月末時点における事業上の金銭債権の回収可能性をまとめて評価する方法です。

相手先ごとに個別の回収可能性を勘案せず、一定の割合を金銭債権の残高に乗じて計算するため、形式的に実務的にはとても簡便な方法です。

この一括評価による貸倒引当金は白色申告では計上できず、青色申告の特典として認められるものです。

「貸倒引当金」で節税する

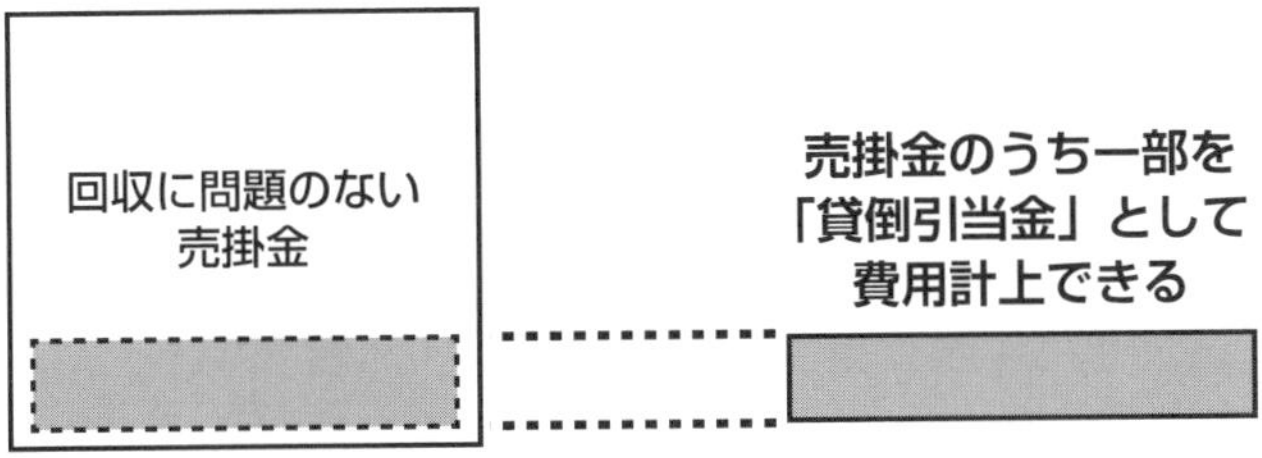
回収に問題のない
売掛金
売掛金のうち一部を
「貸倒引当金」として
費用計上できる

貸倒引当金の対象となる売掛債権の範囲

貸倒引当金の種類は次の２つ

①個別評価引当金

▶相手先ごとに回収の可能性を個別に判断して計上する引当金

②一括評価引当金

▶相手先ごとに個別の回収可能性を勘案せず、形式的に一定の割合を12月末の金銭債権の残高に乗じて計算する引当金
（白色申告では計上できず、青色申告をしている場合の特典として計上できる）

個別評価引当金の対象となる範囲

一括評価引当金の対象となる範囲

▶商品販売やサービス提供による売掛金
▶工事請負業者における工事未収金
▶特約店・下請け先、および従業員等に貸し付けている貸付金

▶製造業における下請け業者に対する前渡金
▶事業上の取引のため、または建物賃借のために差し入れた保証金、敷金、預け金等
▶従業員に対する前払給料等

4 貸倒引当金で節税する②二つの計上方法

個別評価引当金の計上方法

①法的に弁済の長期棚上げがされた場合

相手先が会社更生法や民事再生法等による再生計画等の認可決定を受けたり、債権者集会等の協議決定に基づき、債権者に対する弁済を一定期間猶予されたり、分割払いにより弁済することが決定した場合、それらが生じた翌年1月1日から5年以内に弁済される金額以外の金額（つまり、5年を超えて弁済される部分の金額）が引当額となります。

②実質的に取立ての見込みがない場合

相手先の債務超過の状態が相当期間続いており、事業状況も好転する見通しがない場合や、災害や経済事情の急変等により多大な損害が生じているなど、金銭債権の一部について回収の見込みがないと認められる場合には、その回収見込みのない部分の金額が引当額となります。

③民事再生等の手続開始申立がされた場合

相手先において会社更生法や民事再生法等の手続開始の申立や、手形の不渡りによる手形交換所の取引停止処分などが行なわれた場合には、その相手先に対する金銭債権から、実質的に債権と認められない金額を控除した残高の50％が引当額となります。

一括評価引当金の計上方法

12月末日時点における金銭債権のうち、個別評価引当金の対象としたものは一括評価の対象から除かれます。

また、保証金や敷金、仕入や設備購入などにおける手付金や前渡金、前払給料や立替金なども対象外となります。

その他、12月末時点において売掛金等がある得意先について、こちらもその得意先からの仕入代金の買掛金や支払手形などの債務がある場合には、それらは売掛金等と相殺できることから、実質的に債権と見られないものとして除くことになります。

金銭債権から、このような金額を控除した残高に対し、5・5％を乗じた金額が一括評価による貸倒引当金の計上額となります。貸倒引当金は、確定申告書に添付する青色申告決算書の2ページ目の計算欄で金額を出し、「貸倒引当金繰入額」という勘定科目で計上します。

「個別評価引当金」を計上できるケース

① 法律に基づく債権弁済の長期棚上げがされた場合

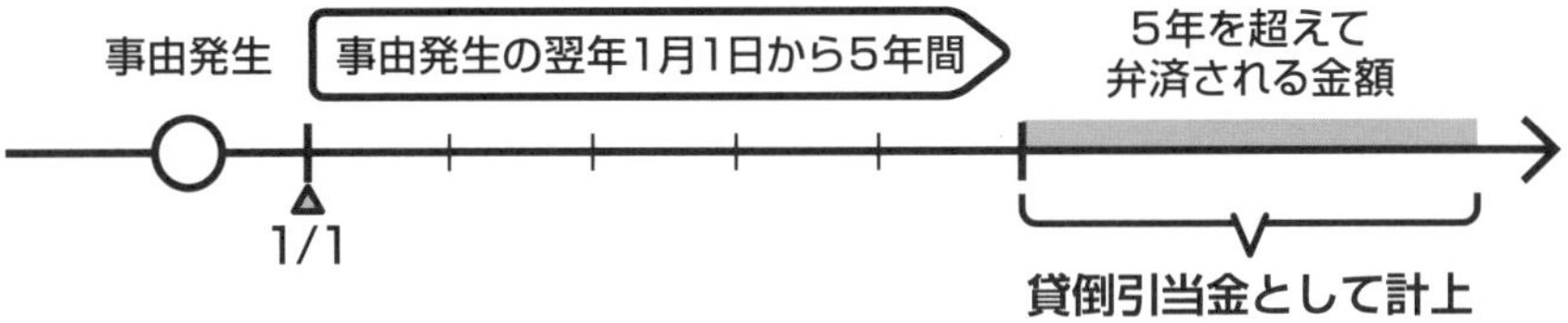

② 実質的に取立ての見込みがない場合

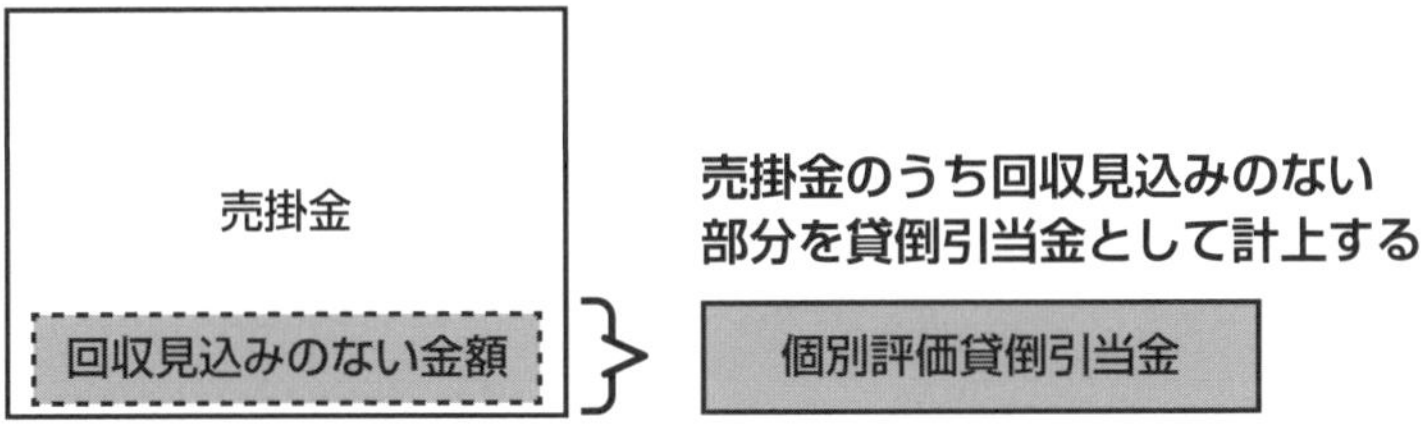

③ 民事再生等の手続開始申立がされた場合

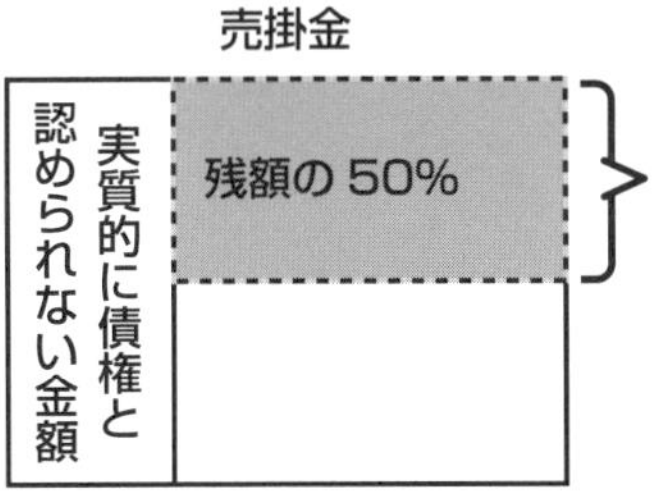

実質的に債権と認められない金額を控除した残額の50% 部分を貸倒引当金として計上する

※実質的に債権と認められない金額とは、相手に対する買掛金や、相手から受け入れた保証金、借入金等をいう

「一括評価引当金」の計上方法（青色申告のみ計上できる）

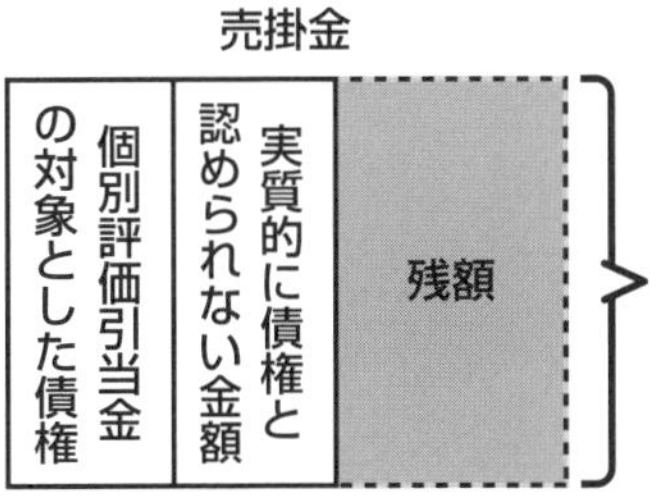

左記残額×5.5%
＝一括評価引当金の金額

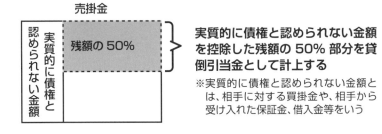

5 年末の未払費用を漏れなく計上する

未払費用で節税する

商品等の仕入を行ない、その仕入代金の支払いを翌月以降に行なう場合、月末時点でその未払いの仕入代金は「**買掛金**」という勘定科目で処理することになります。

同様に、経費となる支払いで、すでに購入やサービスの提供を受けているにもかかわらず、支払期日が未到来のものを「**未払費用**」と言います。たとえば、今月利用の電話料金や電気・水道等の光熱費などで、翌月締めの請求支払いとなっているものなどが該当します。

1年間の儲けの計算では、12月末までに実際に支払った経費だけでなく、未払費用も計算に含めることができます。実務的にはこのような未払費用の計上を忘れがちなので、漏れなく必要経費に含めて節税しましょう。

具体的に未払費用の確認と計上をする方法ですが、翌年1月以降に届いた請求書や年明け以降に支払った領収書から、12月末日までに購入物品の引渡しやサービス提供が終わっているものを拾い上げていくほか、預金口座からの自動引き落としになっているものは、翌年1月の預金通帳で確認します。

未払費用としてよくあるのは、電気・ガス・水道などの公共料金の他、固定電話や携帯電話、インターネットプロバイダ料など通信に係る料金、1ヶ月ごとの締日に請求される事務用品や消耗品などの購入費用があります。

クレジットカードで経費を支払っている場合も、12月末までの利用額の支払いは翌年1月ないし2月になることから、利用明細で確認し未払費用として計上します。

年末時点の仮払金を精算して節税する

「**仮払金**」とは、現金支出はあったものの内容が未確定のため、確定するまで一時的に計上しておく科目です。

よくあるケースとしては、出張旅費や交通費などの経費支払いにあてるために、先渡ししたお金が該当します。たとえば、出張のため、現地での宿泊や交通費の支払いのため5万円を仮払いした場合、出張から戻りしだい、実際に支払った経費の領収書とともに仮払いした5万円を精算します。12月末時点での、このような仮払精算を忘れず漏れなく行なうことで節税につながります。

未払費用を忘れずに計上する

未払費用とは？

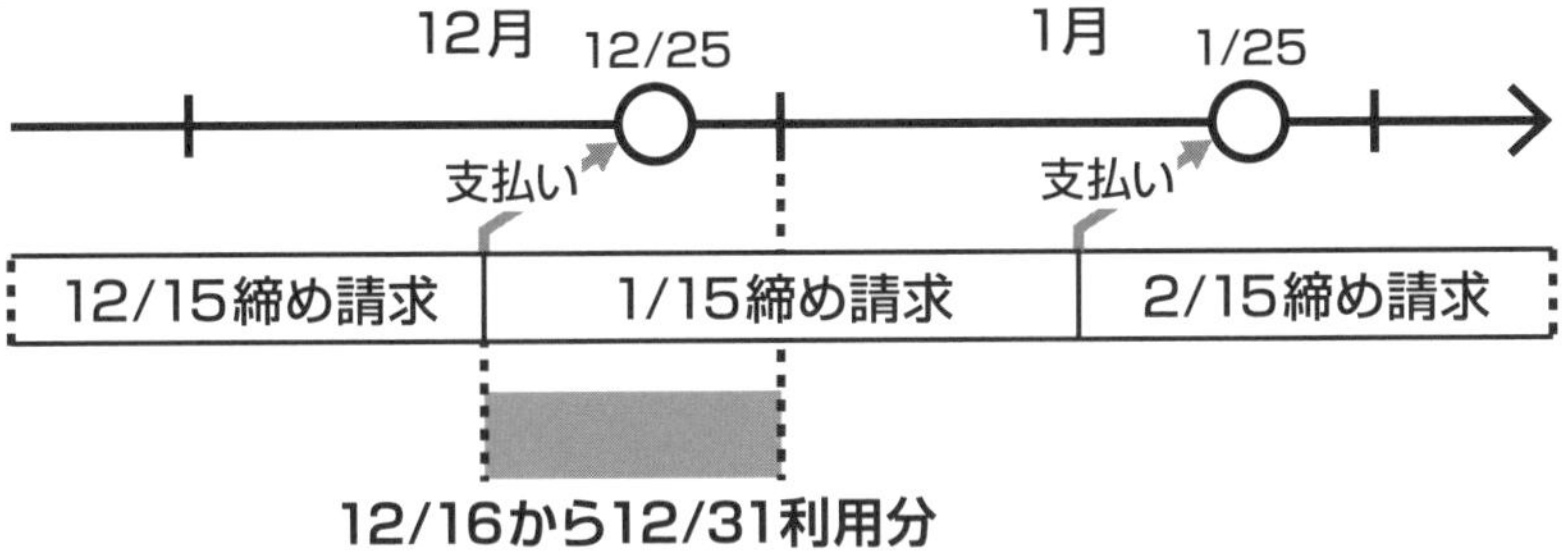

未払費用として今年の費用に計上する

（例）

- ▶電気料金、ガス料金、水道料金などの水道光熱費
- ▶固定電話や携帯電話などの通信費
- ▶インターネットプロバイダ料金　など

クレジットカード明細書

お支払日	○○年△月□日
ご請求金額	XXXXX円
お支払指定口座	AA銀行B支店 普通123456

○△□カード
カード番号 XXXX-XXXX-XXXX
ご入会日 ○○年△月□日

年 月 日	ご利用店名	ご利用金額	備 考
X1年 12月 16日	AAA店	XXX円	
X1年 12月 20日	BBモール	XXXX円	
X2年 1月 5日	CC電気	XX円	
X2年 1月 13日	DDDショップ	XXX円	

利用明細を確認のうえ、今年の利用分があれば未払費用に計上する

6 買掛金・帳端を計上して節税する

仕入を漏れなく計上する

1年間の儲けの計算において、しっかり節税するためには、12月末日までの仕入額や経費を漏れなく計上することが大事であることは言うまでもありません。

とくに仕入額は、一般的に商売においてもっとも支払額が大きいため、計上漏れがあると儲けの金額や税金計算に大きな影響をおよぼします。

商品の仕入を現金支払いで行なっている場合には、12月末日までの仕入領収書に基づいて仕入額を計上すればいいのですが、1ヶ月ごとに一定の締日に仕入先から請求書をもらい、翌月に代金を支払うようにしているケースでは注意が必要です。その年1年間の仕入額を計上するにあたり、12月末までに支払った金額だけを集計して仕入額とすると誤りとなります。

たとえば、「当月末締め・翌月末払い」の条件で取引を行なっている仕入先がある場合、12月末に支払う仕入代金は、前月11月末締めでの仕入請求額になります。ここで12月末までの支払額で仕入額として計上してしまうと、12月分の仕入額が未計上になってしまいます。

正しく仕入額を計上するためには、12月末締め・翌年1月末支払いの請求額までを仕入高に計上する必要があります。この場合、12月末時点で未払いの仕入請求額は「買掛金」に計上します。

帳端の計上を忘れないようにする

では、締日が月末でなく、20日の場合はどうなるでしょうか。月末日締め請求の場合は、12月末締め・翌年1月末支払いの金額を買掛金として計上すればいいのですが、末日以外の締日の場合は、それでは仕入の計上漏れが生じてしまいます。

20日締めの場合、12月締めの請求書の金額は11月21日から12月20日までの仕入分になり、12月21日から31日の10日間の仕入金額は翌年1月締めで請求されることになります。このような請求締日から末日までの期間を「帳《ちょう》端《は》」と呼ぶことは前述しました。帳端の仕入高は翌年1月締めの請求書で確認することができます。帳端は仕入だけでなく経費の支払いでも計上できます。

仕入金額計上における注意点

下図のように、仕入金額の支払条件を当月末日締め、翌月末日支払いとしている場合に、支払ベースで仕入額を計上すると、12月分の仕入額が今年分の計上から漏れてしまう

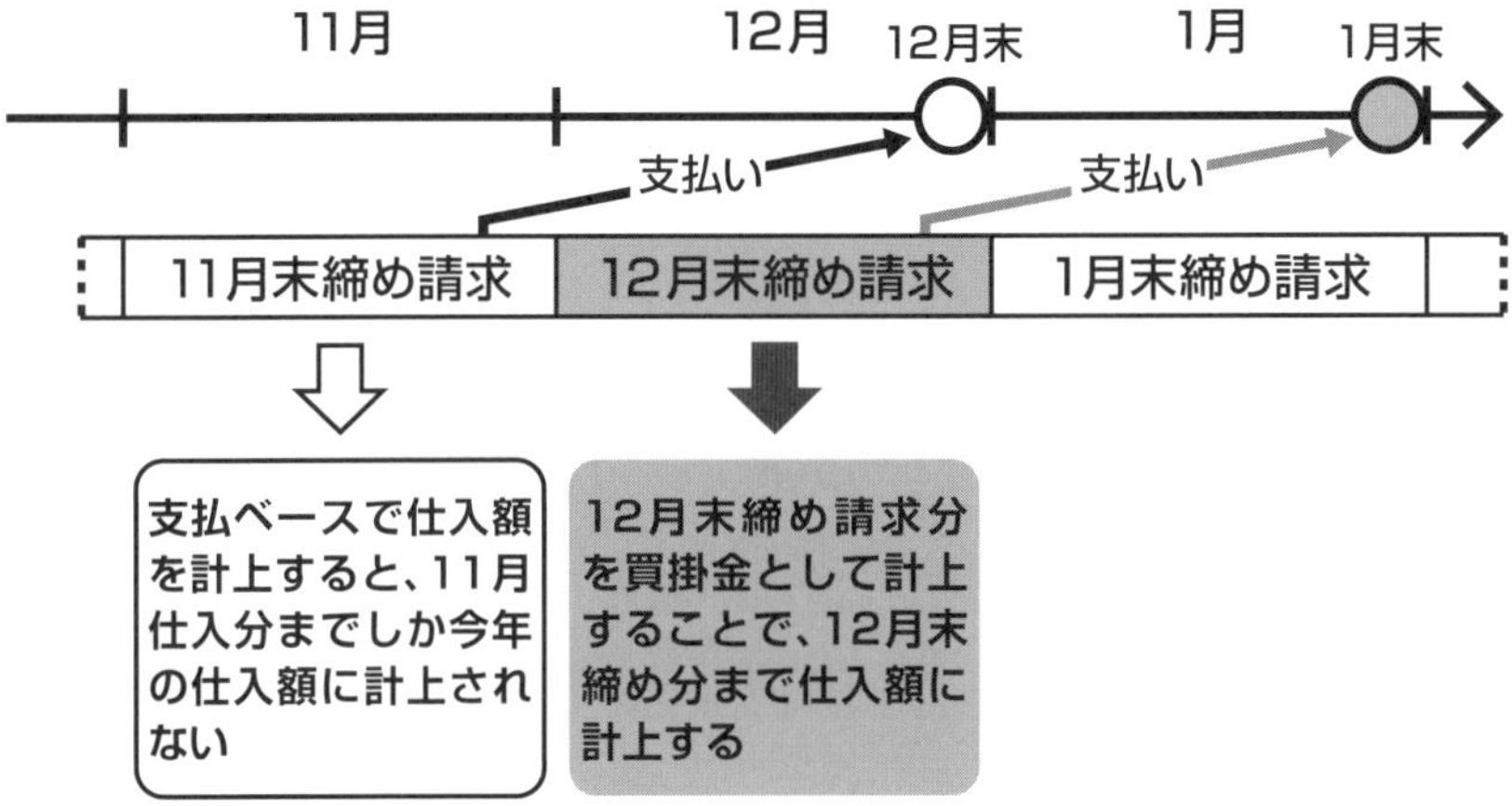

「帳端」仕入額を計上する

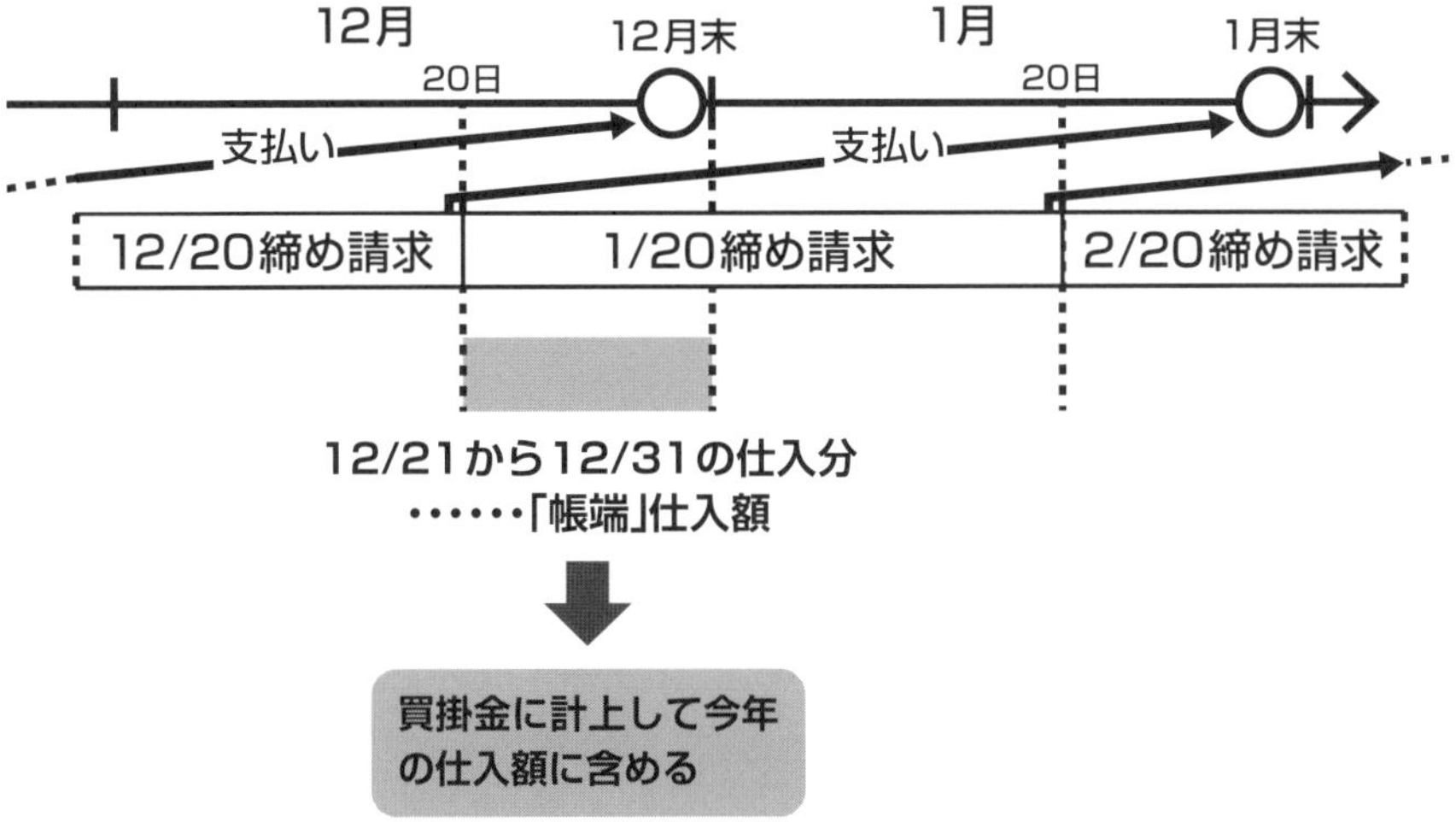

7 支払いを前倒しして節税する

期間損益の原則

税金計算の基になる儲け（所得）は、その年1月1日から12月31日の1年間で計算します。その年に生じた売上高を翌年のものとしたり、翌年の仕入や経費をその年に生じたものとして計算に含めると、正しい儲けが計算できないことから、税務調査において「**期ズレ**」としてチェックされる項目になります。会計では「**発生主義の原則**」という考え方があり、必要経費の計上は原則としてその年分に発生したものだけが計上を認められます。

たとえば、家賃の支払いは通常、当月分を前月末までに支払うといった契約が多いと思います。つまり12月末に支払う家賃は翌月1月分になるわけですが、発生主義の原則からは、12月末に支払った家賃は翌月分を前払いしているものとして、その年の必要経費には計上できないことになります。

「短期前払費用の特例」を活用する

しかし、発生主義の原則に基づいて厳密に費用等を集計するとなると、申告計算の手間が増え、事業主に対して過度な事務負担を強いることになります。そこである程度融通をきかせて、「**短期前払費用の特例**」というものが設けられています。**前払費用**とは、契約によって継続的に役務の提供を受けるために支払った費用のうち、その年の12月末時点において、まだその役務の提供を受けていないものを言います。たとえば、店舗家賃、駐車場や土地の賃借料、設備・器具備品などのリース料、保険料、借入金利息や信用保証料などが該当します。

これら前払費用のうち、支払った日から1年以内に提供を受ける役務に係るものが**短期前払費用**です。

この短期前払費用について、支払った時点でその全額をその年の必要経費に計上し、その後も継続して同様の経費処理を行なう場合には、その支払時点での経費計上が認められます。先の家賃支払いの例では、1月分であっても毎年支払時に費用計上を継続すれば、短期前払費用の特例として認められます。またこの特例を活用して、支払方法を月払いではなく、年払いでまとめて支払う契約にすると節税につながります。

「短期前払費用の特例」とは？

期間損益の原則

・・・売上げや経費はその年に発生したものを計上する

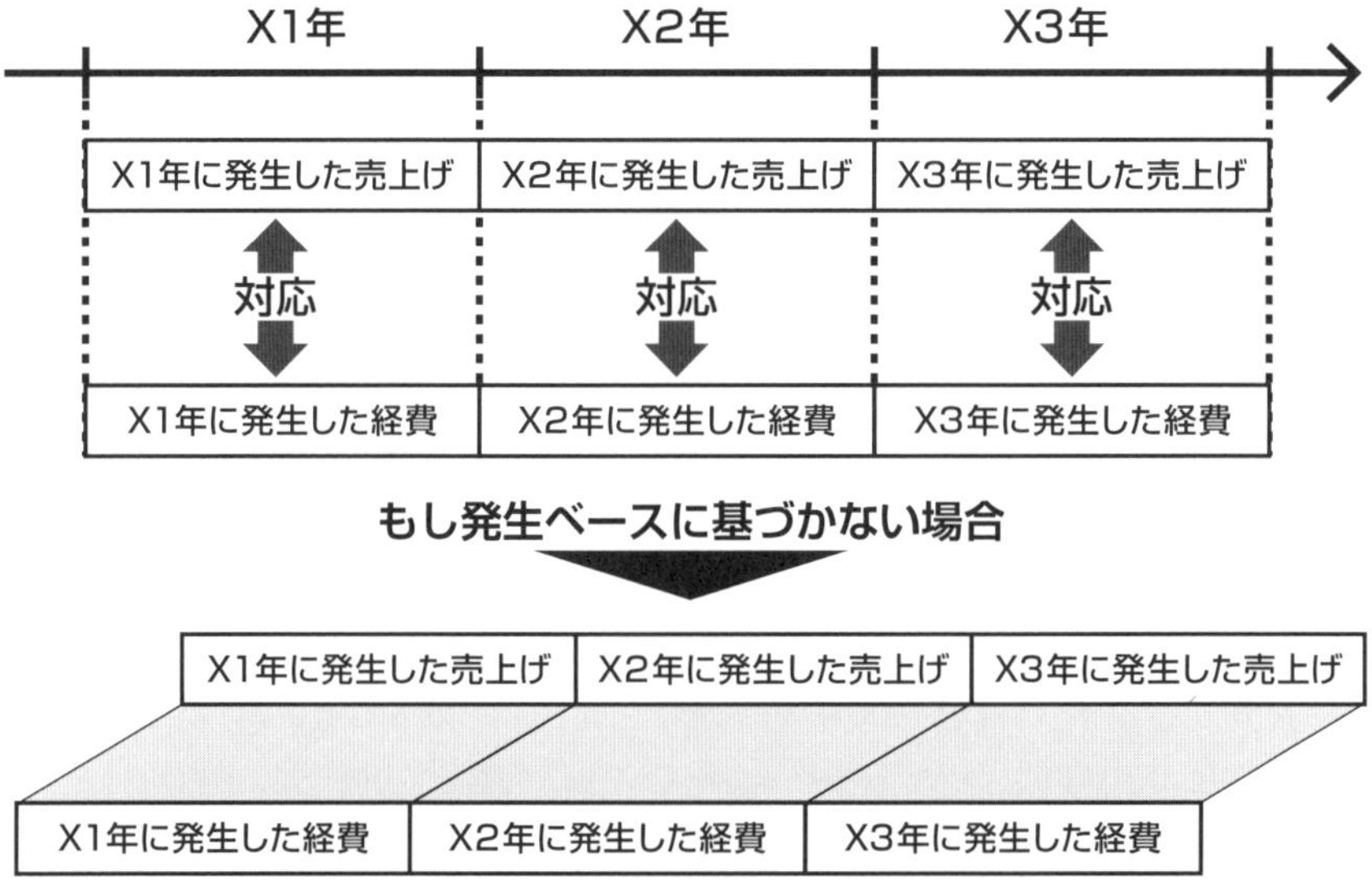

売上高および経費に「期ズレ」が生じるため
正しい損益計算ができない

短期前払費用とは？

・・・・・・支払日から1年以内に提供を受ける役務の費用
（毎期継続して同様の経理処理を行なうことを要件に、支払時に費用計上が可能）

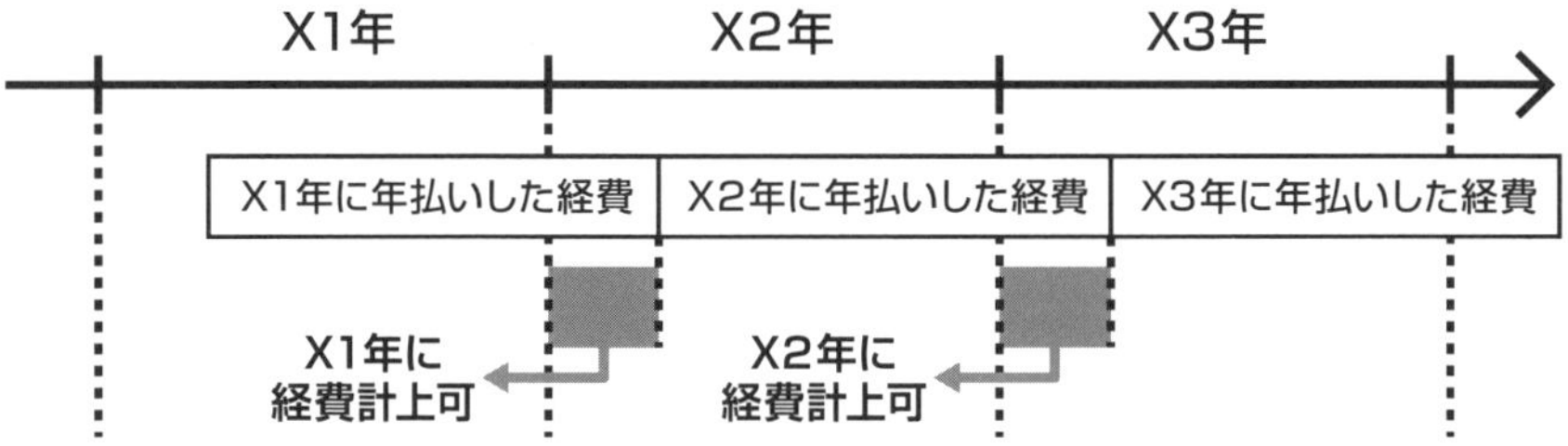

COLUMN 6

土地・建物は買うのと借りるのではどちらが得？

このまま借り続けるのはもったいない？

建設業などを営んでいる場合、現場で使用する資材やトラック・重機などを置く場所が必要なため、ある程度の広さをもった土地を確保する必要があります。こうした土地を最初のうちは賃借していたものの、何年もたつと、支払ってきた賃借料の合計額を考えて、このまま借り続けるのはもったいないと、自前で取得することを考える人もいます。これは何も土地だけに限らず、事務所をテナントとして借りている場合にも同じことが言えます。

では、土地や建物を自前で購入するのと、賃借するのではどちらが有利でしょうか？

建物と土地では判断基準が違う

その検討にあたっては、“経費”と“キャッシュフロー”の２つの面から考える必要があります。建物を購入した場合には、時の経過や事業利用することで物理的な劣化や価値の減少が生じるために、その価値の目減り分を「**減価償却費**」として費用に落とすことができます。仮に3 000万円で建物を購入したとすると、耐用年数が30年であるならば、30年間にわたって毎年100万円ずつ減価償却費として費用計上することができるので、その分、節税につながります。

一方で、土地については建物のような減価償却を行なうことはできません。土地は建物と異なり、時の経過や事業利用による劣化や価値の消耗といったことがないため、減価償却の対象とはならず、購入費用を経費として計上することができません。そのため、仮に4 000万円で土地を購入すると、購入した価格のまま帳簿上に財産として計上されるだけで、節税には役立ちません。

また、キャッシュフロー面においても、購入資金の4 000万円は、売却しない限りそのままの価格で資金が固定化して、減価償却を通じた費用化ができないことによる税負担の上昇もあり、資金繰りにマイナスの影響を生じさせることになります。

これらのデメリットを踏まえると、土地は賃借するほうが経営上のリスクが少ないと言えます。また賃借であれば、事業の状況に応じて適切な土地に移転できるなどの柔軟性もあります。しかしながら土地を自前で取得することは、自身の財産形成につながるメリットがあるので、資金繰りにゆとりがあれば、自前で土地を購入するという選択肢もあるでしょう。

7章

確定申告で節税する方法

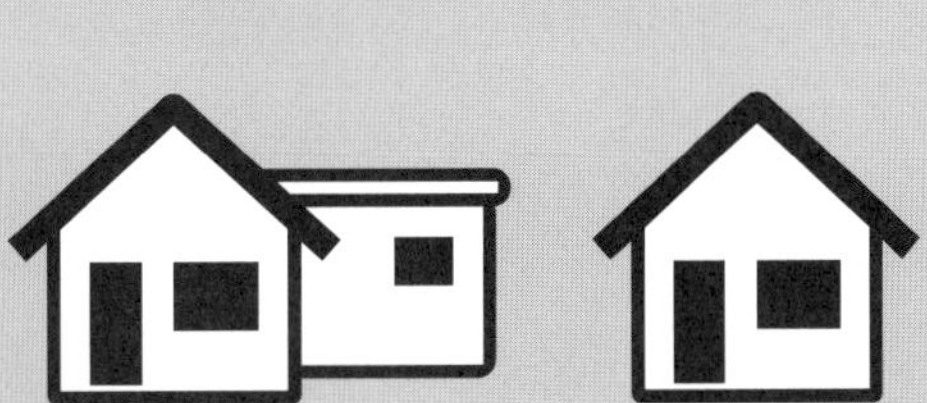

1 所得控除を活用する

■所得控除とは何か

基本的な考え方として、税金は個人ごとの事情に応じた公平な負担になるように配慮されています。

たとえば、年収５００万円のサラリーマン男性が２人いて、Ａさんは独身、Ｂさんは専業主婦の奥さんと子供２人の４人家族だとします。この場合、同じ年収だからといって、同じ金額の税金を負担させるのは公平と言えるでしょうか?

一般的に考えた場合、独り暮らしのＡさんは、毎月支払いが必要となる生活費は少なくてすみ、自分で自由にできるお金の余裕は比較的あると思われます。

一方、奥さんと子供２人を養うＢさんは、食費や住居費、子供の教育費など、毎月必要となる生活費はＡさんと比べると多額になり、同じ給料であっても自由にできるお金は限られてくるはずです。

そこで、養う家族がいるＢさんに対しては税金を軽減し、負担できる能力に応じた配慮をすることで課税の公平性が保たれます。

このような各人の事情に応じて税負担を軽くするための制度が**所得控除**です。

この所得控除にどんなものがあるか知らなかったために、控除を受けずに税金で損をしていた、ということもあります。所得控除を漏れなく活用することで節税につなげましょう。

■所得控除の種類

所得控除は税金計算において、売上げから経費を引いて計算した儲け（所得）から、さらに差し引く（控除する）ものになります。この所得控除は社会政策的な配慮による物的控除項目と、個人的事情への配慮による人的控除項目から成り、合わせて以下の15種類があります。

〈物的控除項目〉①雑損控除、②医療費控除、③社会保険料控除、④小規模企業共済等掛金控除、⑤生命保険料控除、⑥地震保険料控除、⑦寄附金控除

〈人的控除項目〉⑧障害者控除、⑨寡婦控除、⑩ひとり親控除、⑪勤労学生控除、⑫配偶者控除、⑬配偶者特別控除、⑭扶養控除、⑮基礎控除

14種類ある所得控除

	控除項目	適用されるケース
物的控除	雑損控除	災害、盗難、横領により、財産について損害を受けた場合
	医療費控除	自己や生活をともにする家族のために医療費を一定額以上支払った場合
	社会保険料控除	自己や生活をともにする家族の負担すべき社会保険料を支払った場合
	小規模企業共済等掛金控除	小規模企業共済の掛金や確定拠出年金法に規定する個人型年金（iDeCo）の掛金を支払った場合
	生命保険料控除	生命保険料、介護医療保険料および個人年金保険料を支払った場合
	地震保険料控除	損害保険契約等に係る地震等損害部分の保険料や掛金を支払った場合
	寄附金控除	国や地方公共団体、特定公益増進法人などに対し寄附金を支払った場合
人的控除	障害者控除	自己や扶養親族が所得税法上の障害者に該当する場合
	寡婦控除	夫と死別し、または離婚した後、婚姻をしていないなど、所得税法上の寡婦に該当する場合
	ひとり親控除	未婚で、事実婚の相手もおらず、扶養する子がいる場合
	勤労学生控除	中学・高校・大学などの学生でありながら、給与所得などの勤労による所得がある場合
	配偶者控除	年間の合計所得金額が 48 万円以下（給与のみなら給与収入 103 万円以下）の配偶者がある場合
	配偶者特別控除	年間の合計所得金額が 48 万円超 133 万円以下の配偶者がある場合
	扶養控除	12 月 31 日時点で 16 歳以上、かつ年間の合計所得金額が 48 万円以下の扶養親族がある場合
	基礎控除	すべての納税者に対して適用される（ただし、本人の合計所得金額が2,400万円超の場合は制限あり）

2 損失がある場合は税金が安くなる

雑損控除とは？

日々の暮らしでは、ときに予期しない災害やトラブルに遭うこともあります。たとえば、台風などの自然災害により自宅などが被災し、修繕のために多額の費用が生じた場合、さらに税金を納めることは酷なことと言えます。そこで、災害や盗難などによって、生活するのに必要な財産に損害を受けた場合には、税金の負担を軽減するために「**雑損控除**」という制度が設けられています。

対象とする損害の原因は限られており、震災や風水害などの自然災害の他、盗難・横領といった人為的なものも含まれます。ただし、詐欺や恐喝は対象外です。

また対象となる資産は、生活に通常必要な住宅や家具・衣類などです。この控除は、あくまで被災等による生活困窮に対し、税金の負担を軽減することを目的としているので、贅沢品とされる書画・骨董品・貴金属や別荘などは被災で損失が生じても、対象外になります。

雑損控除の対象となる財産は本人の所有物だけに限らず、扶養する家族のものも含まれます。

なお、事業を行なっている店舗などが災害で被害を受けた場合には、その損失は通常、事業所得の必要経費に計上されることから、雑損控除の対象外となります。

控除される金額の計算方法

控除額を計算するには、まず発生した損失金額を計算する必要があります。雑損控除の対象となる損失金額（「**差引損失額**」と言う）は、損害を受けた金額と災害に関連して生じた費用（被害を受けた住宅・家財などの取り壊しや除去するための費用）の合計額から、災害などに関して受け取った保険金や損害賠償金などの収入を差し引いた金額になります。なお損害金額は、損害を受けたときの直前における資産の時価を基に計算します。

控除できる金額は、差引損失額から総所得金額の10％を引いた金額と、災害関連支出金額から5万円を引いた金額のいずれか多いほうの金額となります。

もし損失額をその年の所得から控除しきれない場合は、翌年以後に損失を繰り越して（3年間が限度）、控除を受けることができます。

「雑損控除」の計算方法

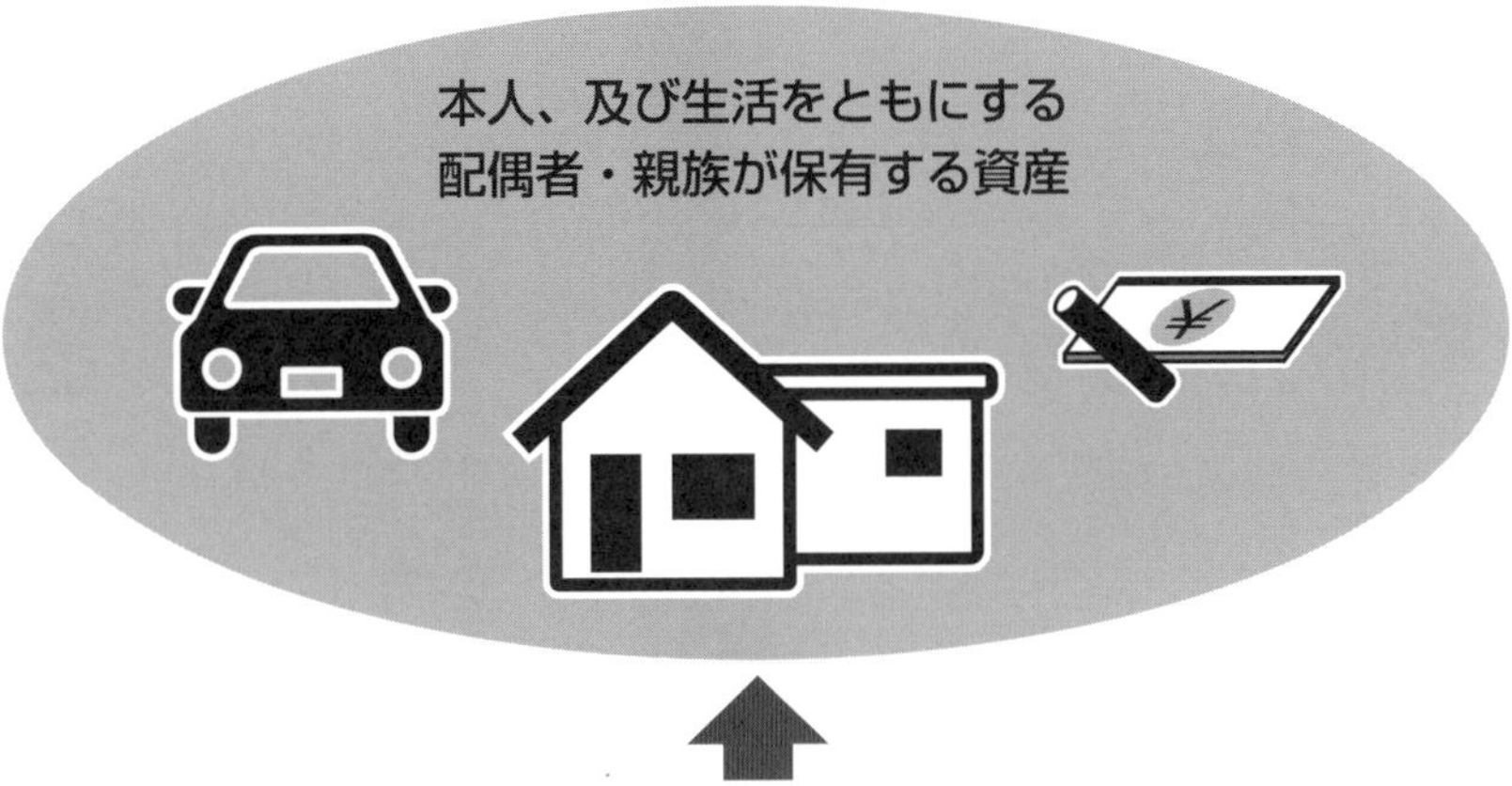

損害の原因

- ▶震災、風水害、冷害、雪害、落雷など、自然現象の異変による災害
- ▶火災、火薬類の爆発など、人為による異常な災害
- ▶害虫などの生物による異常な災害
- ▶盗難　▶横領

※ 詐欺や恐喝による損害は対象外

控除できる金額

まず、損失金額を計算する

　　損害金額
＋ 災害等に関連したやむを得ない支出の金額(注)
－ 保険金などにより補てんされる金額

＝ 差引損失額

(注)「災害等に関連したやむを得ない支出の金額」とは、災害に関連して生じた費用(「災害関連支出の金額」)に加え、盗難や横領により損害を受けた資産の原状回復のために支出した金額を言う

次の2つのうち、いずれか多いほうの金額が雑損控除額となる

① 差引損失額 － 総所得金額×10％
② 差引損失額のうち災害関連支出の金額 － 5万円

3 家族の医療費をまとめて節税する

医療費控除とは？

その年の医療費の支払いが多額にのぼる場合、負担した医療費を所得から差し引くことで、税金の負担を和らげることができます。これを「**医療費控除**」と言います。

対象となる医療費は、自分だけの医療費に限りません。生計を一にする家族の医療費も含まれます。「生計を一にする」とは、生活するうえでの財布が一つであるということです。

そのため、必ずしも同居している家族だけに限らず、たとえば学校への修学のため独り暮らしをしている子供や、地方などに離れて住む両親についても、生活費等の仕送りをしている場合には、生計を一にする家族として控除の対象に含めることができます。

なお、対象の医療費はその年の1月1日から12月31日までの間に実際に支払ったものに限られ、年末近くに受診したものの、医療費の支払いは年明けになった場合は、その年の控除対象にはなりません（支払った年の医療費控除の対象になる）。

医療費控除の計算方法

所得から控除される医療費控除の金額は、その年に実際に負担した金額です。そのため、生命保険などに加入していて、保険会社から入院給付金などの保険金収入がある場合や、国民健康保険などの健康保険から、高額療養費等の支給を受けている場合には、受け取った金額を支払った医療費から差し引く必要があります。

そのうえで、実際に負担した医療費の合計額が10万円を超える場合には、その超える金額が医療費控除として所得から控除される金額になります。

なお、この足切り額の10万円は、その年の総所得金額が２００万円未満の場合には、その５％の金額となります。たとえば、その年の総所得金額が１８０万円であれば、１８０万円の５％である９万円が足切り額となり、９万円を超える金額が医療費控除の金額となります。

10万円を超えなければ医療費控除は受けられないとよく言われますが、所得が２００万円未満の場合は、その足切り額が引き下げられるので注意が必要です。

「医療費控除」の計算方法

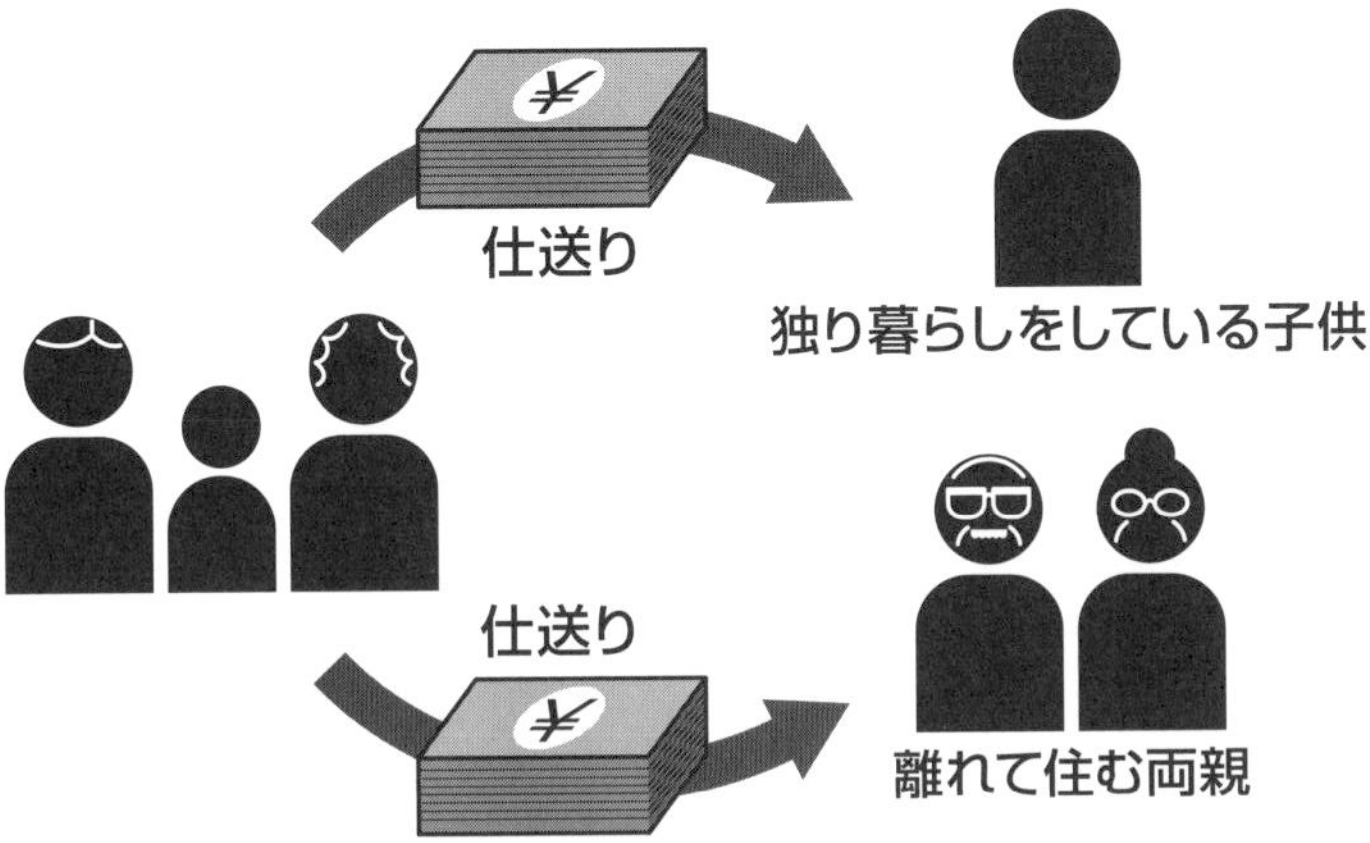

これら離れて住む家族が支払った医療費も
控除に含めることができる

※その年12月末までに実際に支払った医療費が対象となる
（受診は年内でも医療費の支払いが年明けなら、翌年の控除対象になる）

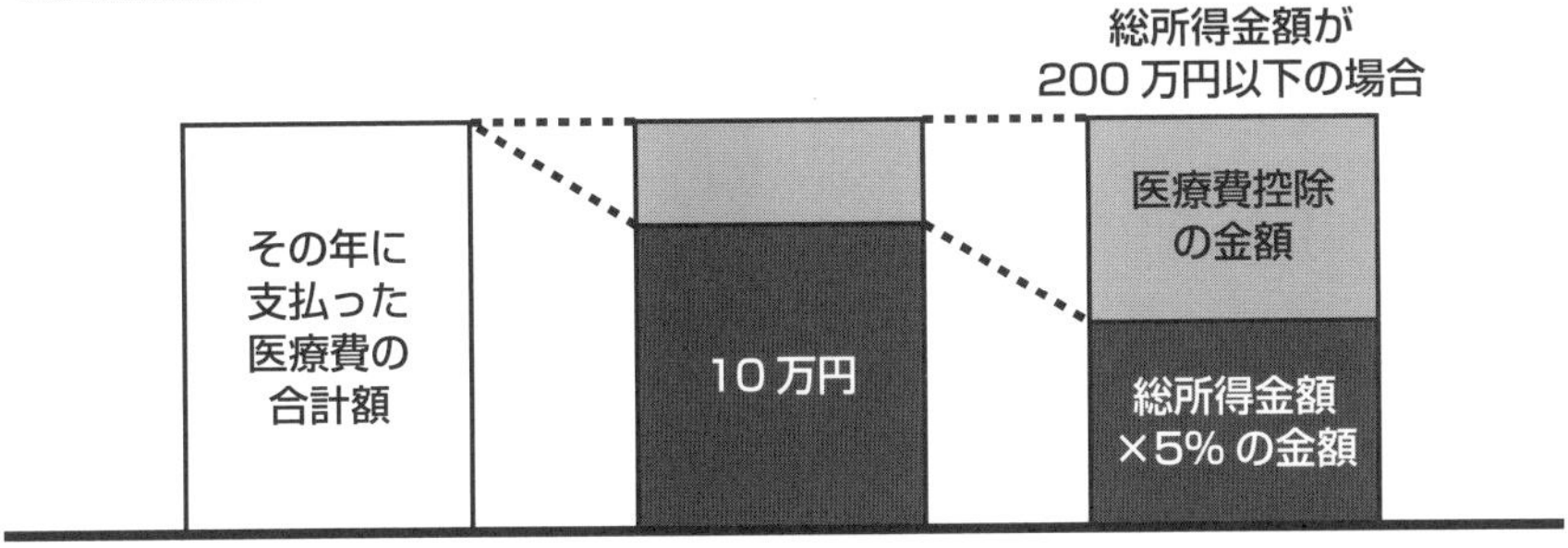

- ▶医療費控除の足切り額は10万円と、総所得金額×5%のいずれか少ないほうの金額となる
- ▶総所得金額が200万円未満の場合は足切り額は10万円を下回る

4 寄附金で税金が安くなる

寄附をすると税金が戻ってくる

事業を行なっている人の中には、住んでいる地域がよりよくなるよう、慈善団体などに寄附をしている人が多くいます。寄附をした場合、事業の必要経費とはならないものの、一定の寄附金については、所得控除または税額控除によって所得税の節税をすることができます。

寄附金控除（所得控除）で節税する

しかし、寄附金であれば何でも節税の対象となるわけではなく、所得控除の対象となる寄附金はあらかじめ決められています。

対象となる寄附金としては、国や都道府県・市町村への寄附金があります。例として公立図書館や公立高校への寄附金（学校の入学に関してするものは除かれる）などが挙げられます。また公益社団法人・公益財団法人に対する寄附金のうち、財務大臣が指定したものも対象となります。たとえば、国宝の修復やオリンピックの開催、赤い羽根募金、国立大学法人の教育研究に対する寄附金などが該当します。その他、日本赤十字社や学校法人、社会福祉法人や認定ＮＰＯ法人、政党または政治資金団体への寄附金も対象となります。

控除の対象となるかどうかは、寄附先が交付する、確定申告書に添付するための受領証や証明書により通常は確認することができます。支出した寄附金のうち、所得控除の金額となるのは、その年に支出した寄附金の合計額から２０００円を引いた金額になります。

寄附金特別控除（税額控除）で節税する

寄附金控除の対象となる寄附金のうち、政党または政治資金団体に対する寄附金、認定ＮＰＯ法人への寄附金、公益社団法人への寄附金については、所得控除に代えて税額控除を受けることも選択できます。

税額控除では、支出した寄附金から２０００円を引いた金額に40％（政党等への寄附金は30％）を乗じた金額を所得税から控除することになります。

所得金額から差し引きする所得控除よりも、所得税額から直接税額を差し引きする税額控除のほうが、通常は節税メリットが大きいと言えます。

「寄附金控除」の基本知識

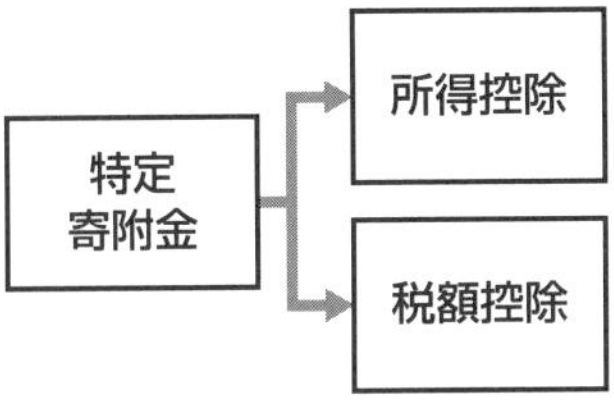

次の3つの寄附金については、所得控除と税額控除のどちらか有利なほうを選ぶことができる

- ▶政党もしくは政治資金団体に対する寄附金
- ▶認定NPO法人に対する寄附金
- ▶公益社団法人等に対する寄附金

寄附金控除（所得控除）の計算方法

その年に支出した特定寄附金の合計額 − 2000円 ＝ 寄附金控除額

※ 特定寄附金の合計額はその年の総所得金額×40%を限度とする

特定寄附金の範囲

- **●国、地方公共団体に対する寄附金**
  ▶ふるさと納税、公立図書館・公立高校への寄附金など
- **●公益社団法人、公益財団法人等に対する寄附金**
  ▶国宝の修復、オリンピックの開催、赤い羽根募金への寄附金など
- **●所得税法に定める特定公益増進法人に対する寄附金**
  ▶日本赤十字社、学校法人、社会福祉法人への寄附金など
- **●一定の特定公益信託の信託財産として支出した金銭**
- **●政治活動に関する寄附金のうち一定のもの**
- **●認定NPO法人に対する寄附金のうち一定のもの　など**

寄附金特別控除（税額控除）の計算方法

（その年に支出した認定NPO法人等への寄附金合計（※1）
− 2000円）× 40%（※2）
＝ 税額控除額（※3）

※1：寄附金の合計額はその年の総所得金額×40%を限度とする
※2：政党等への寄附金の場合は30%
※3：税額控除額はその年分の所得税額の25%を限度とする

5 住宅ローンで節税する①住宅ローン控除

住宅ローン控除とは？

銀行などから住宅ローンの借入をして、マイホームの購入や新築した場合には、年末時点における住宅ローンの残高に応じて所得税の控除（税額控除）を受けることができます。これを「**住宅ローン控除**」と言います。

住宅ローン控除を受けるためには、単に住宅ローンを組めばいいだけではありません。次の要件を満たす必要があるので注意が必要です。

①新築物件であること。中古物件の場合は、マンションなどの耐火建築物（鉄筋コンクリートまたは鉄筋鉄骨コンクリート造等）は築25年以内、耐火建築物以外なら築20年以内の物件であること。

②購入してから６ヶ月以内に住所を移して実際に住んでいること。別荘やセカンドハウスの購入においては控除の適用はありません。

③住宅ローン控除を受ける年の合計所得金額（事業の儲け以外に給与収入や家賃収入などがある場合はそれらを合計した所得金額）が３０００万円以下であること。

④購入したマイホームの床面積が50㎡以上（登記簿謄本に記載されている床面積で判断する）あり、床面積の２分の１以上の部分を居住用として利用するものであること。

⑤住宅ローンの返済期間が10年以上であること。

⑥住宅を購入した年と、その年の前後２年ずつの５年間において、居住用不動産を売却して譲渡所得における税金の優遇措置を受けていないこと。

住宅ローン控除の計算方法

住宅ローン控除における税金の控除額は、年末時点の住宅ローン残高に対して１％を乗じた金額になります（ただし、控除額は40万円が上限になる）。たとえば、その年の住宅ローン残高が３０００万円なら、その１％である30万円が控除額となります。また住宅ローン控除は、住宅取得から最長10年間受けることができます。

なお、購入や建築した住宅が長期優良住宅や低炭素住宅として認定を受けたものである場合は、控除額の上限が50万円に増額されます。

「住宅ローン控除」の基本知識

●新築物件
●中古物件では次のいずれかであること
▶耐火建築物：築25年以内
▶耐火建築物以外：築20年以内
●床面積が50㎡以上あること
●2分の1以上が居住用であること

●住宅ローンの返済期間が10年以上であること

▶購入してから6ヶ月以内に住所を移して実際に住んでいること
▶住宅ローン控除を受ける年の合計所得金額が3000万円以下であること
▶住宅取得の年とその前後2年間において、居住用不動産を売却して譲渡所得の優遇措置を受けていないこと

住宅ローン控除の計算方法

住宅ローンの年末残高× 1% ＝住宅ローン控除の税額控除額
控除額は40万円が上限。ただし長期優良住宅や低炭素住宅の場合は50万円

※住宅ローンの年末残高が住宅の購入価額より大きい場合は、住宅の購入価額×1%で控除額を計算する

※本書は2021年4月1日現在の法令に基づいています。本書の増刷時点（2024年11月）においては下記の通り改正されているため、最新の制度内容を確認くださるようお願いします。

・新築物件は、一定の省エネ基準に適合する物件だけが対象
・中古物件は、昭和57年1月1日以後に建築、又は一定の耐震基準に適合するものが対象
・控除率：1% → 0.7%
・控除額：上限40万円 → 上限14万円～35万円（新築又は中古、住宅の省エネ性能、及び子育て世帯等の区分に応じて異なる）
・控除を受ける年の合計所得金額：3,000万円以下 → 2,000万円以下

6 住宅ローンで節税する②賢い住宅ローンの組み方

店舗併用住宅で控除を受ける

事業をしている人の場合、1階が店舗で2階部分が自宅といった、自宅と店舗が一緒になった建物を取得するケースもあると思いますが、このような店舗併用住宅にも住宅ローン控除は適用されます。

ただし、店舗併用住宅で住宅ローン控除を受ける場合は、建物の床面積の2分の1以上が住宅部分であることが要件となります。ですから、建物の設計段階で店舗部分の床面積が全体の2分の1未満になっているかどうかを確認してください。

なお控除は、年末時点の住宅ローン残高のうち、住宅部分の残高に対してのみ適用されます。たとえば、床面積のうち店舗部分が3分の1、住宅部分が3分の2である店舗併用住宅において、年末時点の住宅ローン残高が3000万円であれば、住宅部分の割合である3分の2を乗じた2000万円が控除の対象となります。

住宅ローンの組み方を工夫する

住宅ローン控除の適用があっても、所得税から引ききれずに控除額を余してしまうのでは、節税メリットを十分に活かしていないと言えます。もし、夫婦ともに収入があるのなら、住宅の持分を夫婦共有にして、2人で住宅ローンの借入を行なえば、それぞれ住宅ローン控除を受けることができます。この場合、収入が多いほうに住宅の持分と住宅ローンが多くなるようにすると、払う所得税と住宅ローン控除額がバランスよくなります。

また、住宅取得の際には、ある程度の頭金を支払って、残り部分を住宅ローンで支払うのが一般的ですが、あえて頭金を少なくして住宅ローンを大きくすれば、住宅ローン控除の金額が大きくなり節税になります。

事業を行なっている場合、住宅取得の頭金にする貯蓄があるなら、頭金を減らした分を事業用の運転資金に活用すれば、住宅ローンの低金利で資金調達したのと同じになり、さらに借入金額の1%相当の住宅ローン控除の節税メリットも受けられます。最初に頭金を抑えた分は住宅ローン控除を受け終える10年経過後に繰り上げ返済するなど、計画性を持つことで節税につながります。

事業をしている人の住宅ローン控除

店舗併用住宅の場合

※本書は2021年4月1日現在の法令に基づいています。本書の増刷時点（2024年11月）において控除率は0.7%に改正されています。

● 建物床面積の2分の1以上が住宅部分であること

住宅ローンの年末残高 × 住宅部分の床面積割合 ×1%
= 店舗併用住宅における住宅ローン控除の税額控除額

※住宅部分の床面積割合 = 住宅部分の延床面積 ÷ 建物全体の延床面積

夫婦共働きの場合

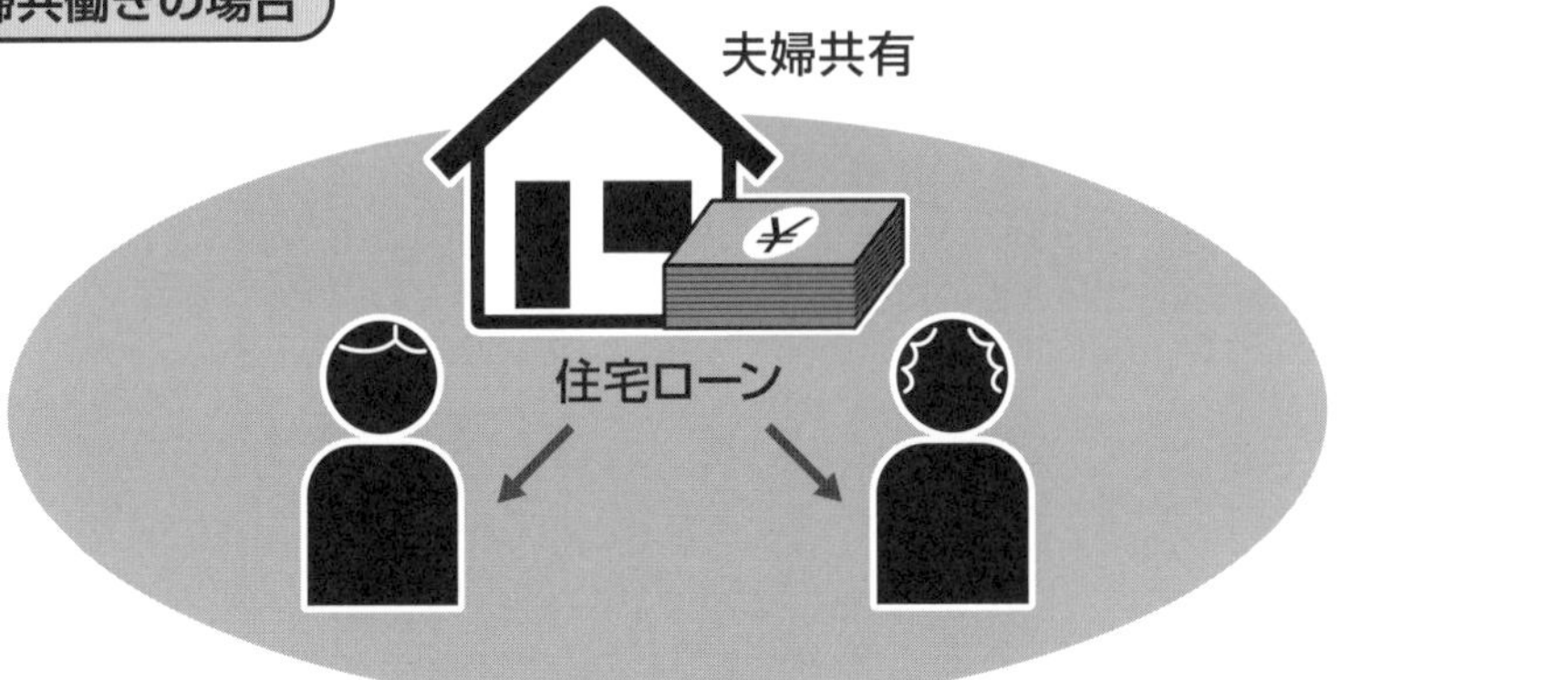

夫婦共働きなら、住宅持分を夫婦共有にして
2人で住宅ローンの借入をすることで、それぞれで
住宅ローン控除を受けることができる
（収入が多いほうに住宅持分とローン残高を多く
なるようにすると節税になる）

7 自宅のリフォーム工事で節税する①増改築工事

増改築等でも住宅ローン控除がある

住宅ローンの借入を利用して、自宅の増改築やバリアフリー改修工事、省エネ改修工事などを行なった場合にも住宅ローン控除の適用が受けられます。

自身が居住する自己所有の家屋について行なう増改築工事で、その工事費用が100万円を超えているものが対象となります。そのため、賃借して住んでいる家屋の工事や、自己所有であっても別荘や賃貸用物件などの増改築工事については適用がありません。

また、店舗併用住宅等の工事の場合は、工事費用の2分の1以上が居住用部分の金額である必要があります。

増改築での住宅ローン控除適用の要件

適用対象となる増改築工事は次のいずれかとなります。

①家屋の壁・床・屋根または階段等のいずれか一つ以上に対して行なう過半の修繕・模様替え。

②マンション等について、自身が区分所有する部分の床、階段または壁の過半に対して行なう修繕・模様替えの工事。

③家屋のうち居室・キッチン・浴室・トイレ・洗面所・玄関または廊下等の床または壁の全部について行なう修繕・模様替えの工事。

大規模な修繕や模様替えの工事を行なうにあたって、工事期間中は一時的に住まいを別に移す場合には、増改築工事を終えた日から6ヶ月以内にまたその家屋に住居を戻すとともに、住宅ローン控除の適用を受ける各年の12月31日まで引き続いて居住している必要があります。

その他、借入を組む住宅ローンは返済期間が10年以上であることや、増改築工事を行なう自宅の床面積が50㎡以上であること、床面積の2分の1以上の部分が居住用として利用するものであることといった要件がありますが、これらは住宅を購入した場合の住宅ローン控除の要件と同じです。

増改築工事における住宅ローン控除は、工事を終えて居住した年から10年間控除を受けることができます。控除金額は各年の住宅ローンの年末残高に対して1%を乗じて計算した金額となります（ただし40万円が上限）。

リフォームでの住宅ローン控除

自宅の増改築工事を行なった場合

- ▶自己が居住する自己所有の家屋に対する増改築工事であること
（賃借して住んでいる住宅や、別荘や賃貸用物件は対象外）
- ▶工事費用が100万円を超えていること

- ▶家屋の壁・床・屋根または階段等のいずれか１つ以上に対して行なう過半の修繕・模様替えの工事であること
- ▶居室・キッチン・浴室・トイレ・洗面所・玄関または廊下等の床または壁の全部について行なう修繕・模様替えの工事であること

- ▶工事期間中、一時的に住まいを別に移す場合には、増改築工事を終えた日から６ヶ月以内にまたその家屋に住居を戻すとともに、住宅ローン控除の適用を受ける各年の12月31日まで引き続いて居住していること

増改築における住宅ローン控除の計算方法

増改築に係る住宅ローンの年末残高 ×1%
＝住宅ローン控除の税額控除額

※ 控除額は40万円が上限
その他の要件は通常の住宅ローン控除と同じ

※本書は2021年4月1日現在の法令に基づいています。本書の増刷時点（2024年11月）では、控除率は0.7%、控除額の上限は14万円に改正されています。最新の制度内容を確認くださるようお願いします。

8 自宅のリフォーム工事で節税する

②バリアフリー改修工事

■バリアフリー改修工事を行なった場合

住宅ローン等を利用して一定のバリアフリー改修工事を行なった場合にも、住宅ローン控除の適用があります。

対象となるのは、①50歳以上の人、②要介護または要支援の認定を受けている人、③所得税法上の障害者である人、④65歳以上または②もしくは③に該当する親族と同居する人、のいずれかとなり、対象となるバリアフリー改修工事は、次の工事とされています。

①車いすで容易に移動するための廊下の拡幅、②階段の勾配の緩和、③浴槽の出入りや身体の洗浄を容易にするための浴室改良、④排泄またはその介助を容易にするためのトイレ改良、⑤手すりの設置、⑥屋内の段差を解消する工事、⑦引き戸への取替え工事、⑧床表面の滑り止め化の工事等。

バリアフリー改修工事に要する費用は50万円を超えるものとされ、その工事費用のために借り入れる住宅ローンの返済期間は5年以上であることが要件となります。

なお、税額控除の金額は次のように計算されます。

A×2%+(B−A)×1%=控除額

A　住宅ローンの年末残高のうちバリアフリー改修工事費用の合計額（上限２５０万円）

B　住宅ローンの年末残高（最高１０００万円）

たとえば、自宅の改修のため４００万円の住宅ローン借入を行ない、そのうち１５０万円をバリアフリー工事にあてた場合には、バリアフリー工事費用の［１５０万円×２％］の３万円と、その他の改修費用［２５０万円（４００万円−１５０万円）×１％］の２万５０００円を合計した５万５０００円が控除額となります。

■省エネ改修工事を行なった場合

工事費用が50万円を超える省エネ改修工事を行なった場合にも、バリアフリー改修工事と同様の税額控除の適用があります。対象となる省エネ改修工事は、「居室のすべての窓の改修工事、またはその窓の改修工事と併せて行なう床の断熱工事」「天井の断熱工事もしくは壁の断熱工事」で、改修後の住宅全体の省エネ性能が一段階相当以上向上すると認められる内容である必要があります。

バリアフリー改修工事の住宅ローン控除

バリアフリー改修工事を行なった場合

次のいずれかに該当する人が対象

①本人の年齢が50歳以上
②介護保険法に規定する要介護または要支援の認定を受けている者
③所得税法上の障害者である者
④65歳以上の親族または上記②・③に該当する親族と常に同居している者

上記に該当する者が行なう次の工事で工事費用が50万円を超えるものが対象
（その工事費用に係る住宅ローンの返済期間は5年以上であること）

①車いすで容易に移動するための廊下の拡幅
②階段の勾配の緩和
③浴槽の出入りや身体の洗浄を容易にするための浴室改良
④排泄またはその介助を容易にするためのトイレ改良
⑤手すりの設置
⑥屋内の段差を解消する工事
⑦引き戸への取替え工事
⑧床表面の滑り止め化の工事　等

バリアフリー改修工事における税額控除額の計算

$A \times 2\% + (B - A) \times 1\% =$ 税額控除額

A：住宅ローンの年末残高のうちバリアフリー改修工事費用の合計額（上限250万円）
B：住宅ローンの年末残高（最高1000万円）

※本書は2021年4月1日現在の法令に基づいています。本書の増刷時点（2024年11月）において本制度は終了しているため、最新の制度内容を確認くださるようお願いします。

COLUMN 7

法人化するタイミング

個人と法人の損益分岐点

事業が順調に伸びてくると、売上規模の拡大とともに稼ぐ利益も大きくなってきます。儲けが大きくなると確定申告で納める税金も多額になるので、「もう少しうまく節税できないものか」と考えるのは当たり前のことです。

そこで、これまで個人事業であったものを「法人化して節税を図ろう」となるわけですが、法人化するにはどのようなタイミングがいいのでしょうか？

一般的には、所得税と法人税の税率を比較して、現在の所得金額について、法人成りした場合に税金が安くなる水準にまで至っているかどうかを判断の目安にします。

所得税の税率は累進課税方式が採用されていて、最低５％から最高 45％まで７段階の税率が設けられており、所得が大きくなるほど右肩上がりで税率も高くなるしくみになっています。一方で法人税は、所得金額が 800 万円までは 15％、800 万円を超える金額は 23.2％となっています。

所得税の税率は右肩上がりのラインを描きますが、法人税は横一線のラインを描くようなイメージとなり、この両者のラインの交わるポイントが所得税と法人税における損得の分岐点です。

「信用力」と「手間」のバランス

なお、負担する税金は、個人であれば所得税の他に、地方税である**住民税**と**個人事業税**があり、法人においても、**法人住民税**や**法人事業税**などがあるため、単純に所得税と法人税だけの税率比較ではなく、これら地方税部分も含めて所得に対して課される実際の税負担率を勘案する必要があります。

地方税分も加味した場合、税率の分岐点としては、概ね 600 万円から 700 万円あたりになると考えられます。そのため、現状、個人事業として稼いでいる所得が 600 万円を超えてくるようになれば、法人成りを検討する段階に入ったと言えます。

ただし、これはあくまで１つの目安です。所得がこの水準に至らなくても、法人化による社会的な信用力アップ等のビジネス面でのメリットを考えて、早い段階から法人にする考え方もあります。また所得水準が 600 万円を超えていても、法人化による様々な手間負担を避けるために、あえて個人のままでいる選択肢もあります。法人化するかどうかは、事業への影響も踏まえて総合的に判断するようにしましょう。

8章

会社をつくって節税する方法

1 「法人成り」のメリットとデメリット

会社にすると何が変わるのか

　商売が順調に発展して売上規模が拡大し、従業員の人数も増えてくると、「そろそろうちも個人事業のままではなく、法人化したほうがいいのかな?」と考える経営者も少なくありません。会社を設立し、今まで社長の個人名義で営んできた商売を会社名義に移行して事業を行なうことを「**法人成り**」と言います。

　私たち個人のことを「自然人」と言うのに対し、会社は法律上の人格が与えられることで、私たちと同様に権利を有し、義務を負う存在となることから「法人」と呼ばれます。法人は事業主個人とは別個の存在、いわば他人と同じです。社長の財産が社長個人のものであるのと同様に、会社の財産は会社固有のものとなります。

　そのため、これまでは屋号を用いて事業を行なっていたとしても、事業用の銀行口座の開設や店舗の賃貸借契約などは事業主個人の名前で契約する必要がありましたが、法人化すると会社の名前で様々な契約を結ぶことが可能になります。

どんなメリット・デメリットがあるのか

　法人化する一番のメリットは、やはり節税です。個人ではできない節税策が法人では可能だったり、法人でのみ認められる経費があるなど、節税の方法も大きく広がります。また納める税金の種類も変わり、個人では所得税であったのが、**法人税**になります。法人税の特徴として、所得税との違いで挙げられるのが税率です。

　所得税は所得が多くなるほど税率も高くなりますが、法人税は一定の税率です。そのため、所得が多い人は法人化して税金を法人税で納めるようにするだけでも税率差で節税できることになります。

　このようなメリットがありますが、一方でデメリットもあります。たとえば、個人事業では事業用の預金でも私的に使えましたが、会社の預金は会社のものなので、社長の私的利用はできません。また法人は社会保険に強制加入のため社会保険料負担が増える他、赤字でも**均等割**という税金の負担があります。その他、税金の確定申告が複雑で手間が掛かる点も挙げられます。

個人事業から会社に変わると……

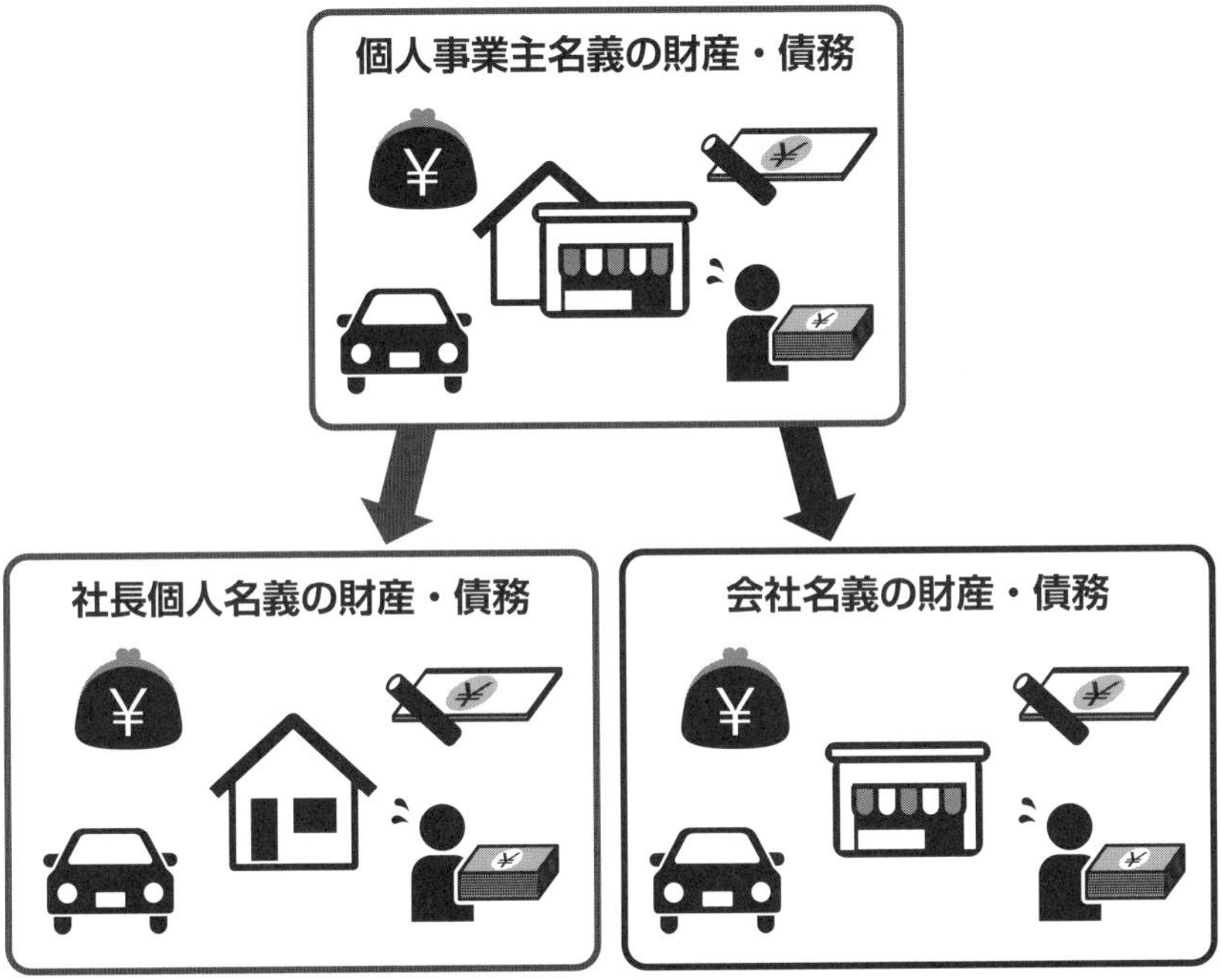

会社にすると、すべて個人名義のものとは別個に管理することになる

法人成りのメリット	法人成りのデメリット
▶所得が多くなっても税率は一定 ▶法人でのみ認められる経費がある ▶社長や家族への給与で節税できる ▶赤字の繰越が個人よりも長い etc.	▶会社と個人の財布を明確に分けるため、私的利用はできない ▶社会保険料の負担が増える ▶ 赤字でも均等割の納付は必ずある ▶ 確定申告が複雑で手間が掛かる ▶ 個人では安価・無料だったサービスなどが法人では高価・有料になる etc.

2 会社も青色申告でグッと節税できる

青色申告で得られる節税メリット

個人の確定申告において青色申告と白色申告があったように、法人でも青色と白色の確定申告があります。

青色申告の大きなメリットの一つとして挙げられるのが「**欠損金の繰越控除**」です。設立間もない会社で、これから事業を軌道に乗せていこうというビジネスの立ち上げ時期では、初期投資の費用負担や売上げがまだ十分に立たないことなどにより、赤字になることも多くあります。また事業が軌道に乗った後でも、会社を長く経営していれば、景気の波や様々な要因により、大きな損失が生じて赤字になってしまうこともあるでしょう。

このように会社が赤字を出した場合、青色申告を行なっていれば、赤字を翌年度以降10年間にわたって繰り越し、将来10年間のうちに黒字の年度があれば、その黒字と相殺させることで節税することができます。これを「欠損金の繰越控除」と言います（なお、平成30年3月31日以前に開始する事業年度において生じた赤字の繰越期間は9年間となる）。

また、赤字が生じた年度の前年が黒字で法人税を支払っている場合、生じた赤字を翌年度に繰り越すことに代えて、前年の黒字と相殺して、前期に納付した法人税の還付を受けることもできます。

その他、工具器具備品や機械などの減価償却資産の購入においても、購入時に全額費用にできるのは通常、購入価格が10万円未満ですが、青色申告であれば、30万円未満となります。これら以外にも青色申告にはさまざまな税金上の特典が設けられています。

青色申告では帳簿の作成保管が必須

多くの節税メリットがある青色申告ですが、一方で、複式簿記による帳簿書類の作成と保管が義務づけられています。この帳簿書類は「欠損金の繰越控除」の期間と同じく10年間保存する必要があります。帳簿作成は手間が掛かるものですが、適正に記帳された帳簿記録と取引を証明する証憑資料があることで、税務調査において調査官の推計計算による独断での課税を禁止し、税務調査で不利な扱いを受けることを防ぐ効果があります。

青色申告の節税メリット

欠損金の繰越控除

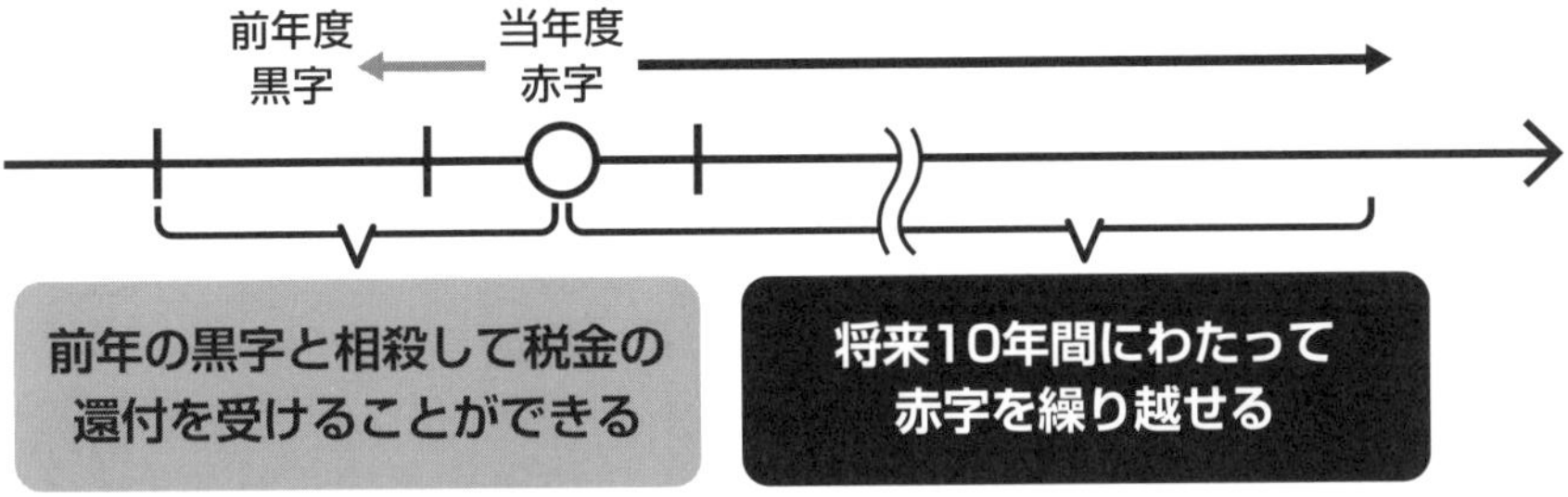
前年度
黒字
当年度
赤字
前年の黒字と相殺して税金の還付を受けることができる
将来10年間にわたって赤字を繰り越せる

特別償却制度・税額控除制度

購入価格が30万円未満のものは購入時に全額経費にできる

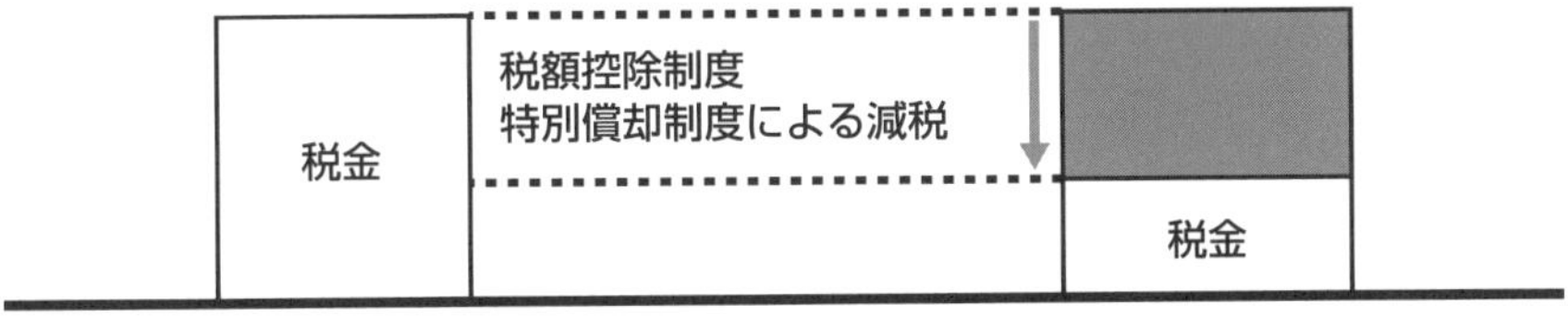
税金
税額控除制度
特別償却制度による減税
税金

さまざまな特典により、税金を安くすることができる

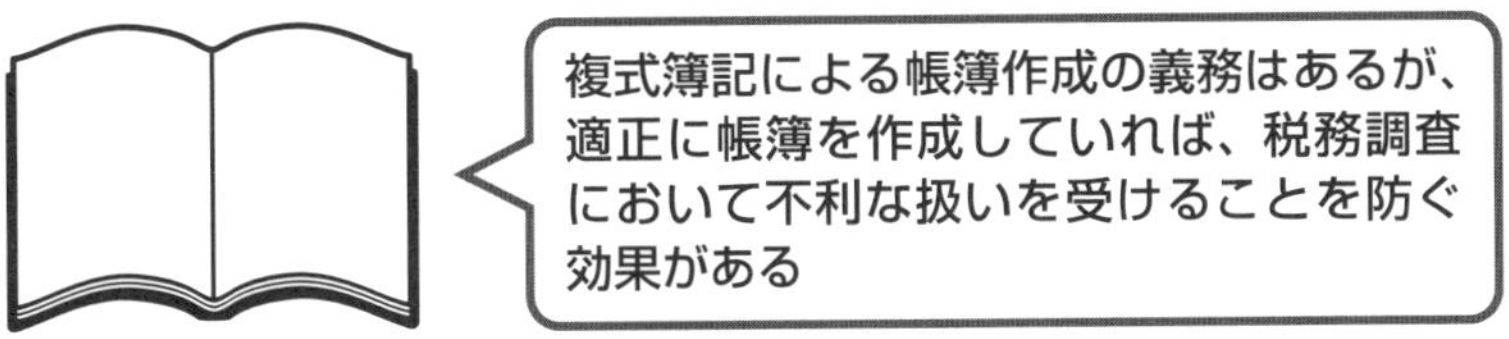
複式簿記による帳簿作成の義務はあるが、適正に帳簿を作成していれば、税務調査において不利な扱いを受けることを防ぐ効果がある

3 役員給与で節税する方法①社長の給与の扱い

会社にすると社長の給与が経費になる

個人事業では従業員に対する給与が経費になるのは当然として、一定の要件を満たしていれば、家族の給与も経費にすることができます。

同じように、社長自身の給与分として毎月定額を事業用の預金口座から家事用口座へ振り込んでいる場合に、社長自身の給与は経費にできないのか、と疑問に思う人もいるかもしれません。

結論から言うと、所得税の計算では、事業主が自分自身に支払った給与は経費になりません。実際には事業主の財布の中でお金が移動しただけなので、経費にならないのも当然と言えます。個人事業主は、売上げから仕入や従業員給与などの経費を差し引いた、儲け部分を事業主の所得として税金計算を行なうことになります。

一方、法人成りした場合には、社長の給与も経費になります。法人は社長個人とは別個の存在であり、税金計算も法人と社長個人とは別個のものとして行なわれます。そのため、法人の財布から支払われた社長の給与は、法人の税金計算において経費として認められるわけです。

会社になれば社長の税金が安くなる

法人成りで社長が会社から給与をもらう立場になると、社長の税金計算も個人事業主の場合とは変わります。

法人成りすると、会社から支給された給与が社長の所得（給与所得）となり、従業員と同じように給与所得者として税金計算が行なわれることになります。

このように社長の所得の種類が、事業所得から給与所得に変わると、給与所得では給与所得控除の適用があることから、儲けの金額が同じであっても、事業所得で負担する場合の税金より少なくなります。

たとえば、個人事業の儲けが６００万円であった場合、事業所得に対する所得税は54万６５００円になります。

一方で法人成りしたケースでは、会社の儲けとして計上された６００万円をそのまま全額、社長の給与とした場合、この給与所得に対する所得税は34万８５００円となり、同じ儲けであっても、社長に対する税金は20万円ほど安くなります。

「個人事業」と「法人」の社長の税金計算

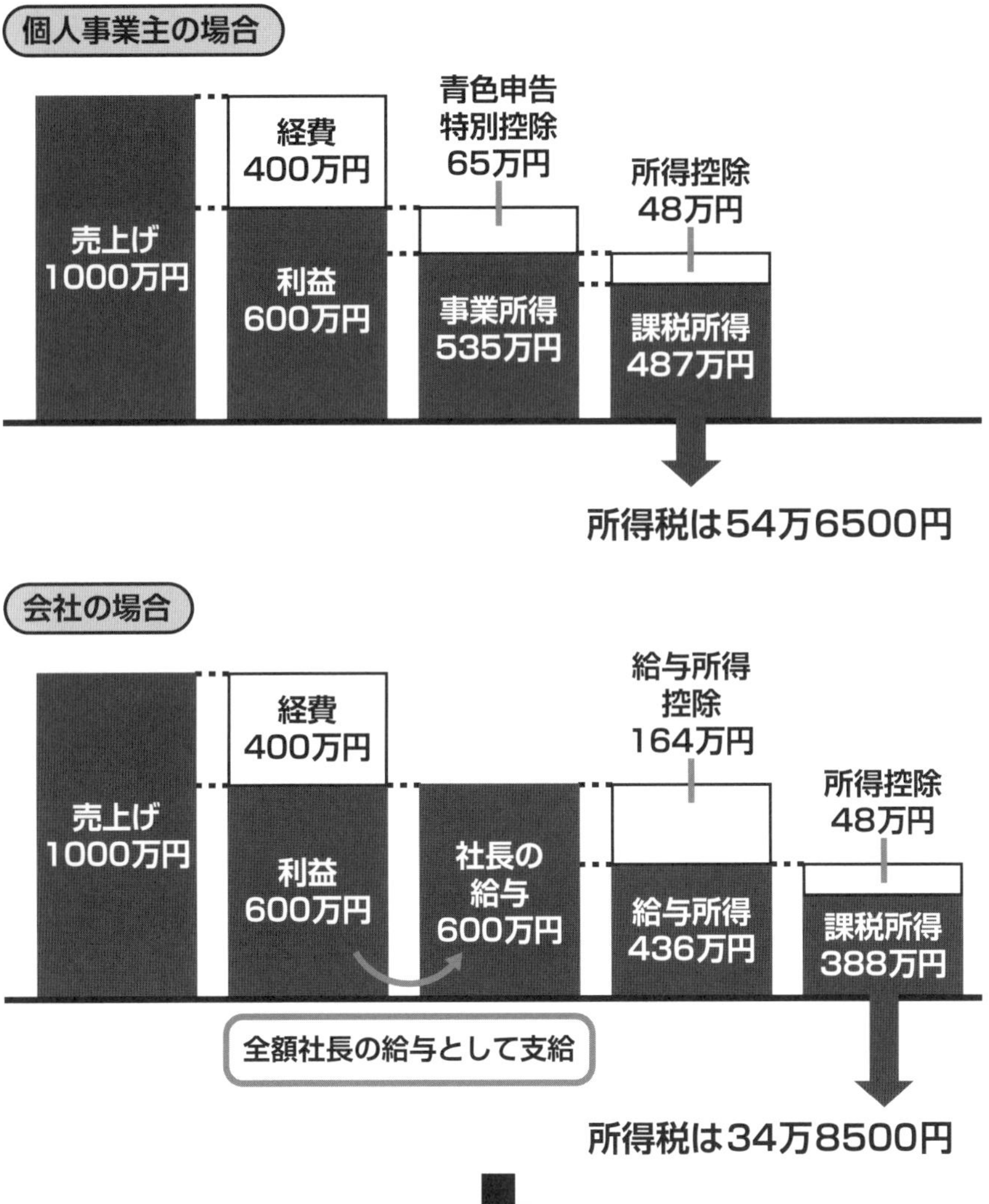

会社にして社長に給与を払ったほうが税金が安くなる

4 役員給与で節税する方法②家族への給与の扱い

家族への給与と所得控除で節税できる

個人事業においては、生活をともにする家族に対する給与は原則として経費にはなりません。例外として、青色申告を行ない、「青色事業専従者給与に関する届出書」を税務署へ提出し、かつその届け出た金額の範囲内で支給された給与についてのみ、経費として認められます。

また、その家族が他に職業を持ち、片手間で事業を手伝っている場合や、その年を通じて6ヶ月を超える期間、事業に従事していないときには経費として認められないなど、個人事業において家族への給与を経費とするにはいろいろと制約がありました。

しかし法人成りすると、会社から社長の家族に支給する給与について個人事業のような制約はないため、家族への給与も支給しやすくなるメリットがあります。

たとえば、奥さんが平日には他で勤務しており、週末などの空いた時間に会社の経理作業を手伝っているような場合、個人事業では奥さんがその事業に「専ら従事していない」ために、給与を支給しても経費には認められなかったのが、法人の場合には、仕事内容に見合った給与であれば当然に経費になります。

また、個人事業では家族に給与を支給した場合、その家族は控除対象配偶者や扶養親族にはなれませんが、法人成りした場合には、家族が会社から給与を受け取っていたとしても、その年の所得要件を満たす限り配偶者控除や扶養控除の適用を受けることができます。

このように、法人成りすると家族の給与を会社の経費に計上しつつ、社長の税金計算においては配偶者控除や扶養控除の適用があるといった節税メリットが受けられるようになります。

年間98万円までの給与なら節税になる

社長の家族が会社から支給された給与も、一定額を超えると税金が掛かります。そのため、給与の税金が生じないで、かつ配偶者控除等の適用がある範囲の給与額とすると節税効果を大きくすることができます。

給与所得控除の55万円と住民税の基礎控除額43万円の合計、年間98万円がその上限額になります。

「個人事業」と「会社」では家族の給与の扱いが違う

個人事業における家族への給与支払い

- ▶事前に税務署への届出をしている
- ▶その家族が学生や他に職業を有する者ではない
- ▶その年を通じて、仕事に従事した期間が６ヶ月超である

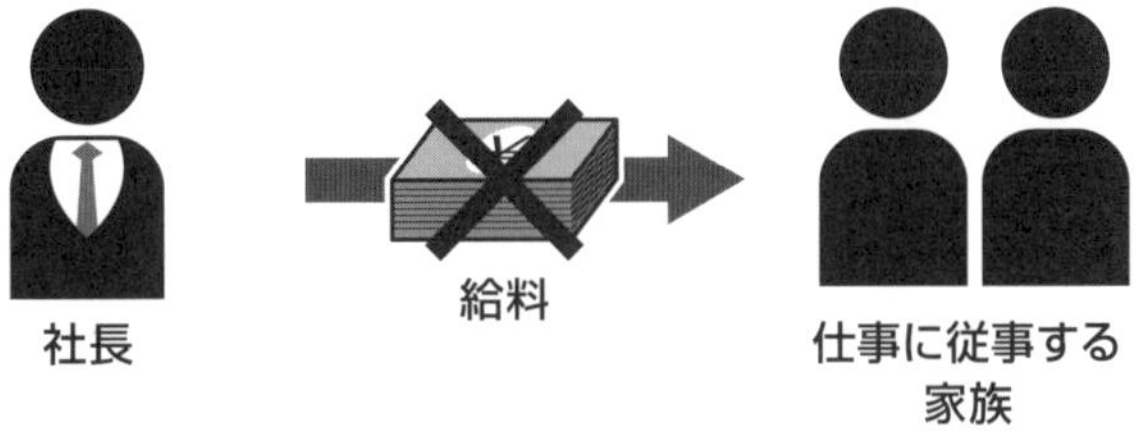

上記の要件をすべて満たさなければ経費にならない

⬇

会社の場合は、上記のような制限はなく、たとえ片手間の手伝いであっても、仕事内容に見合った給与であれば当然に経費になる

個人事業における所得控除の制限

- ▶専従者給与を支給された家族は、配偶者控除や扶養控除の対象から外れる

⬇

会社の場合は、会社から給与を受け取った家族も
所得要件さえ満たせば、社長の税金計算において
配偶者控除や扶養控除の対象とすることができる

年間98万円までの給与支給額とすれば、
給与を受けた家族は所得税も住民税も生じず、かつ社長の税金計算において配偶者控除や扶養控除の対象となるため、
節税メリットが大きい

5 生命保険で節税できる

会社なら生命保険料が経費になる

生命保険文化センターの調査によると、わが国の生命保険加入率は80％を超えています。国も生命保険の普及を後押しするために、支払った保険料には所得税の計算において**生命保険料控除**を設けています。

個人事業主が生命保険に加入して保険料を支払った場合、生命保険料控除として所得控除の適用があるために、支払保険料は事業の必要経費にはなりません。

では、支払った保険料が生命保険料控除で全額控除できるのかと言うとそうではなく、一定の上限が設けられています。具体的には、生命保険を「遺族保障」「介護・医療保障」「老後保障」の三つに分けて、それぞれの保険区分で保険料が年間8万円を超えると、一律に4万円が控除額の上限となります。

それに対して、生命保険を法人で契約して保険料を会社が支払うと、支払った保険料は会社の経費として計上することができます。そのため、同じ保障であるなら法人契約で生命保険に加入したほうが、支払った保険料が経費になる分、節税メリットも大きくなります。

なお、生命保険にはさまざまな種類がありますが、その契約形態によって、「支払保険料が全額費用になるもの」「保険料の一部分を経費とし、残りを資産計上するもの」「全額資産計上になるもの」の三つに分かれます。

社長の給与に対する税金も節税できる

個人名義で生命保険に加入した場合、その保険料は会社から支給された給与の中から支払うことになります。

もし、この生命保険を法人契約とした場合には、会社が保険料を支払うことになるため、毎月の給与の中から支払っていた保険料分の負担が浮くことになります。

たとえば、会社から毎月40万円の給与を受け取り、その中から月5万円の生命保険料を支払っていた場合、法人契約に変更することで、社長の財布は毎月5万円の余裕が生まれることになります。この浮いた5万円分だけ給与を下げて月35万円とすると、必要な生活費分は維持しながら、給与に対する税金と社会保険料の負担を引き下げることが可能になります。

「個人事業主」と「法人」の生命保険料の扱いの違い

個人事業主における生命保険料の扱い

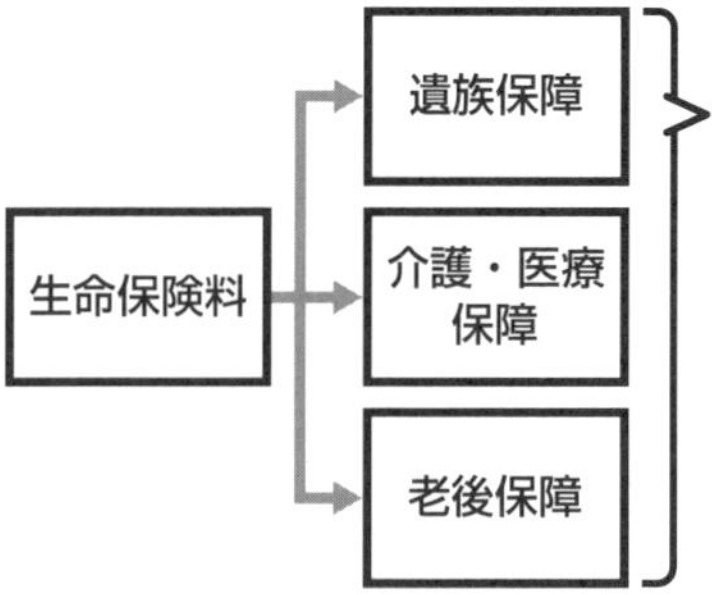

それぞれの区分で保険料が
年間８万円を超えると、一律に
４万円が控除額の上限となる

↓

いくら保険料を支払っても、
４万円が控除額の上限のため、
節税上のメリットは少ない

法人契約における生命保険料の扱い

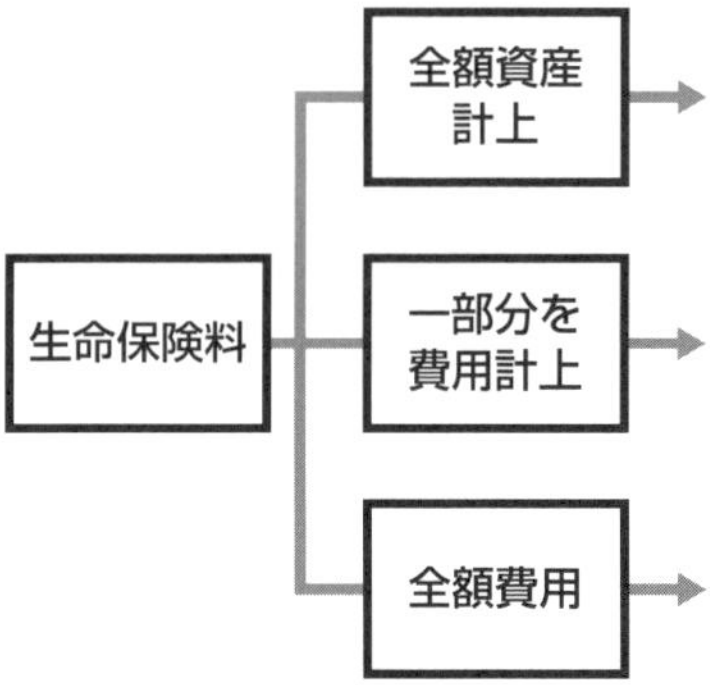

ex.) 終身保険、養老保険など
支払った保険料を保険積立金として全額資産計上する（費用にならない）

ex.) 逓増定期保険、長期平準定期保険など
支払った保険料のうち、最高解約返戻率に応じて１割～６割部分を費用計上し、残りを資産計上する

ex.) 定期保険、収入保障保険、医療保険など
支払った保険料の全額を保険料として費用計上する

↓

法人契約の生命保険では、
支払保険料が一部または全額費用になるものであれば、
個人のような４万円の上限額はないため節税になる

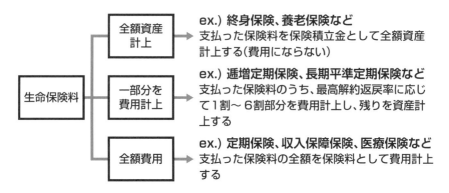

6 経費で社長の退職金準備ができる

退職金で節税できる

従業員への退職金は必要経費になりますが、個人事業主が自分に退職金を支払っても、給与と同様に経費にはなりません。その代わりに「小規模企業共済」への加入という方法はありますが、それ以外に節税メリットのある有効な手段はなく、税金を支払ったあとの儲けの中から、将来のリタイア資金を準備していくのが実情です。

しかし法人になると、社長に対する退職金を会社の経費に計上することができます。

一般的に退職金は多額になることから、退職金を支払った年度は経費が大きくなるために節税することができます。またその年度の利益だけで退職金がまかなえず、赤字になったとしても、その赤字は10年間にわたって繰り越せることから、将来年度での節税にもつながります。

また、社長が受け取った退職金に対する税金も非常に優遇されており、仮に同じ金額を給与で受け取った場合と、退職金で受け取った場合で比較すると、退職金における税負担のほうが大幅に軽減されます。

このように退職金は支払った会社で経費にでき、受け取った社長も税負担が大きく軽減されるなど、法人・個人の両方で節税メリットがあります。

退職金の資金を生命保険で準備する

社長に支払う退職金を経費にできるとは言っても、肝心の資金が会社になければ、払いたくても退職金を出すことができません。

有効な退職金の資金づくりの方法としては、社長自身が**逓増定期保険**などの解約返戻金《へんれいきん》がある生命保険に法人契約で加入して、会社の経費で保険料を支払っていく方法があります。保険料を支払い続けることで一定年齢までは解約返戻金が積み上がっていくので、受け取れる解約返戻金がピークになるあたりで解約すると、保険会社から会社に対して解約返戻金が支払われます。その資金で社長に退職金を支払うわけです。

この方法は、社長が稼いだ儲けを保険料の支払いで節税しつつ、将来のリタイア資金を経費で積み立てていくことができるというメリットがあります。

社長の退職金で節税する

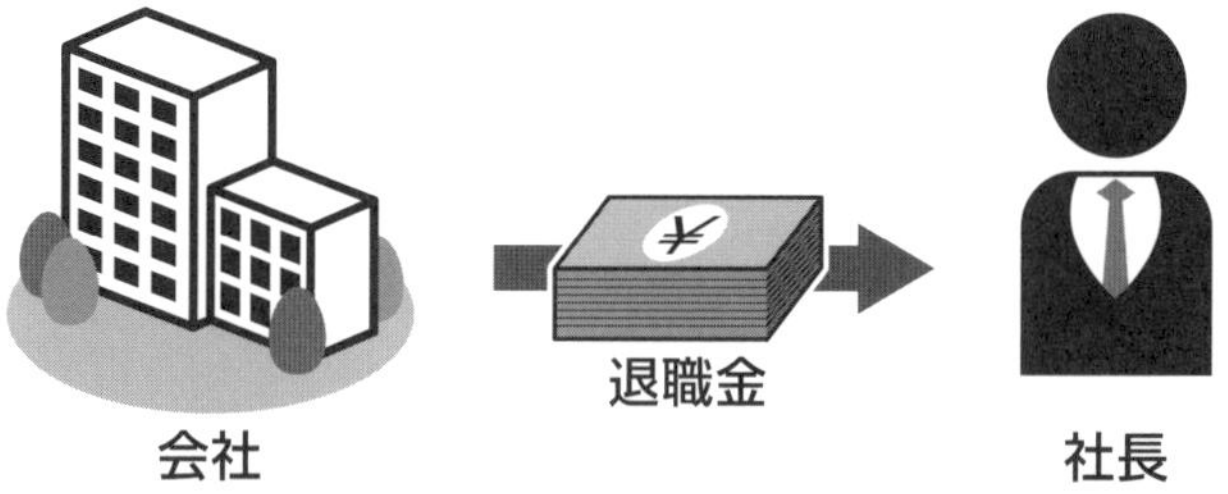

社長に支払った退職金は会社の経費になる

退職金に対する税金はとても優遇されており税負担は少ない

貯蓄型の生命保険で退職金の準備ができる

支払った保険料のうち、一部分を費用計上し残りを資産計上する「逓増定期保険」や「長期平準定期保険」などは、保険契約を解約した場合に解約返戻金があるため、この解約返戻金を退職金の原資に当てることができる

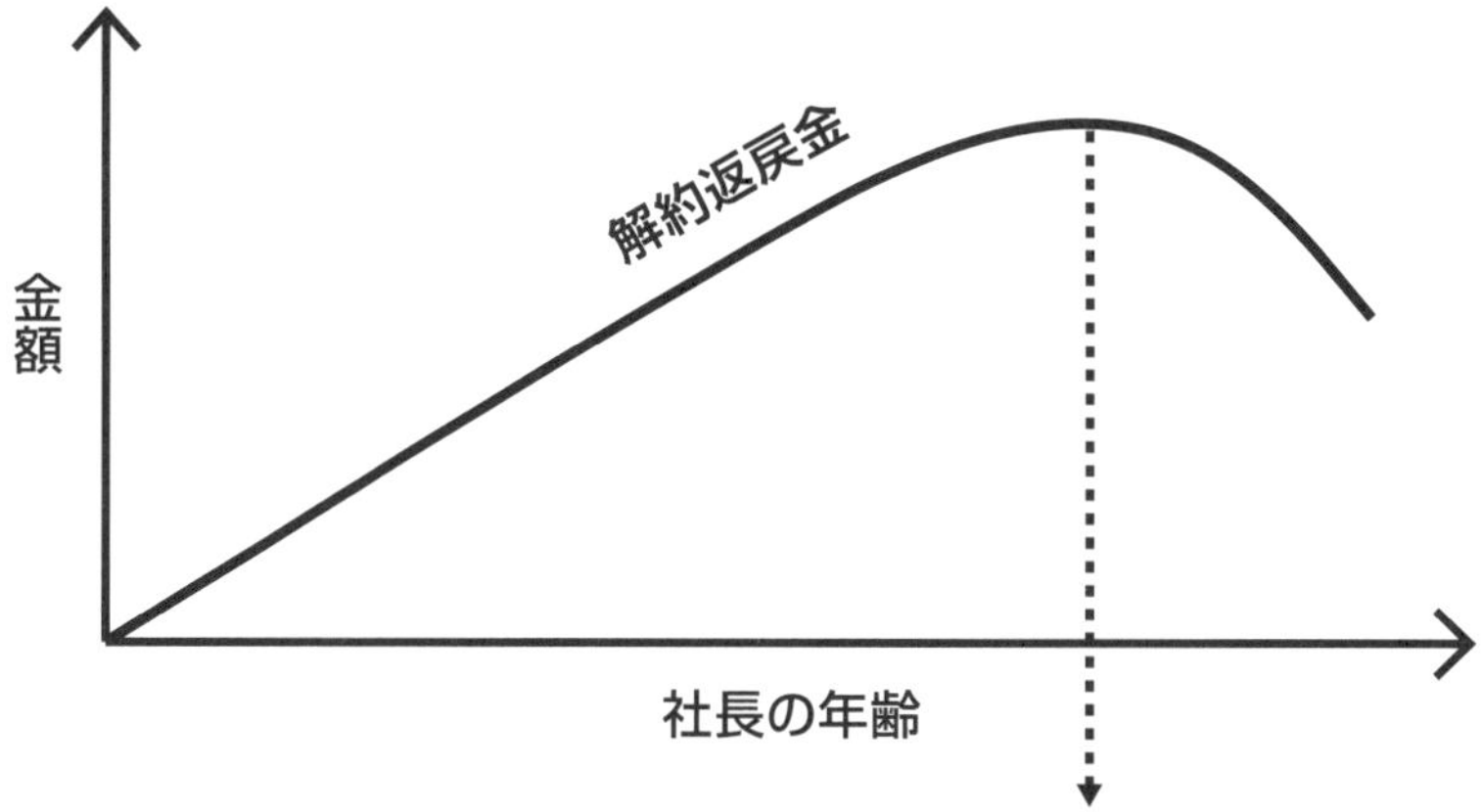

保険契約を解約し、解約返戻金を会社が受け取るとともに、その資金を基にして社長に対して退職金を支払う

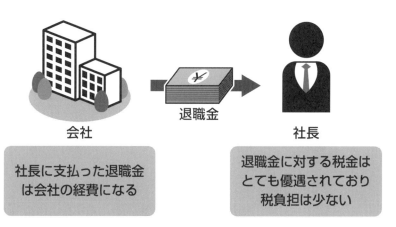

7 社宅で節税できる

社宅を自宅にすると経費にできる

社宅とは、役員や従業員を住まわせるために会社が購入や借上げをしている住宅です。一般的には福利厚生の一環として、通常よりも有利な条件で貸付がされます。この社宅を社長が会社から借り受け、自宅として居住すると節税になります。

個人事業主では、自宅を事務所として利用している場合、経費を面積比などで自宅分と事務所分に按分して、事務所分の金額を必要経費にすることができましたが、自宅部分に掛かる支払いは経費にはできません。

ところが会社の社宅となれば、自宅として居住する部分に掛かる費用も、会社の経費として計上することができます。

また会社が住宅を購入した場合、固定資産税や不動産取得税、建物の減価償却費や借入金で取得した場合の利息、維持に掛かる修繕費用などさまざまな負担が生じますが、これらをすべて会社の経費にすることができます。

個人で住宅を購入した場合は、税金面でのメリットとして住宅ローン控除がありますが、前述した住宅に掛かる費用は事業の経費になりません。住宅の保有や維持に掛かる費用を経費にできる分、会社で社宅を用意したほうが税金面でメリットが大きいと言えます。

なお、社宅は何も自社で購入したものばかりではありません。会社で住宅を購入するのがむずかしければ、会社名義でいったん住宅を借り上げたうえで、会社が社長に貸し付ける形でも可能です。

本人も一部負担が必要

しかし、社長が会社から社宅を借り受けて自宅として居住する場合、家賃を無料にしたり、かなりの低額で住まわせることは税法でも認められていません。

本来社長が負担すべきと想定される社宅の負担額を下回る金額については、会社から経済的利益の提供があったとして、その差額分は給与として扱われ、社長に対する税金が生じることになります。税法上、社宅家賃の基準として一定の計算式が定められており、その計算式に沿って社宅家賃を決める必要があります。

社宅を社長の住まいにして節税する

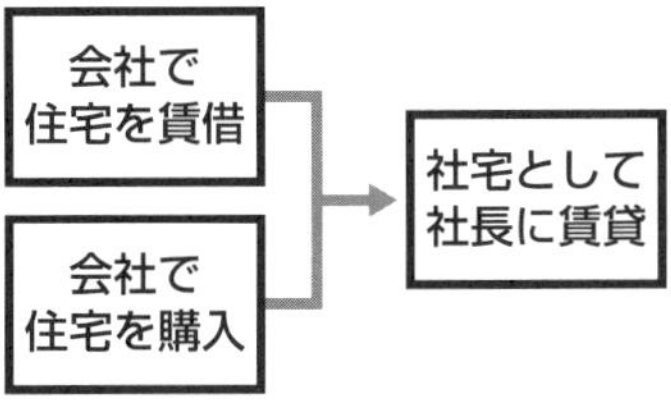

会社で社宅を用意すると、次の支払いを会社の経費にできる

- ●住宅を借り上げている場合の家賃や共益費
- ●住宅を取得した場合に掛かる費用
  - ▶固定資産税、不動産取得税
  - ▶建物の減価償却費、建物維持に掛かる修繕費用
  - ▶借入金で取得した場合の支払利息　など

社宅の一部負担額の計算方法

社宅に居住する場合、本人負担額として次の区分に応じて計算した金額を徴収する必要がある

<table>
<tr><th colspan="2" rowspan="2">区分</th><th colspan="2">本人負担額として徴収する金額（月額）</th></tr>
<tr><th>自社取得の場合</th><th>借上げの場合</th></tr>
<tr><td rowspan="2">小規模住宅</td><td>耐用年数30年以下
（床面積132㎡以下）</td><td rowspan="2">次の3つの合計額
① 家屋の固定資産税課税標準額 × 0.2%
② 12円×家屋の総床面積 ÷ 3.3㎡
③ 敷地の固定資産税課税標準額 × 0.22%</td><td rowspan="2">同左</td></tr>
<tr><td>耐用年数30年超
（床面積99㎡以下）</td></tr>
<tr><td rowspan="2">一般住宅</td><td>耐用年数30年以下</td><td>（家屋の固定資産税課税標準額 ×12% ＋
敷地の固定資産税課税標準額 × 6%）÷12</td><td rowspan="2">左で計算した金額と、会社が家主に支払う家賃の50%のいずれか多い金額</td></tr>
<tr><td>耐用年数30年超</td><td>（家屋の固定資産税課税標準額 ×10% ＋
敷地の固定資産税課税標準額 × 6%）÷12</td></tr>
<tr><td colspan="2">豪華住宅
（床面積240㎡超）</td><td colspan="2">第三者に賃貸した場合に見込まれる賃貸料（時価）</td></tr>
</table>

COLUMN 8

会社の決算は黒字と赤字のどちらがいい？

好調の波ばかりではない

事業を法人化して会社として経営を行なっていく場合、会社を成長・発展させていくには、さらに利益を追求する必要があります。そのため、「経営者として会社の黒字決算を目指しましょう」とよく言われます。

私も税理士としてさまざまな会社に関わっていて、やはりお客様には儲かる経営を実践して、ビジネスとして成功してもらいたいと考えています。しかし、いざ大きく利益が出た場合には、当然その利益に対する税金もそれなりの金額になり、どのように節税するかに頭を悩ませます。とくに中小企業の経営においては、毎年、常に利益が出る保証はありません。「今年はたまたま利益が上がったけれど、来年はどうなるかわからない」というのが実情です。

会社の業績の先行きを考えたとき、経営者として漠然とした不安を感じる中、「できれば今年稼いだ儲けは、将来の業績リスクに備えて、できるだけ目減りさせずに手許に残しておきたい」と考えるのは、経営における当然の備えと言えます。

会社を永続させるための戦略

会社を発展させるためには儲けが必要ですが、黒字決算にすることは多額の税金の支払いを伴います。一方で赤字決算になってしまうと、税金は生じないものの、会社が立ち行かなくなってしまう心配があります。ではどうするのがいいか？

答えとしては、「黒字決算と赤字決算のそれぞれいい部分だけを取るような決算を組む」という方法があります。つまり、会社の決算としては、常に少しの赤字をあえて生じさせるように、全体の損益計画を立てればいいということです。

会社は赤字決算になったからといって、すぐに倒産はしません。会社が潰れるのは資金繰りができなくなったときです。赤字決算であっても、仕入先への支払いや銀行への借入返済が滞らなければ、会社は継続できます。

赤字には、本当に業績が悪化している「悪い赤字」と、本来は黒字で儲かっているけれども、意図的に役員報酬などにより利益をすべて吸い上げている「良い赤字」の２つがあります。黒字決算であることは素晴らしいのですが、中小企業の経営者としては、戦略的な赤字決算により、「節税と資金繰りが永続する企業経営を実践する」ことも、選択肢の１つに含めて考える価値があります。

9章

資産運用で節税する方法

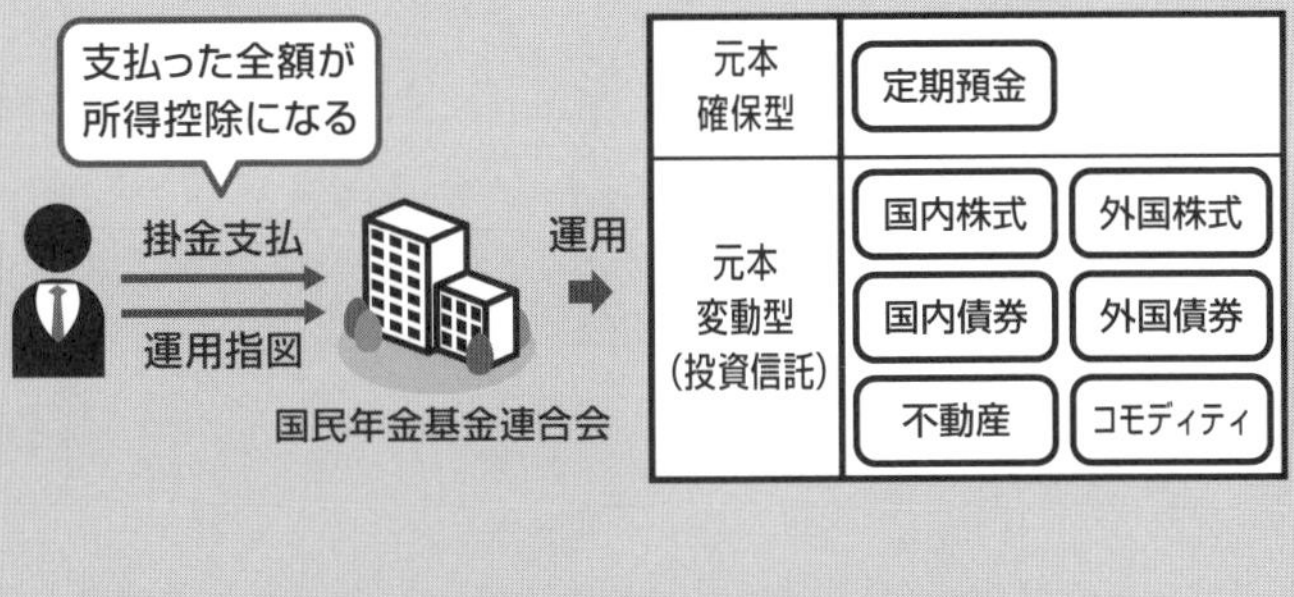

1 投資に関する税金の基礎

税金の制度を知れば運用利回りはアップする

資産運用には各種手数料などのコストがかかりますが、税金もそのコストの一つと言えます。資産運用がうまく成功し利益を得たとしても、税金の制度を知らなければ、せっかく運用で増やした資産を無駄な税金コストにより目減りさせることになります。そのため、投資に関する税金の制度を学び賢く節税することは、資産運用を成功させるための必須要件とも言えます。

伝統的資産への投資は最も優遇されている

資産運用における税金の計算方法は、投資する商品によりそれぞれ異なるルールが定められています。

伝統的資産と言われる上場株式や債券などは「上場株式等」というカテゴリーでまとめられ、他の投資商品と比較して、その運用益などに対する税負担が最も優遇されている一方、仮想通貨取引や金・プラチナ取引などに対しては、高い税負担が課されています。

リスクをとってハイリターンを得たとしても多額の税金が課税されてしまう場合があるため、投資する商品に対しどのような税制が適用されるかには注意が必要です。

総合課税と申告分離課税

所得税の原則的な計算方法である総合課税は各種所得を合算し、その所得金額が大きいほど高い税率が適用されます。仮想通貨取引や金・プラチナ取引で得た利益は総合課税で所得税が計算され、所得金額４千万円以上の場合、55％（所得税45％、住民税10％）の最高税率で課税されます。

一方、申告分離課税は他の所得と合算せず、所得金額の大きさにかかわらず20・３１５％（所得税15・３１５％、住民税５％）の税率で課税されます。上場株式等の譲渡益や配当収入、ＦＸや先物取引の利益等は、申告分離課税の対象として税負担が優遇されています。

海外取引の場合は注意が必要

ＦＸ取引、先物・オプション取引等が申告分離課税の対象となるのは国内取引の場合になります。海外の取引業者と行なうＦＸ取引や、海外の取引市場における先物・オプション取引は総合課税となります。

投資する商品により税金の計算方法は異なる

<table>
<tr><th colspan="3">投資商品と取引内容</th><th>所得区分</th><th>課税方法</th></tr>
<tr><td rowspan="3">上場株式等</td><td rowspan="3">国内上場株式
外国上場株式
海外ETF

株式投資信託

国内公社債
外国公社債

公社債投資信託</td><td>譲渡益
解約益
償還差益</td><td>上場株式等の
譲渡所得</td><td>▶源泉徴収のみ
（申告不要）
※特定口座で
源泉徴収ありの場合
▶申告分離課税</td></tr>
<tr><td>配当金収入
株式投資信託の
収益分配金</td><td>配当所得</td><td>▶源泉徴収のみ
（申告不要）
▶申告分離課税
▶総合課税</td></tr>
<tr><td>債券（公社債）の利子収入
公社債投資信託の
収益分配金</td><td>利子所得</td><td>▶源泉徴収のみ
（申告不要）
▶申告分離課税</td></tr>
<tr><td colspan="2">国内FX取引
国内先物取引
国内オプション取引</td><td>差金決済による差益
スワップポイント</td><td>先物取引に
係る雑所得等</td><td>▶申告分離課税</td></tr>
<tr><td colspan="2">仮想通貨取引</td><td>譲渡益、通貨の使用・交換</td><td>雑所得</td><td>▶総合課税</td></tr>
<tr><td colspan="2">金・プラチナ取引</td><td>譲渡益</td><td>譲渡所得
（短期・長期）</td><td>▶総合課税</td></tr>
</table>

【総合課税とは?】

事業所得や不動産所得、給与所得など各種の所得を合計した所得金額を基に所得税額を計算する方法。所得税の原則的な計算方法であり、課税される所得金額に応じて5%～45%の税率で所得税が計算される。※別途、復興特別所得税が課されます

【申告分離課税とは?】

総合課税のように他の所得とは合算せず、分離して所得税を計算する方法。上場株式等の譲渡所得、先物取引に係る雑所得など、それぞれのカテゴリーごとに所得金額を計算し、20.315%(所得税15.315%〈復興特別所得税込みの税率〉、住民税5%)の税率により税額が計算される。

※総合課税・申告分離課税ともに、2037年までは所得税額に対し2.1%の復興特別所得税が課されます。

2 損失を活用して税金を取り戻す方法

損益通算と繰越控除を活用する

上場株式等の譲渡により損失が生じた場合には、上場株式等のグループ内における他の運用商品の譲渡益と通算することができます。また同様に、ＦＸ取引や先物取引などで生じた損失も、先物取引に係る雑所得等のグループ内で生じた利益と通算が可能です。ただし、上場株式等と先物取引に係る雑所得等のグループ間での損益通算はできません。上場株式等については、グループ内での損益通算後も損失金額が残る場合は、その年分の配当金等を申告分離課税で確定申告を行なうことで配当金等との通算をすることができます。これらの損益通算後も残った損失金額は、上場株式等、先物取引に係る雑所得等のグループごとに損失金額を繰り越して、翌年以後3年間にわたり譲渡益等から控除することができます。

源泉徴収ありの特定口座は自動通算される

上場株式等の譲渡損失と、配当金等を損益通算するためには原則として確定申告が必要ですが、源泉徴収ありの特定口座の場合には、その特定口座内の譲渡損失と配当金等は自動で損益通算されるため、確定申告は不要です。ただし、同じ特定口座でも「源泉徴収なし」を選択している場合には口座内での損益通算はできないため、確定申告が必要となります。

損失を繰り越すには毎年確定申告が必要

上場株式等の譲渡や、ＦＸ・先物取引等による損失を翌年以降に繰り越すためには、損失が生じた年分の確定申告が必要です。また、繰り越した翌年において上場株式等の売買やＦＸ取引などの所得がなかったとしても、その更に翌年に損失を繰り越す場合には、損失を繰り越すための確定申告書の提出が必要となります。

海外口座の場合は繰越控除ができない

海外の証券会社で開設した口座での取引により生じた上場株式等の損失は、国内の証券口座で生じた譲渡益と通算はできますが、配当金等（国内・国外いずれも）とは通算することはできません。また、譲渡損失の繰越控除を行なうこともできません。また海外口座のＦＸ・先物取引等も総合課税になるため繰越控除は不可です。

確定申告をすれば損失を翌年に繰り越すことができる

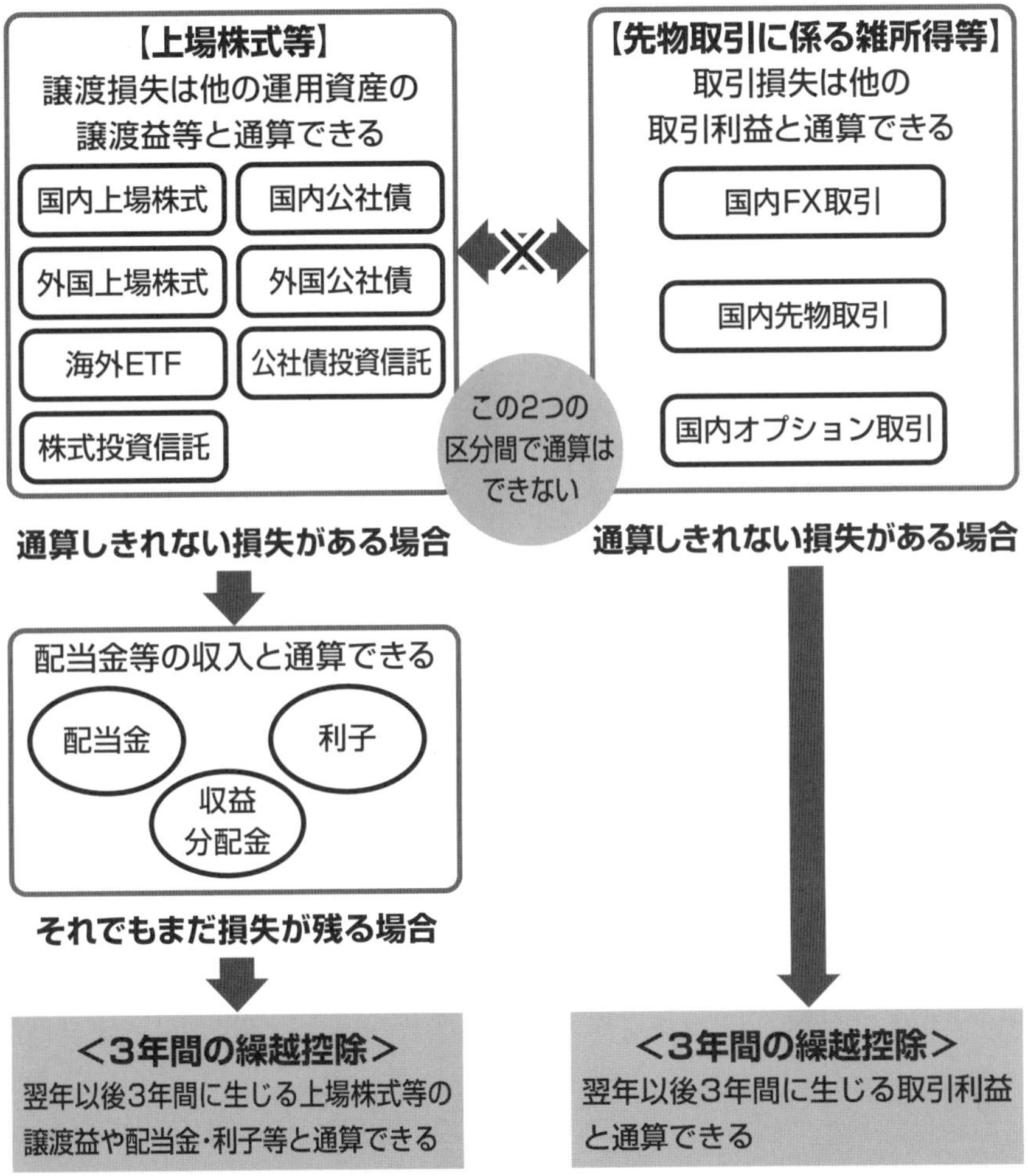

繰越控除をするためには

①損失が生じた年分の所得税につき、損失に関する付表等を添付した確定申告書を提出すること

②その翌年以降、損失を繰り越す年分については、株式等の売買がなくても確定申告が必要

③前年以前より繰り越した損失を今年の利益から控除する場合には確定申告が必要

3 配当金にかかる税金を節税する方法
①課税方法の違いを理解する

➡上場株式等の配当金は３つの課税方法を選択できる

上場株式等の配当金を受け取る際には、その配当金に対して20・３１５％（所得税15・３１５％、住民税５％）の源泉徴収が必ず行なわれます。そのため、この源泉徴収により配当金に対する課税関係は終了していることから、原則として確定申告は不要となります。

その一方、総合課税又は申告分離課税での確定申告を行なうことも認められており、一定のケースでは確定申告を行なうことで税負担が有利になる場合があります。

➡特定口座に受け入れた配当金の申告方法

複数の特定口座（源泉徴収ありを選択した口座）を保有する場合に、その特定口座に受け入れた配当金を確定申告するかどうかは、口座ごとに選択できます。たとえば、Ａ証券口座の配当金は申告不要を選択し、Ｂ証券口座の配当金だけを確定申告することが可能です。

ただし、確定申告をする場合には、その特定口座内で受け入れた配当金はすべて申告する必要があります。その口座の配当金の一部だけ申告し、残りは申告不要とはできません。また、配当金の申告方法についても、配当金すべてについて総合課税か申告分離課税のどちらかに統一して申告する必要があります。配当金の一部を総合課税、残る一部を申告分離課税とする申告はできません。

➡申告分離課税で申告した方が有利な場合

源泉徴収と申告分離課税による確定申告では、両方とも同じ税率が適用されるため、通常はいずれを選択しても税負担は変わりません。しかし、その年分において上場株式等の譲渡損失がある場合には、その譲渡損失と配当金を損益通算することで、配当金より源泉徴収された税金の還付を受けることができます。一つの特定口座だけですべての取引を行なっている場合には自動的に損益通算がされますが（前項参照）、２つ以上の特定口座間での損益通算や、源泉徴収なしを選択した特定口座で受け入れた配当金と損益通算する場合には確定申告が必要となります。また、前年以前より繰り越された上場株式等の譲渡損失がある場合にも、確定申告によりその損失を配当金から繰越控除することができます。

課税方法をうまく選択すれば配当金の税金は節税できる

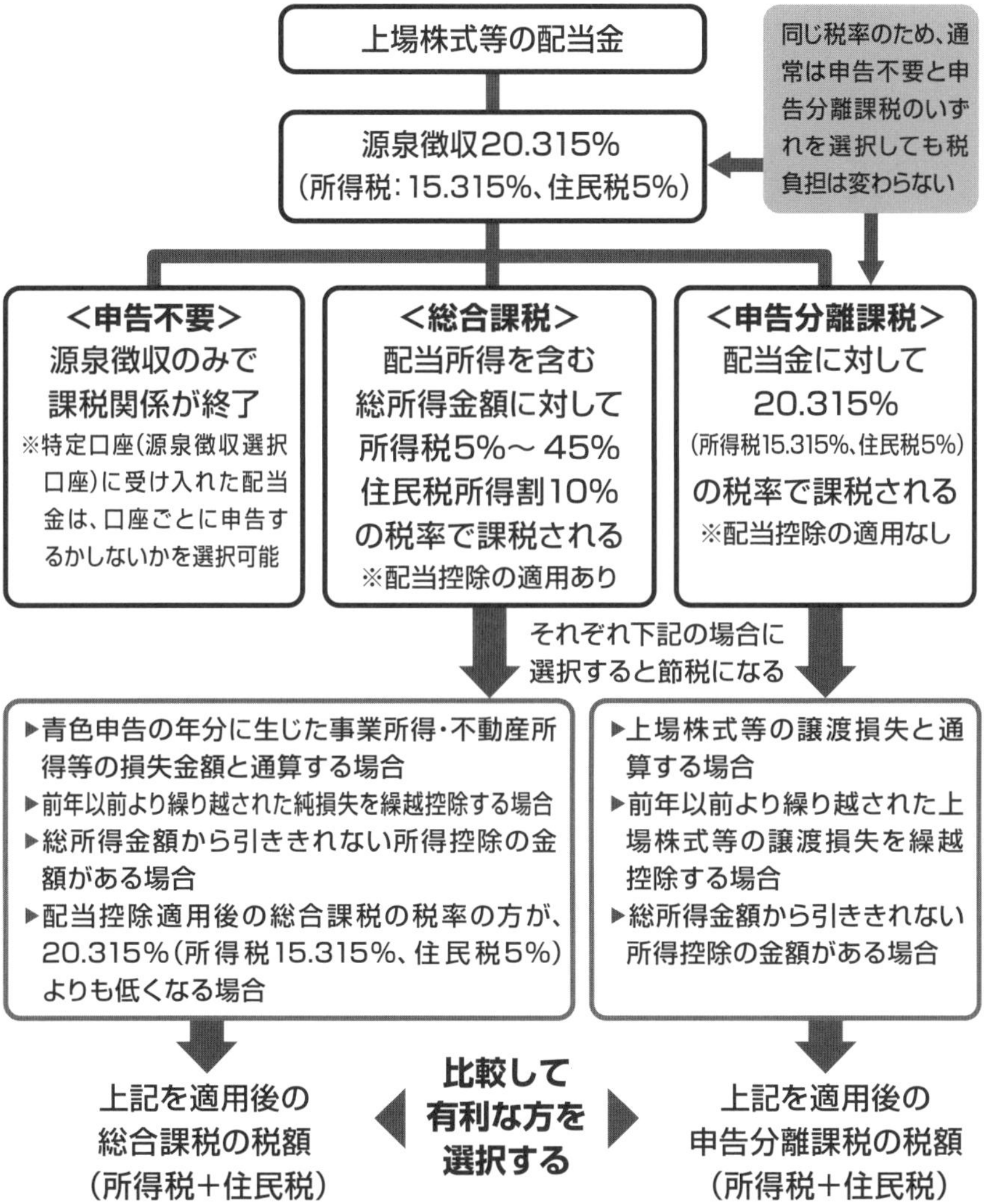
上場株式等の配当金
源泉徴収20.315%
(所得税:15.315%、住民税5%)
同じ税率のため、通常は申告不要と申告分離課税のいずれを選択しても税負担は変わらない
<申告不要>
源泉徴収のみで課税関係が終了
※特定口座(源泉徴収選択口座)に受け入れた配当金は、口座ごとに申告するかしないかを選択可能
<総合課税>
配当所得を含む総所得金額に対して所得税5%～45%住民税所得割10%の税率で課税される
※配当控除の適用あり
<申告分離課税>
配当金に対して20.315%
(所得税15.315%、住民税5%)
の税率で課税される
※配当控除の適用なし
それぞれ下記の場合に選択すると節税になる
▶青色申告の年分に生じた事業所得・不動産所得等の損失金額と通算する場合
▶前年以前より繰り越された純損失を繰越控除する場合
▶総所得金額から引ききれない所得控除の金額がある場合
▶配当控除適用後の総合課税の税率の方が、20.315%(所得税15.315%、住民税5%)よりも低くなる場合
▶上場株式等の譲渡損失と通算する場合
▶前年以前より繰り越された上場株式等の譲渡損失を繰越控除する場合
▶総所得金額から引ききれない所得控除の金額がある場合
上記を適用後の総合課税の税額(所得税＋住民税)
比較して有利な方を選択する
上記を適用後の申告分離課税の税額(所得税＋住民税)

<配当金を確定申告する場合の注意点>

▶源泉徴収を選択した特定口座の場合、その口座内の配当金はすべて申告する必要がある
※ただし、源泉徴収なしの特定口座や一般口座の場合は、個々の配当金ごとに選択が可能
▶申告する配当金全てについて総合課税と申告分離課税のいずれかに統一して申告が必要

4 配当金にかかる税金を節税する方法

②配当控除を活用する

■総合課税で申告したほうが有利な場合

事業で赤字が出た場合など、事業所得や不動産所得等で生じた損失は他の所得と損益通算を行なうことができます。また、損益通算の後に残った損失金額（純損失の金額）は、青色申告であれば翌年以降３年間繰り越すことができます（2章⑦を参照）。

上場株式等の配当金を総合課税で申告すると、これら事業所得等の損失金額との損益通算や、前年以前から繰り越された純損失の繰越控除を行なうことができます。

また、総所得金額から控除しきれなかった所得控除の金額がある場合にも、配当金から控除することができます。なお、この所得控除は総合課税だけでなく、申告分離課税を選択した場合も控除が可能です。

さらに、総合課税では配当控除の適用により所得税と住民税の実質的な税率を軽減することができます。

■配当控除とは？

配当金は会社が得た利益の一部を株主に分配するものですが、この配当金は法人税が課された後の利益から支払われます。株主が受け取る配当金への課税は、同じ利益に対して会社と個人で二重の課税になることから、配当控除によりこの調整が図られています。なお、配当控除は日本国内の二重課税を調整する制度のため、外国法人からの配当金は対象外です。また、申告分離課税により配当金を確定申告する場合も適用はできません。

■配当控除の計算方法

配当所得（通常は受け取った配当金の合計額）に対し所得税10%、住民税２・８%の割合で計算されます。たとえば配当所得が１００万円の場合には、所得税は10万円、住民税は2万８０００円をそれぞれ納税額から控除することができます。

ただし、配当所得を含んだ「課税総所得金額等」の額が１０００万円を超える場合には、配当控除の割合は半分になります。左記のイメージ図の通り、課税総所得金額等を棒グラフにした場合、配当所得は最上部（株式投資信託の収益分配金が一番上、配当金がその次）に含まれるものとして配当控除の割合を算定します。

配当控除を活用すれば節税できる

＜配当控除の割合＞

区分		所得税	住民税
課税総所得金額等が 1,000 万円以下の場合		10%	2.8%
課税総所得金額等が 1,000 万円超の場合	1,000 万円以下の部分	10%	2.8%
	1,000 万円超の部分	5%	1.4%

注1. 課税総所得金額等には次の金額が含まれます

▶総合課税を選択した配当所得、事業所得や不動産所得等を合計した総所得金額から所得控除を差し引いた金額(＝「課税総所得金額」)

▶申告分離課税を選択した上場株式等の配当所得の金額
▶株式等に係る譲渡所得の金額
▶先物取引に係る雑所得等の金額
▶土地・建物等の譲渡所得の金額　など

→ **「課税総所得金額等」の“等”に当たる部分**（申告分離課税の課税所得）

注2. 株式投資信託の収益分配金に対する控除割合は上記の2分の1の割合になります

配当控除割合のイメージ図

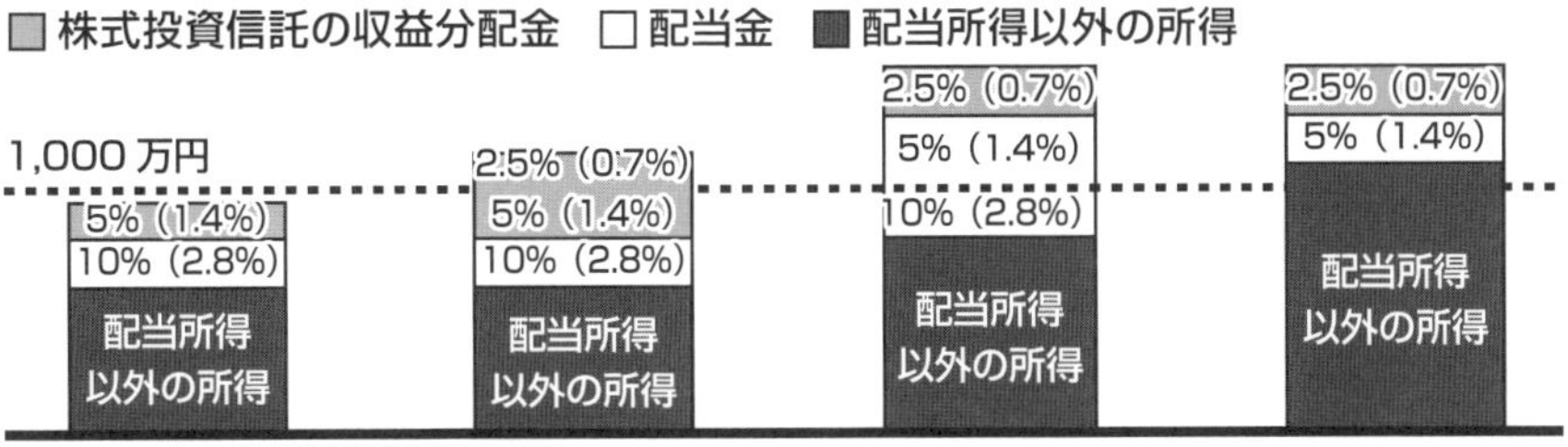

※カッコ内の数字は住民税の割合

＜配当金を総合課税で申告した場合の配当控除と負担税率の計算例＞

事業所得:500万円、配当所得:100万円、上場株式等の譲渡所得:400万円、所得控除200万円

①課税総所得金額:500万円＋100万円−200万円＝400万円

②株式等にかかる譲渡所得の金額:400万円

③課税総所得金額等:①＋②＝800万円(配当所得以外の所得700万円、配当所得100万円)

従って、配当控除の割合は所得税10%、住民税2.8%となる

課税総所得金額400万円に対する所得税率:20%、住民税率10%

▶配当金に係る所得税の負担税率:(所得税率20%−配当控除10%)×復興税102.1%=10.21%

▶配当金に係る住民税の負担税率:住民税率10%−配当控除2.8%=7.2%

5 配当金にかかる税金を節税する方法

③国民健康保険料を安くする

所得が増えると国民健康保険料も高くなる

一般的に個人事業主は国民健康保険に加入することになりますが、支払う保険料はその世帯の被保険者の人数など、定額で計算される金額の他、その世帯の被保険者全員の所得金額に応じて計算される所得割との合計により算定されます。所得割は住民税を計算するうえでの所得金額（前年度の総所得金額等）を基に計算されることから、所得金額が増えると税金だけでなく、国民健康保険料も合わせて負担が増えることになります。

申告不要を選択すると健康保険料の負担は増えない

上場株式等の配当金を確定申告すると、総合課税と申告分離課税のいずれであっても、申告した配当所得の金額は国民健康保険料の所得割計算の所得に含められることから、その分保険料の負担額が増えることになります。

一方、申告不要を選択した場合には、その配当所得は所得割の計算において所得に含まれないため、保険料に影響を与えることはありません。所得税で配当所得の確定申告を行なった場合には、住民税でも同様に確定申告を行なったとみなされますが、市区町村に対し、住民税では配当金を申告不要とする旨の申告書を住民税の納税通知書が送達されるまでの間に提出することで、所得税は確定申告し、住民税では申告不要を選択することが可能となります。これにより、健康保険料の負担増加を避けながら、税金面で有利な選択を行うことができます。

配当金の課税方式の選択方法

配当金の課税方式について、総合課税での申告、申告分離課税での申告、申告不要を選択、のいずれを選択するかについては、それぞれ国民健康保険料の負担増加も勘案したうえで検討する必要があります。

結論として、適用できる配当控除の割合が所得税10%、住民税２・８％の場合には、配当金を含む課税総所得金額が９００万円以下のケースで、所得税は総合課税での申告、住民税は申告不要を選択することが最も有利な選択となり、課税総所得金額が１０００万円を超えるケースでは所得税・住民税ともに申告不要を選択する方が有利となります。

所得税と住民税は異なる課税方法を選択できる

国民健康保険料の決まり方

※本書は2021年4月1日現在の法令に基づいています。本書の増刷時点(2024年11月)においては税制改正により、令和6年度の個人住民税より所得税と異なる課税方式を選択できなくなりました。最新の制度内容を確認くださるようお願いします。

加入者全員の所得金額に応じた保険料
※住民税の所得金額を基に計算される

＋

定額で計算される保険料
加入者1人当たりの金額
1世帯当たりの金額等

＝

納めることとなる国民健康保険料の金額

住民税計算上の所得金額が増えると、国民健康保険料の負担額も増える

上場株式等の配当金

申告不要を選択する場合 → 国民健康保険料の金額には影響なし

確定申告する場合(総合課税・申告分離課税) → 国民健康保険料の金額が増加する

所得税と異なる課税方式を選択する申告(住民税では申告不要を選択する旨の申告)を行えば、国民健康保険料の負担は増えない
※住民税の納税通知書が送達されるまでの間に市区町村への手続きが必要

課税総所得金額900万円の場合における確定申告又は申告不要の税負担の比較
(配当控除割合が所得税10%・住民税2.8%の場合、
課税総所得金額900万円が分岐点になる)

所得税	総合課税申告 13.273%	分離課税申告 15.315%	総合課税申告 13.273%	分離課税申告 15.315%	申告不要 15.315%
住民税	総合課税申告 7.2%	分離課税申告 5%	申告不要 5%	申告不要 5%	申告不要 5%
合計税率	20.473% ＋保険料の増加	20.315% ＋保険料の増加	18.273%	20.315%	20.315%

課税総所得金額が
[900万円以下なら「所得税は総合課税申告、住民税は申告不要」
900万円超なら「所得税・住民税ともに申告不要」] が有利になる

6 税制メリットを活用して ノーリスク・ハイリターンを得る方法

イデコなら節税しながら資産形成ができる

　上手に資産形成を行うためには節税メリットの活用は不可欠です。イデコは拠出した掛金を自分で運用し自ら年金資産を形成する制度で、支払った掛金は全額が所得控除の対象となります。また、運用により生じた運用益についても非課税で再投資されるほか、将来に給付金を受け取る際も退職金や公的年金と同じ扱いになり、受取時の税負担が優遇されています。

　掛金全額が所得控除の対象となる効果は、税率に相当する利率で年間の掛金相当額を単利で運用することと同じと言えます。たとえば所得税の税率が10％、住民税が10％で年間の掛金支払額が30万円の場合、単利20％の利回りで30万円を運用することになり、毎年6万円の節税額を運用益として得ることと同じです。

　投資においては一定の元本割れリスクが必ずありますが、元本確保型の運用商品を選択すれば、元本は確保しつつリスクゼロで節税相当額だけを得ることが可能です。

　注意点として、掛金は60歳まで拠出する必要があり、60歳以降に年金資産の受け取りができますが、それまでは原則として途中で資産を引き出すことはできません。

NISAなら無税で資産運用ができる

　上場株式等の譲渡益や配当金に対しては通常20・315％の課税が行われますが、ＮＩＳＡの非課税口座ではいずれも非課税となります。一年ごとに毎年非課税枠が設定され、その枠内で購入した上場株式等については、その後5年間の非課税期間内に値上がりしたことによる譲渡益や、非課税期間中に受け取った配当金には課税がされません。たとえば、ＮＩＳＡ口座で配当利回りの高い株式に投資すると、配当金に対する税金コストが無い分、実質的な利回りを高めることができます。

　注意点として、一般ＮＩＳＡ・新ＮＩＳＡと、つみたてＮＩＳＡは同じ年度に両方を利用することはできず、年度ごとにいずれかを選択する必要があります。

　それぞれの投資可能期間は期限が設けられているため、期限が迫っているものから順番に利用することで非課税枠を余すことなく最大限活用することができます。

税制メリットを最大限活用すれば資産形成の速度を加速できる

iDeCo（イデコ）を活用すれば、ゼロリスクでリターンを得られる

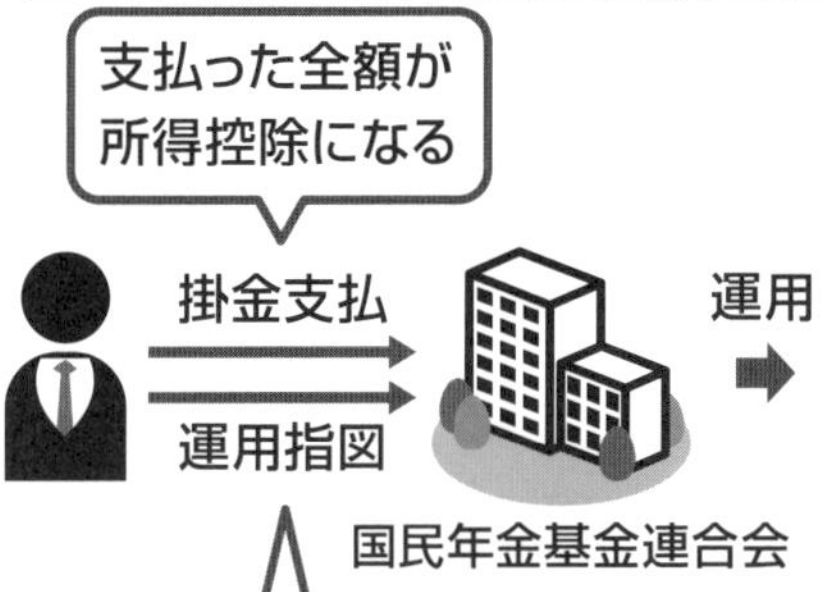

元本確保型	定期預金	
元本変動型（投資信託）	国内株式	外国株式
	国内債券	外国債券
	不動産	コモディティ

- リスクを取りたくない場合
  ▶元本確保型の運用商品を選択すれば、リスクゼロで節税分のリターンだけを得ることが可能
- 運用利回りをアップさせたい場合
  ▶リスクを取って元本変動型の運用商品を選択すれば「節税益＋運用益」を得ることが可能

例えば、掛金を月額2.5万円（年間30万円）支払った場合、所得税率10%、住民税率10%とすると、年間で合わせて6万円を節税メリットとして享受できる

NISA を活用すれば資産運用の税金をゼロにできる

	投資可能期間（口座開設ができる期間）	非課税投資枠	非課税期間
一般NISA	2023 年まで（2024 年からは新 NISA に移行）	年間 120 万円	5 年間
新NISA	2024 年～ 2028 年まで（5 年間）	年間 122 万円（5 年間で最大 610 万円）	5 年間
つみたてNISA	2042 年まで	年間 40 万円（20 年間で最大 800 万円）	20 年間

次の順番でそれぞれの非課税口座を利用すれば非課税枠を最大化できる

一般NISAの非課税枠で投資（2023年まで） → 新NISAの非課税枠で投資（2024年～ 2028年まで） → つみたてNISAの非課税枠で投資（2029年～ 2042年まで）

※本書は2021年4月1日現在の法令に基づいています。本書の増刷時点（2024年11月）におけるNISAの内容は大きく異なるため、最新の制度内容を確認くださるようお願いします。

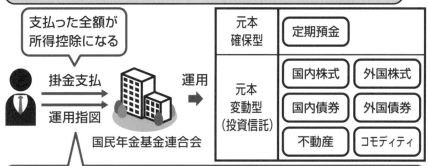

7 外国株への投資をする場合に必須の節税法

外国株の配当金には二重に税金がかかる

外国株の配当金に対しては外国と日本の両方で税金が課税されます。たとえば米国株の配当金であれば、まず米国において配当金に対し10％の源泉徴収がされ、その源泉徴収後の金額に対して更に日本で20・３１５％の源泉徴収が行なわれます。これにより、日本と米国で合わせて約30％もの税金を負担することになります。

外国の税金は日本の税金から控除できる

同じ配当金に対して日本と外国で二重に課税されると税金の負担が重くなるため、外国で課税された税金を日本の税金から控除することで二重課税を調整する制度があります。これを外国税額控除といいます。

源泉徴収された外国税はその全額が控除できるわけではありませんが、日本の所得税や住民税のうち一定の金額までを限度として、所得税・復興特別所得税・都道府県民税・区市町村民税の順番で順次控除できます。

また、その年度において控除しきれなかった超過額は、翌年以降3年間にわたり繰り越して、各年の控除余裕枠の範囲内で控除することができます。なお、外国税額控除を適用するためには「外国税額控除に関する明細書（居住者用）」を作成し確定申告書に添付する必要があります。

配当金が二重課税にならなくとも外国税額控除はできる

源泉徴収選択ありの特定口座において、外国株の配当金と上場株式等の譲渡損失がある場合には、その口座内で自動的に損益通算されるため、外国株の配当金より源泉徴収された所得税と住民税は確定申告をせずともその特定口座内で還付がされます。これにより配当金には外国税のみが課税された状態になります。

このような場合、一見すると外国株の配当金は二重課税の状態にはないことから、外国税額控除は適用できないようにも思えますが、適用は可能です。外国税額控除は配当金に課された所得税等から直接外国税を控除するのではなく、事業所得など他の所得に対する所得税等も含めたうえで控除を行なうためです。ただし、ＮＩＳＡの非課税口座で投資した場合の配当金は外国税額控除の対象外となります。

外国税額控除を活用すれば外国税を取り戻すことができる

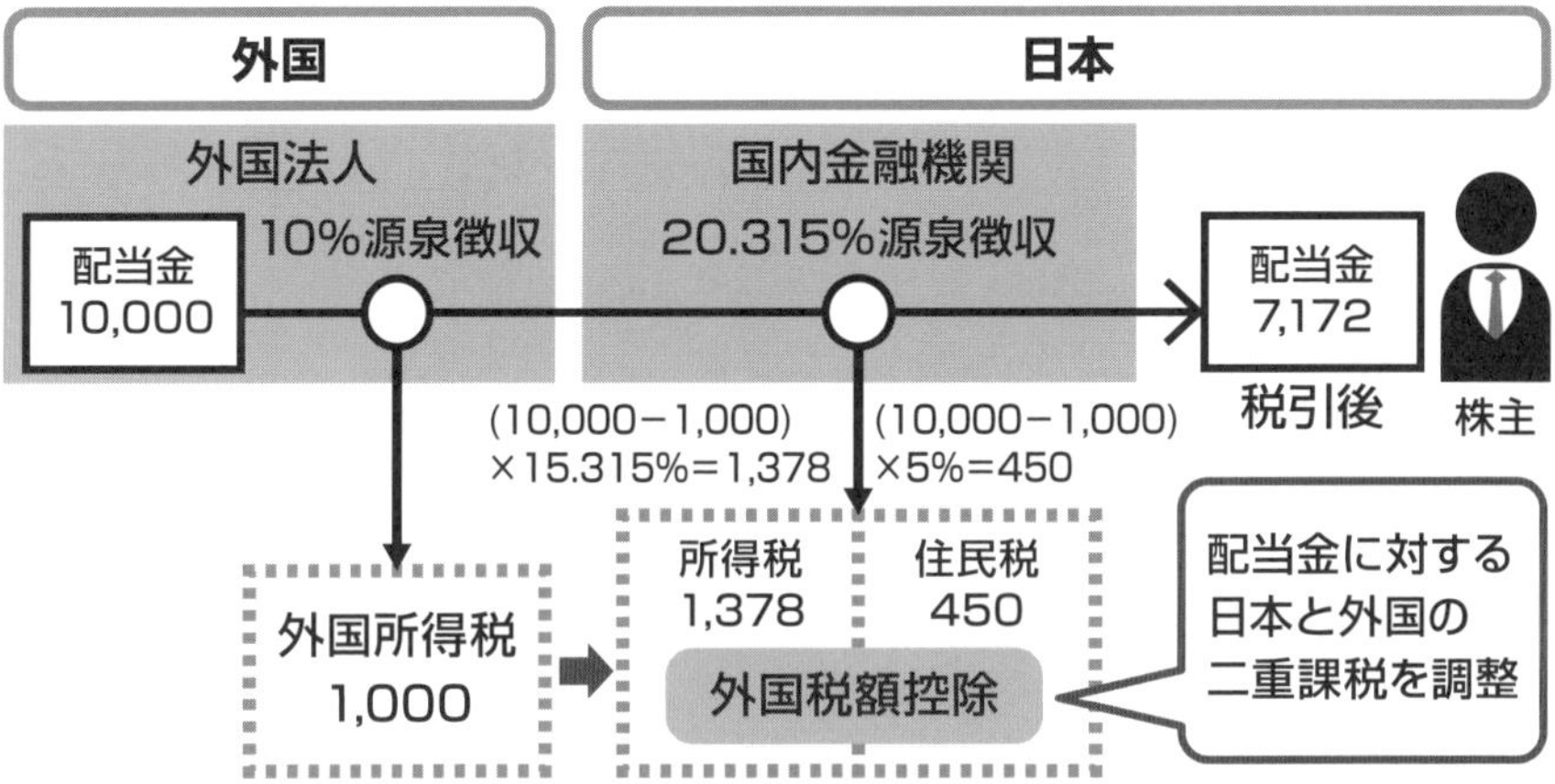

(譲渡に係る年間取引損益及び源泉徴収税額等)　　　　(単位:円)

源泉徴収税額(所得税)	株式等譲渡所得割額(住民税)	外国所得税の額
0	0	0

譲渡区分	① 譲渡の対価の額(収入金額)	② 取得費及び譲渡に要した費用の額等	③ 差引金額(譲渡所得等の金額)(①－②)
上場分	外 9,500,000 円	外 10,800,000 円	△ 1,300,000 円
特定信用分			
合計	9,500,000 円	10,800,000 円	△ 1,300,000 円

(配当等の額及び源泉徴収税額等)

	種類	配当等の額	源泉徴収税額(所得税)	配当割額(住民税)	特別分配金の額	上場株式配当等控除額	外国所得税の額
特定上場株式等の配当等	④株式、出資又は基金					内	
	⑤特定株式投資信託						
	⑥投資信託又は特定受益証券						
	⑦オープン型証券投資信託						
	⑧国外株式又は国外投資信託等	500,000	68,917	22,500			50,000
	⑨合計(④＋⑤＋⑥＋⑦＋⑧)	500,000	68,917	22,500			50,000
もの	⑮合計(⑩＋⑪＋⑫＋⑬＋⑭)	0					円
⑯譲渡損失の金額		1,300,000					
⑰差引金額(⑨＋⑮－⑯)		0					
⑱納付税額			0	0			
⑲還付税額(⑨＋⑮－⑱)			68,917	22,500			

上場株式等の譲渡損失と配当金が通算される

所得税と住民税は全額還付され、外国税のみ源泉徴収されている

**上場株式等の譲渡損失との損益通算により、外国株の配当金には所得税と住民税が課税されておらず、外国税との二重課税にはなっていないが、外国税額控除の適用は可能
(源泉徴収された外国税は、事業所得などその他の所得に対する所得税等から控除できる)**

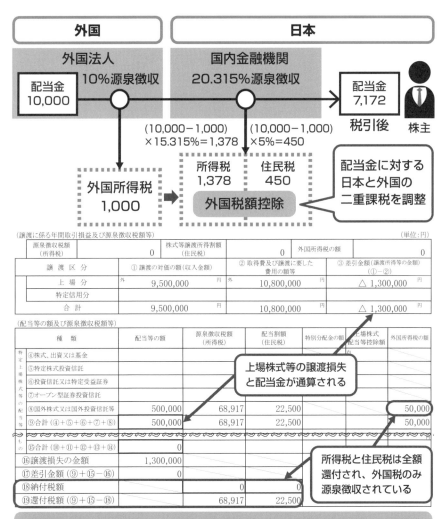

COLUMN 9

儲けと損失の分かれ目とは？

「粗利＝固定費の状態」が損益分岐点

売れ残りや季節外れの商品がある場合に、値引販売をしたり、期末在庫一掃セールなどと銘打って割引セールを実施する店があります。値引販売をすること自体は、在庫商品の現金化を進めるうえで悪いことではないのですが、値引きをするときには、「どこまで値下げしても大丈夫か」を理解しておく必要があります。

その場合に役立つ考え方が「**損益分岐点**」です。損益分岐点とは、収支がトントンになるポイントのことを言い、「損益分岐点売上高」と言えば、ちょうど利益が0円になる売上高、つまり売上高と総費用がイコールの金額になるポイントを指します。

この損益分岐点において、総費用は大きく「変動費」と「固定費」の2つに分類されます。**変動費**とは、売上高の増減に対応して、同じように増減する費用を言います。たとえば、小売店における商品の仕入原価や、飲食店における食材仕入、建設業における材料仕入や外注工事費、タクシー等の運送業におけるガソリン代などがこの変動費に該当します。一方、**固定費**とは、売上高の増減にかかわらず発生する費用で、たとえば事務所の家賃や、営業マン・事務員の給与、車両や機械などのリース料、電話などの通信費等が該当します。

ここで、売上高から変動費を差し引いた金額がいわゆる**粗利**（売上高－変動費＝粗利）となり、「**損益分岐点は、粗利＝固定費の状態である**」と言い換えることができます。

損益分岐点をクリアするポイントを見きわめる

そこで、「どこまで値下げをしても大丈夫か」は、粗利と固定費の関係から判断することができます。たとえば、販売価格が100円で仕入原価が40円の商品がある場合、この商品の粗利は60円になります。もし1ヶ月の固定費が6万円だとすると、固定費の6万円を1個あたりの粗利60円で割れば、1ヶ月に1000個の販売個数が損益分岐点の販売量になると計算できます。

ここで値引販売をした場合には、商品1個あたりの粗利が減少することになります。上記の例で5割引きにして50円の単価にした場合、仕入原価が40円のため粗利は10円となり、損益分岐点の販売量は6000個に膨れ上がります。つまり値下げをすると1個あたりの粗利が小さくなるため、その分、必要な販売量が増えるので、値決めをするときには「粗利と固定費のバランスを考える」ことが大事なのです。

10章

税務調査に賢く備えて節税する方法

1　税務調査とはどんなもの？
2　税務調査の種類と周期
3　調査の連絡があったらどうする？
4　調査先はどのように選ばれるのか
5　税務調査への事前準備の仕方
6　調査当日の対応方法
7　調査で問題になりやすい項目とは

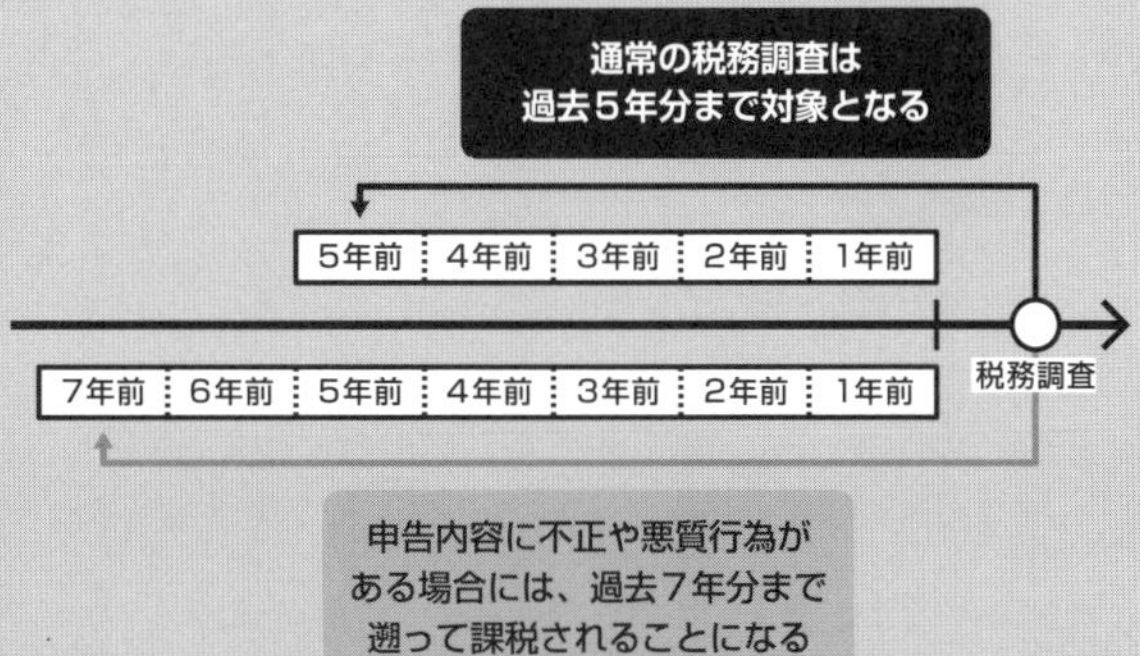

1 税務調査とはどんなもの？

避けて通れない税務調査

所得税のルールは、自分が納める税金は自ら計算し申告するという、自主申告による納税を基本としています。しかし、国民全員が正しく税金を計算し、納税できればいいのですが、ミスや誤りがあったり、中には納める税金を少なくごまかそうとする人も出てくる可能性があります。そのため、みんなが税金を公平・平等に負担するよう、税金の計算と申告が正しく行なわれているかどうかを確認し、調べるために税務調査が必要となります。

税務調査は提出された申告書の内容が適正であるかどうかをチェックするのが目的です。学校のテストの答案を採点するのと同じと言えます。

苦労して確定申告書を作成して税務署に提出を終えると、それですべて完了したものと安心しがちですが、テストも答案を提出しただけでは終わりません。その後に、試験に合格したかどうか採点が待ち受けています。確定申告も、答案用紙（確定申告書）を提出して、その内容を採点するための税務調査が待ち受けているわけです。

◆税務調査を前向きに考えて活用する

税務調査が入るとなると、何もやましいことはなくても、気持ちのいいものではありません。そのため誰もが避けたいと思います。しかし見方を変えて、数年に一度、プロの税務職員が、わざわざ自分のために税金のチェックを無料でしてくれると考えると、メリットも感じられるのではないでしょうか。

たとえば、税務調査を通じて自分が気づかなかった経理の弱い部分や、経営における改善点などの気づきを得られる場合もあれば、調査によって今まで知らなかった従業員の不正が発見できることもあります。また、自分ではベストな方法だと思っていたやり方も、多くの会社を見ている税務職員に聞いてみることで、同業他社での方法を教えてもらえることもあります。

ネガティブに捉えがちな税務調査ですが、避けられないものであれば、自分のビジネスをよりよくするチャンスと受け止めるのも考え方次第です。自社の経理体制を強くするきっかけとして活用しましょう。

税務調査の趣旨とは？

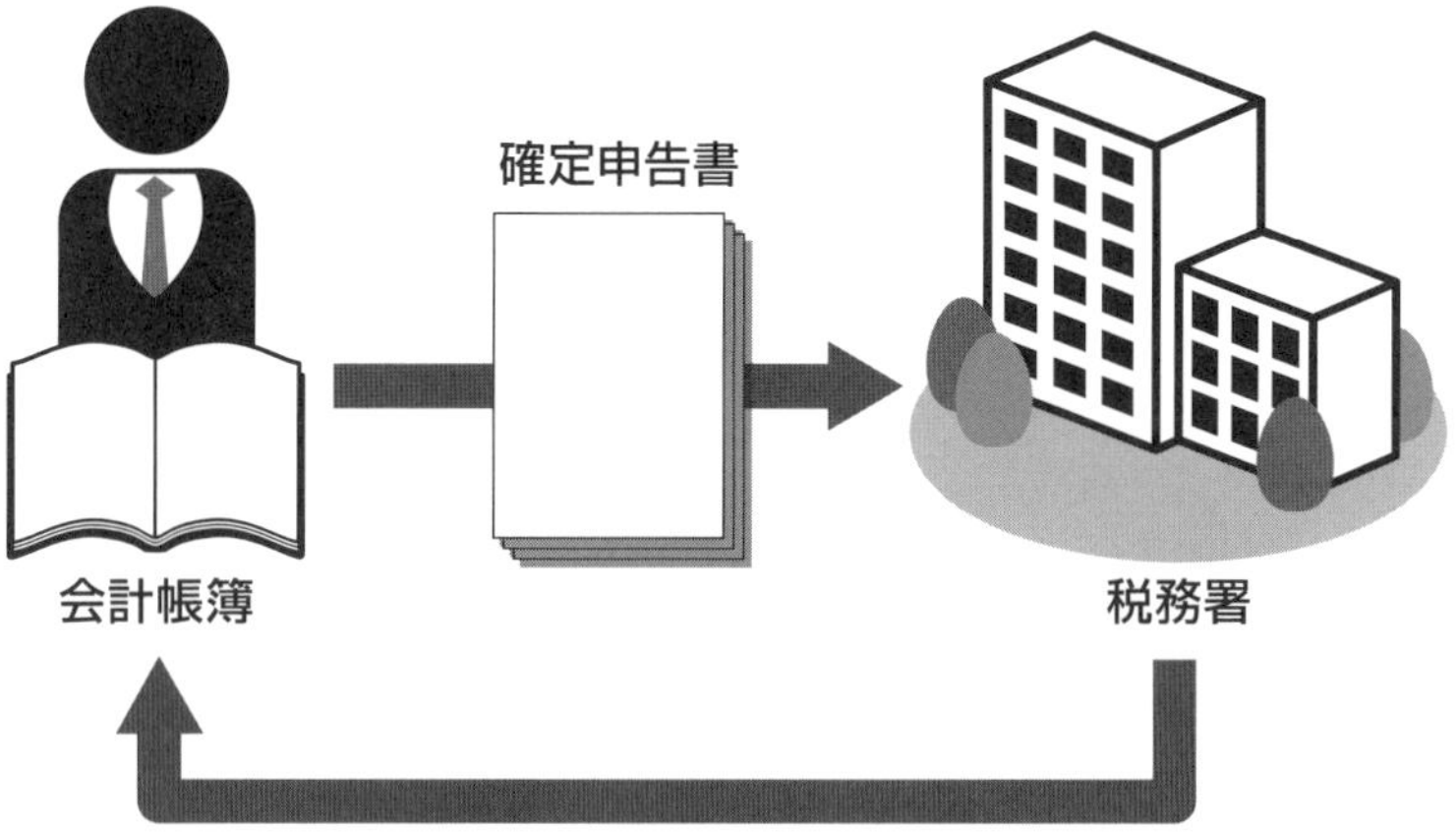

申告された内容が正しいかどうかを
チェックするために税務調査が行なわれる

- 税務調査はプロの税務職員がわざわざ自分のために税金のチェックを無料でしてくれるもの
- 調査官の指摘を改善のアドバイスと捉え、経理体制を強くするきっかけとして活用する

税務調査をプラスに捉えると…

- 自社の経理の弱い部分がわかる
- 経営における改善点が明らかになる
- 社内の不正等を発見できる
- 税金の理解を深めるきっかけにできる

2 税務調査の種類と周期

税務調査にも種類がある

提出された確定申告書の内容が適正かどうかを確認するのが税務調査ですが、その内容を調べるために税務職員には、申告書を提出した人に質問し、作成された帳簿書類等を検査する権限が与えられています。

この税務調査は大きく次の二つに分かれます。

①任意調査

申告書を提出した人の住所地を管轄する地域の税務職員が行なうもので、適正な申告が行なわれているかどうかの確認を任意で行なう税務調査です。ただし任意の調査だからといって拒否できるものではありません。

②強制調査

税務署の上位機関である国税局が実施する査察（いわゆるマル査）で、不正な手段で故意に脱税しているような悪質な行為に対し、犯罪捜査に準じる方法で行なう税務調査です。そのため裁判所の許可を得て、納税者の承諾の有無にかかわらず、強制的に捜索や差し押さえを行なうこともできます。

この二つのうち税務調査と言えば、通常は任意調査を言います。税務調査では、申告書を提出した人の事務所や自宅に出向いて、帳簿書類などの各種資料と突き合わせて、申告内容が正しいかどうかを実際に現地で確認する「実地調査」が行なわれます。実地調査に先立って、あらかじめ税務署内において申告書の記載内容を確認し、現地に出向いて調査する必要があるかどうかを検討する準備調査（机上調査）も行なわれます。

税務調査には周期がある？

一般に税務調査は、概ね3年ごとに行なわれると言われますが、何年ごとに実施する、といったルールがあるわけではありません。確定申告の内容に誤りがあった場合には、申告された日から通常は過去5年分、申告内容に不正がある場合には過去7年分まで遡ってその申告内容を正すことができるとされています。この年数内であれば、3年と言わず、必要に応じて税務調査を行なうことができるため、実際には申告された内容や過去の調査実績などによって決められているようです。

税務調査の種類と対象期間

税務調査の種類

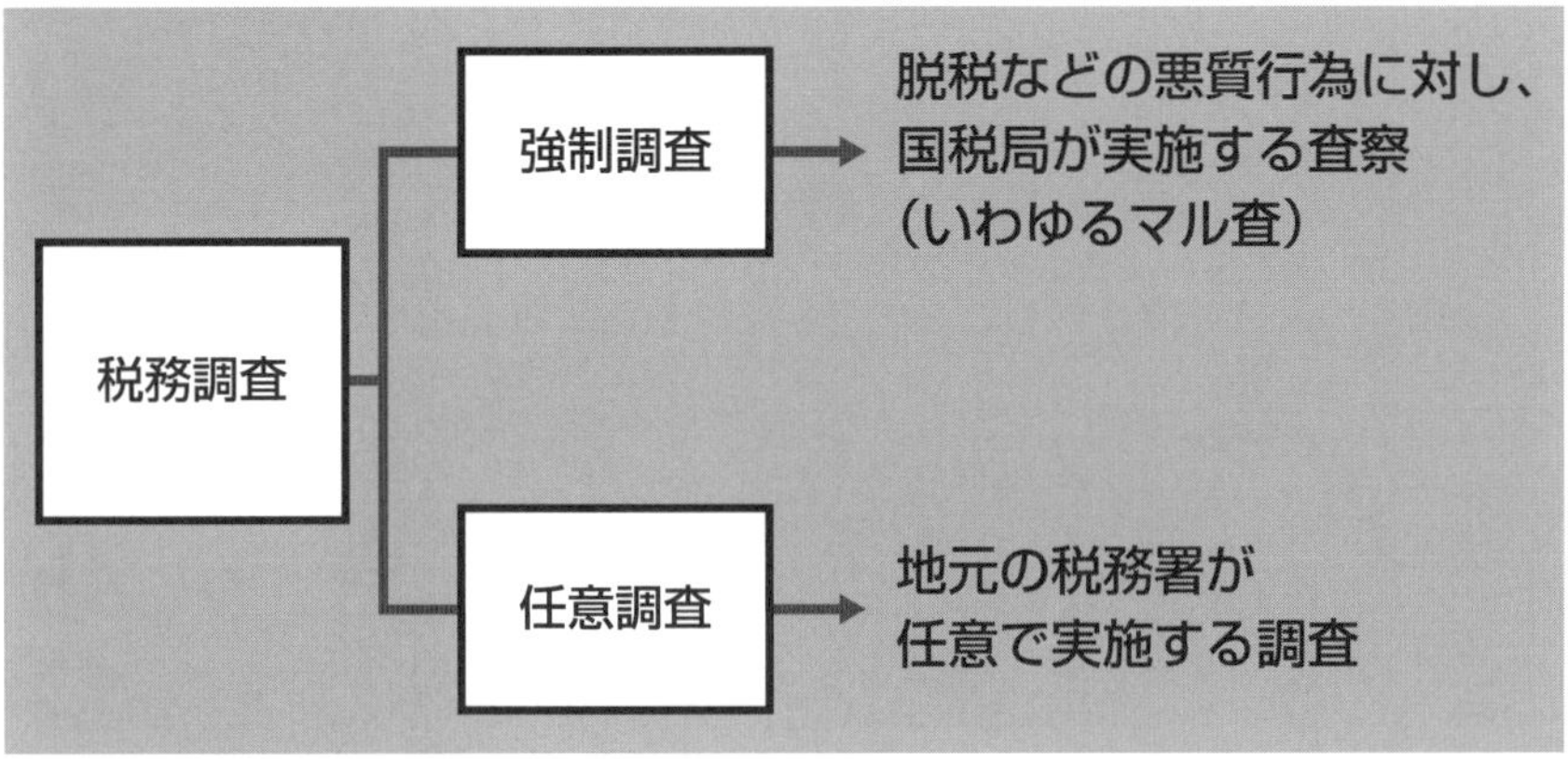

税務調査の対象期間

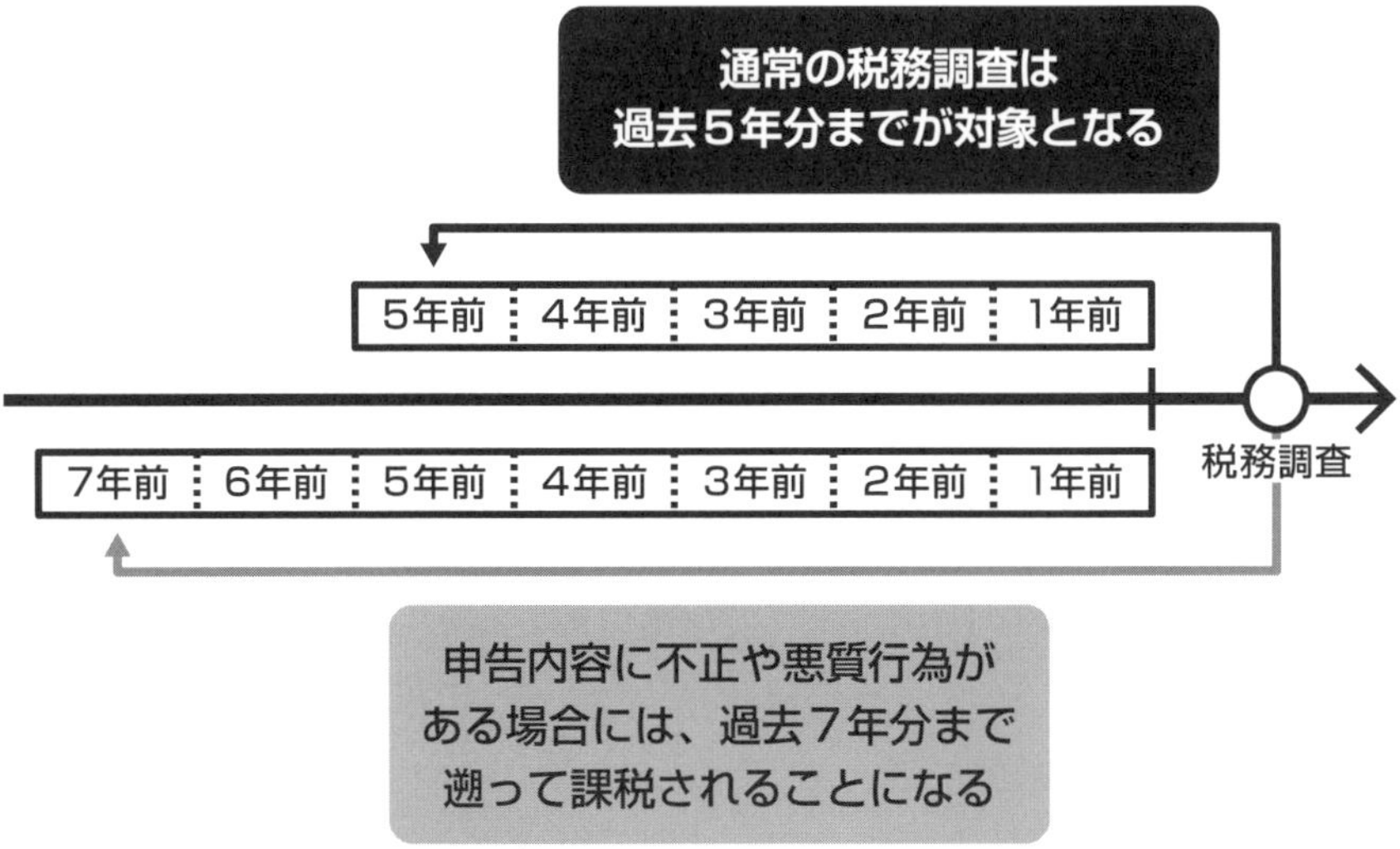

3 調査の連絡があったらどうする？

事前連絡を受けた場合の対応方法

税務調査が行なわれる場合、基本的には税務署の調査官から事前に電話連絡が入ります。これを「**事前通知**」と言いますが、その連絡の際には、「調査を開始する日時・場所」「調査の対象の税目・課税期間や帳簿書類」「調査の目的」などが口頭で通知されます。そのため、これら口頭で告げられた内容をしっかりメモするとともに、調査官の所属部門と氏名を確認するようにしましょう。

なお、税務調査の日時や場所については、必ずそのとおりに受ける義務はありません。仕事の都合などでその日時に合わせることがむずかしい場合には、その旨を伝えることで、調査官も日時の調整に応じてくれます。

また、調査に備えて必要な資料の準備もあるでしょうから、日時について即答することは避け、予定を確認のうえ折り返し連絡することが望ましいでしょう。ちなみに税務調査を受ける場所ですが、これも事情に応じて変更してもらうことが可能です。たとえば飲食店などで、店舗を調査場所とされると営業に支障が出る場合には、自宅など、別の場所に変更してもらうこともできます。

もし税理士と顧問契約を結んでおり、税務署に対して税務代理権限証書を提出している場合には、税務調査の事前通知は税理士にも併せて行なわれるため、調査官との連絡調整は顧問税理士に任せてしまいましょう。

抜き打ち調査とは？

税務調査が事前の連絡なしに抜き打ちで行なわれるケースもあります。不正の疑いがあり、事前に調査連絡をすると証拠隠滅されてしまうような場合です。

一般的には、いわゆる現金商売と呼ばれる飲食店や小売業など、毎日の現金売上げがある商売に対して抜き打ち調査が行なわれることがあります。これら現金商売では現金収入を売上げから除外しやすいことから、抜き打ち調査により現況を確認しようとするためです。

事前連絡なしの場合も、査察でない限りあくまで任意調査ですから、有無を言わせず強制的に行なうことはできません。相応の事情があれば日時や場所を変更し、後日改めて調査を受けることを求めることもできます。

税務調査の事前連絡への対応

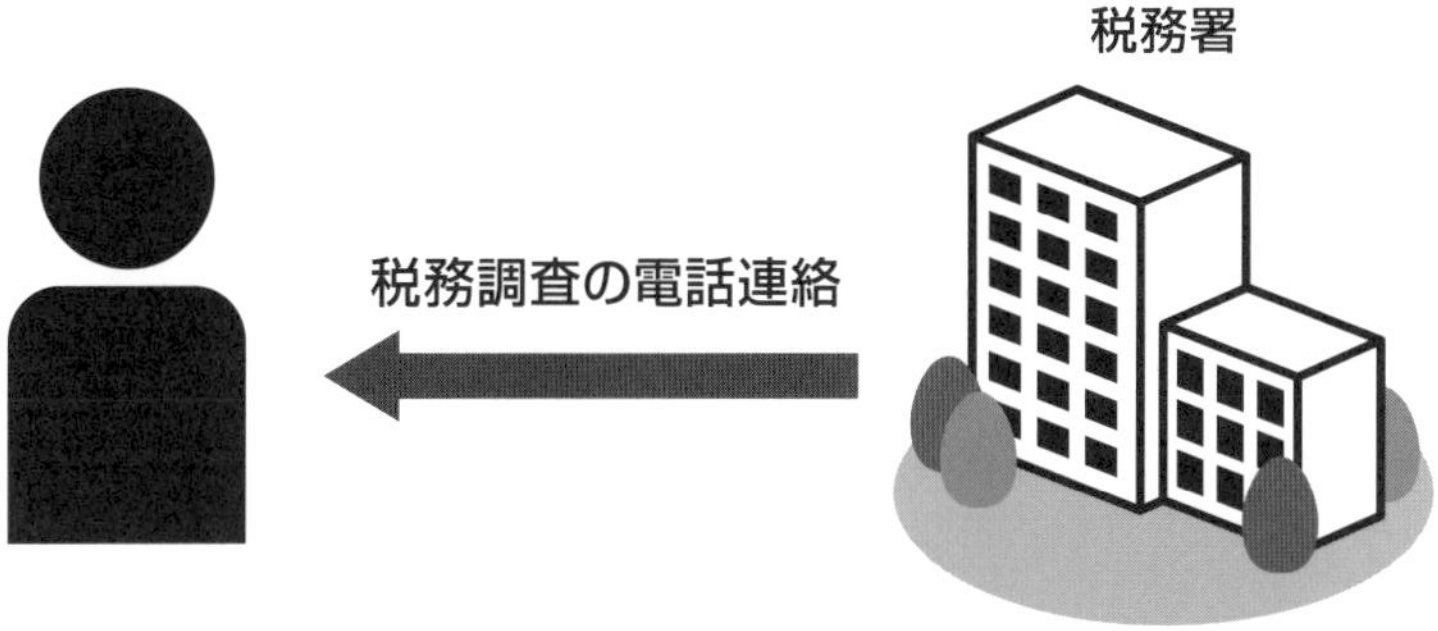

- ▶ 税務調査の実施に際して、以下の事項が電話で事前通知される
- ▶ 口頭で伝えられるため、しっかりメモを取るとともに、担当する調査官の所属部署と役職、氏名も忘れずに確認すること

税務調査の事前通知の内容

- ▶調査の開始日時
- ▶調査の実施場所
- ▶調査の目的
- ▶調査の対象となる税目
- ▶調査の対象となる申告年分
- ▶調査の対象となる帳簿書類等

※ 日時・場所については状況に応じて変更可能

4 調査先はどのように選ばれるのか

調査対象の選び方

税務署から税務調査を行ないたいとの連絡を受けた場合、なぜ自分が選ばれたのか気にする人もいると思います。何かつかんだ情報があるのかなど、特段の理由があって調査対象に選ばれたのか気になるところですが、事前通知の際に調査官に理由を聞いても、調査理由は事前通知すべき項目ではないことから、答えてもらえません。

では、どのように調査先を選んでいるのかと言うと、税務署には税歴表という納税者ファイルのようなものがあり、その税歴表をチェックする他、業種や規模、業績、過去の調査実績など、さまざまな要素に基づいて決定しています。また全国の国税局と税務署をネットワークで結ぶＫＳＫシステム（国税総合管理システム）で申告や納税に関するデータを一元管理しており、各種データの総合判断により調査対象者を選定しています。

どんな人が選ばれやすいか

税務署としても予算や調査官の人数などの制約により、すべての納税者に対して税務調査を行なうことは現実的に無理があることから、できるだけ効率的な調査を行なえるよう、追徴税が取れそうな、あやしいと思われる人を調査対象として選びます。

たとえば、確定申告書に添付された決算書を見て、数値に異常がないかなどを経営分析の観点からチェックする他、同規模の同業他社との比較からも検証します。

売上げは順調に伸びているのに、所得があまり増えていなかったり、好不調の波は必ずあるはずなのに、不自然に毎年同じような売上げと所得で申告されているような場合には、調査官は疑いの目を持つかもしれません。

また他の会社の税務調査で、その取引先として不正取引があるのではと疑われた場合や、外部から税務署に通報された脱税等の情報に基づく場合もあります。

「うちはずっと小規模で細々とやっているから税務調査なんか来ないだろう」と思う人もいるかもしれませんが、規模が小さいことを理由に調査対象から外れることはありません。１人でフリーランスとして活動している人に対しても、実際に調査は行なわれています。

税務調査の対象者はどのように選ぶ？

▶ 税歴表
▶ 業種
▶ 規模
▶ 業績
▶ 過去の調査実績　など

KSKシステム
（国税総合管理システム）
▶ 申告や納税に関する
データを一元管理

これら各種データの総合判断により税務調査の対象者を選定

税務調査対象者の選び方

- **税務署も、調査を行なうには人員や予算の制約がある**
- **調査の効率化のため、問題のありそうなところを選別する**
  - ▶ 経営分析の観点から異常な点がないか
  - ▶ 同規模・同業他社と比較しておかしな点がないか
  - ▶ 申告された数字に不自然な点がないか　等
- **不正取引があるのではないか、と疑われた場合**
- **外部からの通報（脱税等）**

5 税務調査への事前準備の仕方

リハーサルで心の準備をする

税務調査はまず、調査官からの事前通知の電話連絡から始まりますが、調査日時の調整では、調査に向けた事前準備の時間を考慮すべきです。調査官側は調査に向けて綿密な事前準備を行なっているわけですから、こちらも相応の準備を整えたうえで調査を受けましょう。

どんな人柄の調査官が来るのか、どのようなことを質問されるのかはわかりませんが、行き当たりばったりで調査に臨み、調査官からの質問にしどろもどろにならないように、心の準備をしておくべきです。そのために事前のリハーサルとして、過去の確定申告書や決算書などをもう一度、見直すようにしましょう。

とくに決算書の内容については、計上した売上げや経費について領収書等の元資料まで再度見返し、当時どのような状況であったかを思い出すことで、当日の受け答えが自信を持ってできるようになります。

また申告書の控えを見直す中で、もし申告した内容に記載間違いや計算ミスなどがあれば、調査当日はその指摘に対して事前に心積もりしておくこともできます。

普段からの資料整理が大事

税務調査の際は、対象期間における現金出納帳や総勘定元帳などの帳簿の他、帳簿作成の基になっている預金通帳や売上げ・仕入資料、給与に関する資料や経費書類、契約書などを事前に揃えておく必要があります。

これらの資料は年度別・日付順に整理しておくことが大切で、未整理のままのものとでは調査官の心象も違ってきます。事前に資料を整理していくときには、余計な付箋やメモ書きがないかもチェックしておくべきです。

また、帳簿書類を当日、調査官に言われてから出してくるのは好ましくありません。たとえば自宅で調査を受ける場合、別の保管場所から出してこようとすると、たとえプライベートな部屋でも、調査官は何か関連するものはないかと、一緒についてきてチェックしようとする場合もあります。事業に関係のない余計なものまで見られることのないよう、帳簿資料はすべて、当日調査を受ける部屋にあらかじめ用意しておきましょう。

税務調査でしておくべき事前準備

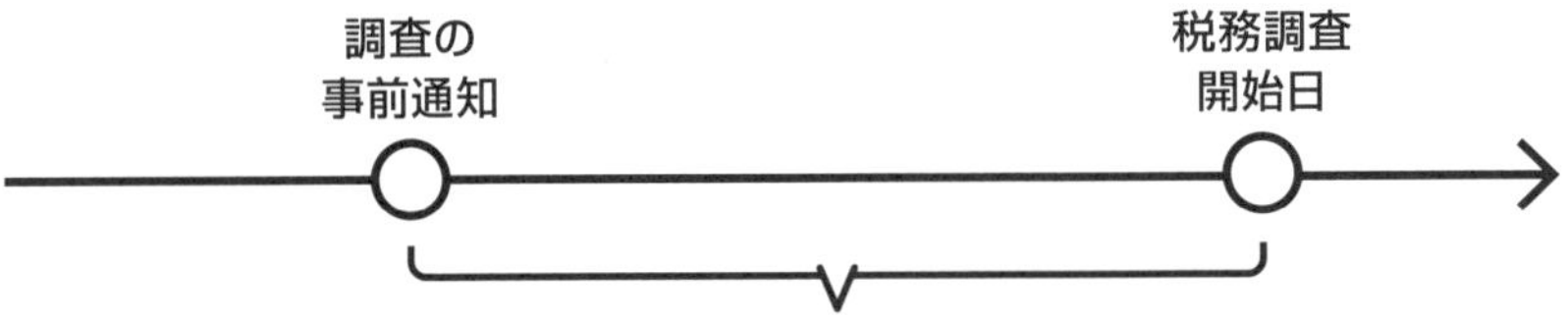

税務調査に向けた事前準備の時間を考慮したうえで
調査日の日程調整をするのが望ましい

税務調査の事前準備

調査年分に関する資料の整理

- ▶ 現金出納帳、売上帳、総勘定元帳などの帳簿書類
- ▶ 売上請求書、仕入・諸費用請求書
- ▶ 給与台帳、源泉徴収簿、年末調整資料
- ▶ 預金通帳、経費領収書、その他契約書類　など

申告した内容の振り返り

- ▶ 申告書控え、帳簿書類、領収書・請求書資料などの再確認
- ▶ 数字に変動などがある場合、理由や当時の状況を整理
- ▶ 各種資料に不要なメモや付箋などがあれば取り除く

調査場所の整理整頓

- ▶ 調査官と面談する部屋には余計な私物を置かない
- ▶ 調査官に見られても問題のないよう、机や棚を整理しておく

6 調査当日の対応方法

税務調査の流れ

調査当日、調査官が到着すると、お互い初対面であることから、まずは挨拶から始まります。ビジネスであれば名刺交換となるでしょうが、調査官は名刺交換に代えて身分証明書を提示します。調査官には身分証明書の携帯と求めに応じて提示する義務がありますから、調査官本人かどうかを確認しましょう。挨拶を終えるといきなり資料確認に入ることはなく、世間話で緊張をほぐしてから基本的な聞き取り調査が始まります。

まずは、事業主自身の個人的な経歴から聞かれます。「どういったきっかけで今の事業を行なうことになったのか」「開業する前はどのような職業に就いていたのか」など、現在に至るまでの流れや背景の聞き取りが行なわれますが、これらはあくまで参考情報としての聞き取りなので、あまり神経を使う必要はありません。

個人的な経歴の確認を行なった後、現在の事業に関する概要について質問されることになります。

たとえば、業界や業種自体の概要から、業界としての特殊性、自社の事業内容や具体的な取引の流れ、最近の商売の概況などの大まかな項目が、まず確認されます。そのうえで、「取引を記録する帳簿はどのようなものを作成しているのか」「それは誰が作成し、どこに保管しているのか」「現金や預金、商品などの管理はどのようにしているのか」等の細かな内容の質問がなされます。

調査官はこのような質問を通じて事業の状況を把握し、重点的に調査すべきポイントを絞り込んだうえで帳簿資料の確認を進めていきます。

質問への受け答えの注意点

慣れない税務調査ですから、誰もが緊張してしまうものです。調査官からいろいろ質問を受けると、緊張のあまり余計なことまで答えてしまうかもしれません。

調査官の質問には落ち着いて答え、何でも即答しようとしないことです。質問の内容をしっかり理解し、事実を踏まえて伝えることを心がけましょう。安易につじつま合わせの答えはせず、わからないことは調べて回答するようにしましょう。

税務調査当日の流れ

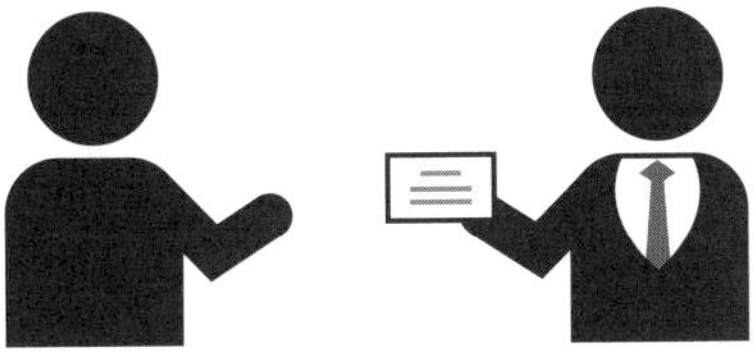

調査当日の挨拶では、
調査官が携帯する身分証明書により本人確認をする

税務調査は通常、いきなり資料確認を行なうことはせず、
まずは基本的な聞き取り調査から始められる

- ▶ 開業前の職業や開業に至った背景
- ▶ 業種・業界の概要や特徴
- ▶ 事業内容や具体的な取引の流れ
- ▶ 最近の商売の概況　など

落ち着いて受け答えをし、何でも安易に即答しようとはせず、
わからないことは調べてから回答するように心がける

7 調査で問題になりやすい項目とは

勘定科目ごとにチェックされる点がある

調査冒頭で質問による聞き取りを終えた後は、総勘定元帳などの帳簿書類と、その原始証憑（事実を示す書類）である請求書・領収書などの各資料との突き合わせと内容チェックが行なわれます。調査官も限られた時間の中で調査を行なうことから、聞き取り内容からある程度の目星をつけて、チェック作業を進めていきます。そこで調査官がどのような書類を入念に確認しているかを観察すると、何に関心を持っているかを推測できます。関心のありどころを推測することで、次に問われる質問もある程度見越して心の準備を整えることができます。

また、帳簿書類を確認するうえでは勘定科目ごとにチェックされる点があります。たとえば現金や普通預金であれば、帳簿と残高が一致しているか、残高自体が異様に多かったり少なかったりしないか、場合によっては金庫の中身を見せるよう求められることもあります。その他、「売上高において今年計上すべきものを翌年回しにしているものはないか」「仕入高や外注費について年末の棚卸高や仕掛工事として計上すべきものはないか」「給与の架空支払いはないか」「源泉所得税が正しく徴収されているか」といった点がチェックされます。

家事用の項目が含まれていないか

費用項目について、とくに個人事業主においては、「店舗兼住宅の場合における水道光熱費」や「自家用車を仕事利用している場合の車両に関する費用」「携帯電話などの通信費」などは、事業用と家事用で共通する経費にあたることから、支出金額のうち家事用の部分を按分して除いたうえで、事業用部分だけを必要経費に計上しているかどうもチェックされます。

また、接待交際費や福利厚生費などについて、家族に対するものなど事業に関係のないプライベートな支払いが経費に含まれていないかもチェックされます。

飲食店や小売店など日々現金を扱う商売においては、当日のレジ残高が帳簿と一致しているかどうかを確認されます。ここで誤差があると、現金売上げの管理もずさんだと疑いを持たれかねないため、注意が必要です。

税務調査でチェックされるポイント

売上関係

- ▶ 売上高の計上漏れや除外がないか
- ▶ 今年計上すべき売上高が翌年度に計上されていないか
- ▶ 売上高に計上すべき家事消費分の計上漏れがないか

給与関係

- ▶ 架空人件費の計上はないか
- ▶ パート・アルバイト給与の源泉徴収は適切にできているか
- ▶ 扶養控除申告書の提出により、年末調整が適切に行なわれているか
- ▶ 専従者給与は届出金額の範囲内で支給されているか
- ▶ 専従者の勤務実態や給与について妥当性があるか

経費関係

- ▶ 自宅兼店舗の場合、水道光熱費や電話料金について、事業用と家事用の按分計算は適切に行なわれているか
- ▶ 事業と家事で併用している車両に係る諸経費について、家事利用分を適切に按分し経費から除いているか
- ▶ 保険料として計上した経費の中に、生命保険料や家事用の保険料(自宅の火災保険料や自動車保険料の家事利用分として按分計算した金額など)が含まれていないか
- ▶ その他、諸経費の中に事業主のプライベートな支出が計上されていないか

著者略歴

髙橋　智則（たかはし　とものり）

税理士・アルトブリッジ税務事務所代表。

高校卒業後はバンドマンとしてプロミュージシャンを目指したものの挫折。その後、零細企業に勤めたことで、税理士という職業を知り、一念発起し、税理士資格を取得する。

中小・個人企業の支援を中心とする会計事務所に勤務の後、医業を専門とする会計事務所、外資系大手会計事務所の国際部門での勤務を通じて、個人商店の税金申告から上場企業の国際税務コンサルティングに至るまで、幅広い税務アドバイスの経験を有する。

独立後は、開業初期の小さな会社や歯科医院などへの節税アドバイス、海外取引をする中小企業に対する国際税務支援を精力的に行なっている。

最新版　ビジネス図解
個人事業主のための節税のしくみがわかる本

2022年 2月 3日　初版発行
2024年12月10日　2刷発行

著　者 ―― 髙橋智則

発行者 ―― 中島豊彦

発行所 ―― 同文舘出版株式会社

東京都千代田区神田神保町1-41　〒101-0051
電話　営業03（3294）1801　編集03（3294）1802
振替00100-8-42935
https://www.dobunkan.co.jp/

ISBN978-4-495-53402-8
印刷／製本：三美印刷
Printed in Japan 2022